*Sinaï*

*Tapijt*

Edward
Whittemore

# *Sinaï Tapijt*

VERTAALD DOOR ROB VAN MOPPES

UITGEVERIJ LUITINGH

Voor meer informatie: kijk op **www.boekenwereld.com**

De vertaler ontving voor deze vertaling een werkbeurs van de Stichting Fonds voor de Letteren.


Oorspronkelijke titel: *Sinai Tapestry*
Omslagontwerp: Pete Teboskins
Omslagfotografie: Bojan Brecelj/Corbis/TCS (achtergrond) en Simon Vouet *Annunciation* Alinari Archives/Corbis/TCS
Foto auteur: Carol Martin

ISBN 90 245 4857 8
NUR 305/302

Voor Cat

# Inhoud

# Edward Whittemore (1933 – 1995)

*'Zo'n twintig jaar na het einde van de oorlog met Japan meerde in de haven van Brooklyn een vrachtschip af met aan boord de grootste collectie Japanse pornografie die ooit in een westers taalgebied bijeen was gebracht. De eigenaar van de collectie, een reusachtige, dikke, grijnzende man die Geraty heette, overhandigde de douanebeambten een paspoort waaruit bleek dat hij een in Amerika geboren en getogen balling van rond de vijfenzestig was, die vier decennia tevoren de Verenigde Staten had verlaten.'* Zo begint *Quin's Shanghai Circus*; het boek eindigt met een beschrijving van de grootste begrafenisstoet in Azië sinds de dertiende eeuw.

We schrijven 1974. De auteur is Edward Whittemore, een eenenveertig jaar oude, voormalige geheim agent. Hij en ik studeerden in de jaren vijftig aan de Universiteit van Yale, maar waren toen ieder ons weegs gegaan, hij naar de CIA en ik naar een loopbaan in de boekenuitgeverij in de stad New York. Vanzelfsprekend was ik blij dat mijn oude studiemaatje zich met zijn roman had gewend tot uitgeverij Holt, Rinehart & Winston, waar ik hoofdredacteur was van de afdeling Bedrijfskunde. Mijn blijdschap was nog groter toen de overwegend positieve recensies binnen begonnen te druppelen, met als klap op de vuurpijl Jerome Charyn die in *The New York Times Book Review* schreef: '*Quin* is een volslagen krankzinnig boek vol mysteriën, waarheden, onwaarheden, autisten, necrofielen, tovenaars, dwergen, circusdirecteuren en geheim agenten... een wonderbaarlijke herschrijving van de geschiedenis van de twintigste eeuw.'

In de vijftien daaropvolgende jaren schreef Whittemore nog vier tomeloos fantasierijke romans, zijn Jeruzalem Kwartet: *Sinaï Tapijt, Jeruzalem Poker, Nijl Schaduwen* en *Jericho Mozaïek.* Recensenten en critici vergeleken zijn werk met de romans van Carlos Fuentes, Thomas Pynchon en Kurt Vonnegut. *Publishers Weekly* noemde hem 'onze grootste onbekende romancier'. Jim Hougan, recensent voor *Harper's Magazine*, beschreef Whittemore als 'een van de laatste en beste argumenten tegen televisie... hij is een zeldzaam begaafde auteur... In de setting zullen liefhebbers van spionageromans zich vast en zeker thuis voelen, maar toch wordt die volledig getransformeerd door het absurde gevoel voor humor van de schrijver, zijn voorliefde voor mystiek en zijn multidimensionale kijk op tijd en geschiedenis.'

Edward Whittemore stierf in de zomer van 1995 op tweeënzestigjarige leeftijd aan prostaatkanker en was toen weinig bekender dan in het begin van de jaren zeventig, toen hij zijn korte, verbluffende carrière als schrijver begon. Van zijn romans zijn nooit meer dan 5000 exemplaren in gebonden editie verkocht en slechts drie daarvan waren korte tijd in de goedkopere pocketuitvoering verkrijgbaar. Maar het Kwartet werd uitgegeven in Groot-Brittannië en in Duitsland waar Whittemore op het omslag werd omschreven als de 'Amerikaanse meesterverteller'. De omslag van de Poolse editie van *Quin's Shanghai Circus* werd gesierd met een schitterend voorbeeld van Japanse erotica.

Whittemore slaagde in juni 1951 voor het eindexamen aan Deering High School in Portland, Maine en schreef zich dat najaar in op Yale, een lid van lichting 1955. Een studiegenoot op Yale, de romancier Ric Frede, betitelde de studenten uit de jaren vijftig als 'leden van de Stille Generatie'. De jaren vijftig waren ook de 'Eisenhower-jaren', die behaaglijke periode tussen de Tweede Wereldoorlog en het radicalisme en de studentenonlusten van de jaren zestig. De universiteiten in het noordoosten van de Verenigde Staten werden nog steeds gedomineerd door oud-leerlingen van de voorbereidingsscholen in New England. Als zonen van de gegoede klasse aan de oostkust stonden zij dichter bij de Princeton University van F. Scott Fitzgerald en de Harvard University van John P. Marquand dan bij de werelden van Jack Kerouac en Allen Ginsberg. Zij waren 'heren' en sportlieden, maar niet per definitie grote geesten. Na, vaak met matige cijfers, aan Yale of een van de andere universiteiten te zijn afgestudeerd, vonden zij hun weg naar Wall Street of Washington; werden zij advocaat, arts of journalist. Ze vermaakten hun families en vrienden zowel op de speelvelden van Yale als bij Mory's. Ze beheerden *The Yale Daily News*, WYBC (de radiozender van de universiteit), *The Yale Record* (het humoristische tijdschrift), *The Yale Banner* (het jaarboek), en zongen in diverse muziekformaties. Ze waren doorgaans lid van een van de disputen en werden 'geronseld' door een van de zes geheime laatstejaarsgenootschappen.

Naar de toenmalige maatstaven van Yale was Whittemore een groot succes, een schooljochie dat het had 'gemaakt'. Innemend, aantrekkelijk en slank trad hij met een geamuseerde glimlach op zijn lippen de wereld tegemoet. Achteloos droeg hij het uniform dat toentertijd 'in' was: een tweedjasje met visgraatmotief, bij voorkeur met slijtstukken op de ellebogen, een streepjesdas, een kaki broek en afgetrapte witte juchtleren schoenen. Kortom, hij was 'cool'. Op sportief gebied presteerde hij weinig, maar hij was wel lid van Zeta Psi, een dispuut dat bestond uit stevig drinkende, maatschappelijk goed gepositioneerde studenten. Aan het einde van zijn propedeusejaar werd hij opgenomen in Scroll & Key, een van de geheime genootschappen op Yale.

Maar wat hem werkelijk onderscheidde, was het feit dat hij in 1955 hoofdredacteur was van *The Yale News*, in een tijd dat de samenstellers en hoofdredacteuren daarvan even populair waren als de aanvoerders van het footballteam en de knapste koppen van de klas. Na de oorlog en in de jaren vijftig bracht *The Yale News* prominente schrijvers/journalisten voort als William F. Buckley, James Claude Thomson, Richard Valeriani, David McCullough, Roger Stone, M. Stanton Evans, Henry S.F. Cooper, Calvin Trillin, Gerald Jonas, Harold Gulliver, Scott Sullivan en Robert Semple. Zij zouden hun stempel drukken op *The New York Times, The New Yorker, Time, Newsweek, The National Review, Harper's* en de televisiemaatschappijen en zij zouden heel wat prachtige boeken schrijven.

Ik ontmoette Ted in de lente van ons eerste jaar op Yale. We probeerden allebei in de redactie van *The News* te komen en, zoals zo vaak gebeurde tussen hen die meedogenloos moesten wedijveren om een plaatsje binnen *The News* te veroveren, bleven wij tot aan het einde van onze studietijd bevriend. Velen van ons bij *The News* gingen er voetstoots van uit dat Ted zou afstevenen op Wall Street en Brown Brothers Harriman, een investeringsmaatschappij waar oudgedienden van Scroll & Key meer dan welkom waren en waar Teds oudere broer later emplooi vond. Of op z'n minst zou hij zich begeven op de journalistieke snelweg ergens in het *Time-Life* imperium dat was opgericht door Henry Luce, een vroegere *News*-coryfee.

Maar we hadden het mis. Whittemore werd, nadat zijn diensttijd bij het marinierscorps in Japan erop zat, aldaar benaderd door de CIA. Hij kreeg een spoedcursus Japans en werkte ruim tien jaar voor de geheime dienst in het Verre Oosten, Europa en het Midden-Oosten.

In die jaren keerde Whittemore af en toe terug naar New York. 'Wat doe je voor de kost?' vroeg een van ons dan. Een poosje runde hij een krant in Griekenland. Vervolgens waren er de schoenenfabriek in Italië en een soort denktank in Jeruzalem. Hij werkte zelfs korte tijd bij de narcoticabrigade in New York, toen John Lindsay daar burgemeester was. Later deden geruchten de ronde dat hij een 'drankprobleem' had en drugs gebruikte.

Hij is tweemaal getrouwd en weer gescheiden in de periode dat hij marinier was en voor de CIA werkte. Hij en zijn eerste vrouw kregen twee dochters, maar bij het opstellen van de scheidingsakte werd bepaald dat hem geen bezoekrecht werd verleend. En dan waren er nog de vrouwen met wie hij na zijn tweede scheiding samenleefde. En dat waren er heel wat; ze leken allemaal over een bijzonder talent te beschikken – schilderessen, fotografes, beeldhouwsters en danseressen, maar nooit schrijfsters.

En er waren nog andere geruchten. Hij had de CIA vaarwel gezegd, hij woonde op Kreta, hij was platzak, hij was bezig aan een boek. En toen werd het stil. Het was duidelijk dat de 'veelbelovende' student geen lauweren van roem en eer had geoogst.

Pas in 1972 of 1973 hoorde ik weer iets van Ted. Hij was voor een bezoekje terug in New York. Op het eerste gezicht leek hij de goeie ouwe Ted. Hij was een tikje verfomfaaid, maar de gevatheid, de humor en de jongensachtige charme waren nog volop aanwezig. Toch leek hij bedachtzamer, diepzinniger, en hij was met Carol, een vrouw die hij had leren kennen tijdens zijn verblijf op Kreta en met wie hij leek samen te leven. Hij was ook terughoudender. En hij had een manuscript voor een roman bij zich dat hij me wilde laten lezen. Ik vond het een schitterende roman, vol fabelachtige en exotische personages, boordevol leven, geschiedenis en de geheimen van de Oriënt. De roman die later *Quin's Shanghai Circus* zou gaan heten, zag nog drie herziene versies voor wij hem in 1974 publiceerden. Het verhaal speelt in Japan en China voor en tijdens de Tweede Wereldoorlog. De twee eerste versies begonnen zelfs in de South Bronx in de jaren twintig en gingen over drie jonge Ierse broers Quin. Tegen de tijd dat de roman uitkwam, was er nog maar één Quin over en waren de tachtig aan de Bronx gewijde pagina's geslonken tot enkele alinea's.

Zoals ik al eerder vermeldde, oogstte *Quin* meer succes bij de recensenten dan in de boekwinkel. Degenen die het boek lazen waren dolenthousiast, ook al waren dat er bij lange na niet genoeg. Maar Whittemore liet zich niet uit het veld slaan. Nog geen twee jaar later verscheen hij opnieuw bij mij op kantoor met een zelfs nog ambitieuzere roman, *Sinaï Tapijt*, het eerste deel van zijn Jeruzalem Kwartet. Het verhaal speelt in Palestina, in het midden van de negentiende eeuw, toen het Britse Imperium op het toppunt van zijn macht was. Tot de meest buitenissige hoofdpersonen behoren een lange Engelse aristocraat, de grootste zwaardvechter, botanist en ontdekkingsreiziger van het Victoriaanse Engeland; een fanatieke trappistenmonnik die de oorspronkelijke Sinaï-bijbel vond, waarin 'elke religieuze waarheid die ooit door iemand is aangehangen wordt weersproken'; en een Ierse extremist die vermomd als non naar Palestina was gevlucht. Mijn favoriet was (en is nog steeds) de drieduizend jaar eerder geboren Hadji Haroen, een ongrijpbare dwaler door de geschiedenis – nu een antiquair, gehuld in een verschoten gele mantel, met op zijn hoofd een roestige kruisvaardershelm, die zich nog steeds kwijt van zijn taak als verdediger van de Heilige Stad. In de loop der eeuwen heeft hij verschillende incarnaties gehad: als steenhouwer van gevleugelde leeuwen tijdens de Assyrische bezetting, als uitbater van een dag en nacht geopende kruidenierswinkel onder de Grieken, als ober tijdens het bewind van de Romeinen, en als leverancier van hasj en geiten aan de Turken. Alvorens ik in 1977 voor het eerst naar Israël reisde, gaf Whittemore, die toen in New York was om te schrijven, me de adressen van diverse mensen in Jeruzalem. Een van hen heette Mohammed en hij was de eigenaar van een antiekgalerie. Toen ik hem eindelijk in de Oude Stad had opgespoord, trof ik een merkwaardige man die, als hij een verschoten gele mantel en een roestige helm had gedragen, het evenbeeld van Hadji Haroen zou zijn geweest.

Het was duidelijk dat Ted in Jeruzalem een totaal nieuw leven was begonnen. De direct daaraan voorafgaande tijd in het begin van de jaren zeventig op Kreta, waar hij van een karige uitkering had moeten rondkomen, had hij achter zich gelaten. Hij deelde toen een huis met vrienden in Chania, de op een na grootste stad op Kreta. In haar lange geschiedenis was de stad bezet geweest door de Romeinen en veroverd door de Arabieren, Byzantijnen en Venetianen alvorens zij, in de zeventiende eeuw, werd ingelijfd bij het Ottomaanse Rijk. Nu was het een bloeiende Griekse gemeente. Athene zonder het Parthenon, maar met een nog rijkere geschiedenis. Met andere woorden, een volmaakte plek voor een voormalig geheim agent om de balans op te maken, te onderzoeken waar het in de geschiedenis om gaat en te heroverwegen wat hij als student op Yale had geleerd.

Toen hij in de jaren zestig in Japan verbleef, had Whittemore twee tot op heden ongepubliceerde romans geschreven; de eerste ging over het Japanse spel Go, de tweede over een jonge, Amerikaanse emigrant die in Tokio woont. Op Kreta zette hij zich weer behoedzaam, aarzelend aan het schrijven, experimenteerde hij met toon, stijl en onderwerpkeuze en maakte hij gebruik van zijn ervaringen binnen de CIA bij de totstandkoming van het verbluffende, rauwe epos *Quin's Shanghai Circus*. Tegen de tijd dat hij begon aan het Kwartet was hij zelfverzekerder en ontpopte hij zich als waarachtig schrijver. Hij had een onderwerp gevonden dat hem de rest van zijn leven zou bezighouden: Jeruzalem en de wereld van Christenen, Arabieren en Joden; van geloof en levensovertuiging; van mystiek en religieus (en politiek) fanatisme; van de negentiende eeuw; van Europees imperialisme, van twintigste-eeuwse oorlogen en terrorisme. Maar toch bovenal van Jeruzalem, de Stad op de Heuvel, de Heilige Stad. De romans wemelden nog steeds van de meest buitenissige personages, de humor was nog steeds vaak grotesk en macaber, en aan geweld was geen gebrek. Maar er was ook sprake van een nieuw begrip van de raadselen des levens.

De nieuwe roman, die uiteindelijk in 1979 werd gepubliceerd, was *Jeruzalem Poker*, het tweede deel van het Kwartet. Er wordt een pokermarathon in beschreven die op een van de laatste dagen van december 1921 begint, als drie mannen aan tafel plaatsnemen om een spelletje te doen. De inzet is niet minder dan de Heilige Stad zelve. En waar zou een spel om de heerschappij over Jeruzalem beter kunnen worden gespeeld dan in de antiekwinkel van Hadji Haroen? Eigenlijk vestigde Ted zich pas permanent (daarmee bedoel ik 'permanent' naar zíjn maatstaven) in Jeruzalem toen het Kwartet al in een vrij vergevorderd stadium was. Zijn kennis van Jeruzalem was gebaseerd op wat hij uit boeken had opgestoken, maar later dwaalde hij eindeloos door de drukke, bedrijvige straten en wijken van de Oude Stad. Kooplieden van allerlei slag, slagers, leerlooiers, glasblazers, juweliers, zilversmeden, en zelfs ijzerhandelaren spraken bijna alle bekende talen en kleedden zich in de levendige en exotische gewaden van het Midden-Oosten. Toen we ons een weg baanden door een smalle steeg in het Arabische Kwartier heb ik ooit eens tegen Ted gezegd dat ik het gevoel had dat we elk moment Sindbad de Zeeman tegen het lijf konden lopen.

De volgende keer dat ik een bezoek bracht aan Jeruzalem woonde Ted samen met Helen, een Amerikaanse schilderes, in een ruim appartement in een groot, negentiende-eeuws stenen gebouw in de omgeving van de Ethiopische Kerk. Het appartement keek uit op een binnenplaats vol bloemen en citroenbomen. Boven een van de muren tekende zich een cisterciënzer klooster af en om de hoek bevond zich een synagoge vol orthodoxe rabbijnse studenten die vierentwintig uur per dag baden, of zo leek het mij tenminste. En op de binnenplaats stonden de Ethiopische monniken in stilte te lezen. Op een ochtend werd ik om zes uur wakker in mijn zonovergoten kamer en hoorde ik de cisterciënzer nonnen a capella zingen. Ze klonken als nachtegalen en even dacht ik dat ik in de hemel was.

Na een middagdutje togen we gewoonlijk naar de Oude Stad en raakten uiteindelijk altijd weer verzeild in hetzelfde café, een pretentieuze naam voor wat weinig meer was dan een theetuin in de openlucht waar hete thee en koffiebroodjes werden geserveerd. De uitbater zat uren achtereen aan een van de tafeltjes met een friemelkettinkje te spelen en te praten met vrienden, een voortdurend wisselend gezelschap van plaatselijke kooplieden, geldwisselaars, studenten en een paar tamelijk ongure types. Ze leken allemaal een oppervlakkige vriendschap te onderhouden met Ted, die evenveel, zo niet meer, van de Oude Stad af wist als haar inwoners.

In 1981 woonde Whittemore een groot deel van het jaar in de flat vlak bij de Ethiopische Kerk, maar in de daaropvolgende jaren huurde hij ook een reeks kamers in New York, een flat aan Lexington Avenue, een studio aan Third Avenue. En hij was voortdurend aan het schrijven. Eerder dat jaar had ik Holt verlaten en was in dienst getreden bij een andere uitgeverij, en Judy Karasik nam het redactiewerk aan Whittemores nieuwe roman, *Nijl Schaduwen*, over. Ze heeft het nawoord bij dit boek geschreven, een rede die ze eigenlijk op Whittemores begrafenis had moeten afsteken maar daar was ze toen niet toe in staat.

*Nijl Schaduwen* speelt zich af in 1942 in Egypte, waar Rommels machtige Afrika Corps Egypte onder de voet dreigt te lopen en de macht over het gehele Midden-Oosten dreigt te grijpen. Een groepje personages – sommige bekend, andere nieuw – heeft het lot van de wereld in handen. Helemaal aan het begin van de roman wordt Stern, een idealistische visionair uit *Sinaï Tapijt* die zich een halve eeuw later ontpopt als wapenhandelaar, gedood door een granaat die door de voordeur van een clandestiene kroeg naar binnen wordt gegooid. Geweld en mystiek domineren Whittemores romans. Elders had hij gruwelijk uitbundig de 'verkrachting' van Nanking en de plundering van Smyrna in 1922 beschreven, toen de Turken tienduizenden mannen, vrouwen en kinderen afslachtten. Een recensent van *Publishers Weekly* schreef: 'Een van de meest complexe en ambitieuze spionageromans die ooit zijn geschreven.' En een recensent van *The Nation* schreef: 'Whittemore is een bedrieglijk lucide stilist. Als zijn syntaxis even wanordelijk was geweest als bij Pynchon of even demonstratief verheven als bij Nabokov of Fuentes, hadden zijn nagenoeg veronachtzaamde romans wellicht de aandacht gekregen die ze verdienden.'

Maar de verkopen bleven ver achter bij de lovende kritieken. In de lente van 1985 legde Ted de laatste hand aan de roman *Jericho Mozaïek*, het vierde deel van het Jeruzalem Kwartet. Ik bracht een bezoek aan Israël voor de tweejaarlijkse Internationale Boekenbeurs van Jeruzalem. Na afloop stelde Ted voor samen naar Jericho te rijden, naar de oase ten zuidoosten van Jeruzalem van waaruit in bijbelse tijden de meeste karavanen vertrokken naar de Morgenlanden, Klein-Azië en Afrika. Onderweg brachten we een bezoek aan verschillende Grieks-orthodoxe kloosters in de woestijn van Judea. Omdat ze waren uitgehouwen in massieve rotsen, op de bodem van afgelegen ravijnen die alleen via smalle paden bereikbaar waren, moesten we de auto op de weg achterlaten en omlaag klauteren langs hellingen die geschikter waren voor berggeiten dan voor een romancier en een New Yorkse redacteur. Maar toen we eenmaal de bodem hadden bereikt, bleken de monniken uitzonderlijk gastvrij. Whittemore was een vaste bezoeker en de monniken leken verheugd over zijn komst.

Na een rondleiding langs de rotsachtige kamers, die niet veel meer dan veredelde grotten waren, en na het drinken van weerzinwekkende retsina (de monniken dronken het spul zelf niet) vervolgden we onze weg naar Jericho en naar een typisch middagmaal dat bestond uit gedroogde vijgen, een soort brooddeeg, meloen en hete geurige thee. Vervolgens reden we door naar de Negev. In de loop der jaren had Ted kennisgemaakt met de plaatselijke bedoeïenen en we werden in diverse kampementen verwelkomd als oude vrienden. We brachten een nacht door in een Israëlisch meteorologisch centrum/woestijnhotelletje in de nabijheid van een Nabateïsche ruïne. Overal leken zich antennes en elektrische sensoren te bevinden en zoals we destijds zeiden, konden grijze mannetjes in Londen, Washington, Moskou en Peking waarschijnlijk elke zwaluwenscheet in de woestijn horen. Achteraf bezien vraag ik me wel af of Ted zich toen werkelijk van de CIA had losgemaakt. Bracht hij, in het onderhavige geval, een bezoek aan zijn 'spionnenmeester' en gebruikte hij mij als zijn 'dekmantel'?

Enkele maanden later zond Ted me een ansicht waarop hij er bij me op aandrong een plekje op de nieuwe fondslijst te reserveren voor zijn volgende roman. De kaart was een prent van een Byzantijns mozaïek van 'De boom des levens', dat Ted en ik op de stenen vloer van een ruïne in Jericho hadden gezien. Ik liet de kaart zien aan de art-director van Norton, waar ik toentertijd hoofdredacteur was. Hij was het met me eens dat de afbeelding zich uitstekend leende voor een boekomslag. Het enige dat we nog nodig hadden was een manuscript.

*Jericho Mozaïek* bereikte ons nog voordat het jaar om was en bleek een passende afronding van Whittemores fantastische Kwartet. Naar mijn mening is *Jericho Mozaïek* de spannendste en origineelste spionageroman ooit geschreven. Het verhaal is gebaseerd op gebeurtenissen die daadwerkelijk hebben plaatsgevonden tijdens de Zesdaagse oorlog, en Whittemore bewijst zijn alomvattende kennis van het spionagemetier en zijn beoefenaren, zijn hartstochtelijke liefde voor het Midden-Oosten, zijn toewijding aan de Heilige Stad en zijn inzet voor vrede en een betere verstandhouding tussen Arabieren, Joden en Christenen. De roman en de auteur stellen dat we religieuze, filosofische en politieke meningsverschillen kunnen overwinnen als we bereid zijn ons in te zetten voor werkelijk begrip van alle mensen en ideeën.

Deze humanistische boodschap ligt ingebed in een waar gebeurd verhaal dat betrekking heeft op Eli Cohen, een Syrische Jood die zijn leven offerde (hij slaagde erin de Mossad de Syrische krijgsplannen en kaarten in handen te spelen die nodig waren voor de verdediging van de Golanhoogte) om te zorgen dat Israël zich staande zou kunnen houden. In de roman vertelt Whittemore het verhaal van Halim (voor wie Eli Cohen onmiskenbaar model heeft gestaan), een Syrische zakenman die uit Buenos Aires terugkeert naar zijn vaderland om de Arabische Revolutie te ondersteunen. Halim ontpopt zich als een onverbloemd verdediger van de Palestijnse rechten, hij is het geweten van de Arabische Zaak, 'de onkreukbare'. Maar Halim is een Jood, een agent voor de Mossad; zijn codenaam luidt 'de Koerier', zijn opdracht is te penetreren in het zenit van de Syrische militaire macht. De roman is tegelijkertijd een diepgaande reflectie op het wezen van het geloof, waarbij een Arabische heiligman, een Christelijke mysticus en een voormalig agent van de Britse geheime dienst gezeten in een tuin in Jericho de relatie tussen geloof en humaniteit in al haar facetten onder de loep nemen.

Er verschenen minder recensies van *Jericho Mozaïek* en er werden nog minder exemplaren van verkocht dan van de eerdere delen. Arabieren en Joden waren verwikkeld in een bloedige confrontatie op de West Bank, elke dag verschenen er in de kranten en tijdschriften en op televisie choquerende beelden en zo mogelijk nog gruwelijkere verslagen. Het was geen gunstig klimaat voor romanciers die eeuwige waarden verdedigden, hoe prachtig ze ook konden schrijven. Eén recensent echter riep Whittemores Kwartet uit tot 'de beste metafoor voor het spionagebedrijf in de hedendaagse Amerikaanse fictie.'

Kort na de publicatie van *Jericho Mozaïek* verliet Whittemore Jeruzalem, het Ethiopische kwartier en de Amerikaanse schilderes. Hij was terug in New York, waar hij die winter samenwoonde met Ann, een vrouw die hij jaren eerder had leren kennen, toen zij en haar echtgenoot omgingen met Ted en zijn eerste vrouw. In de zomermaanden nam hij zijn intrek in het grote, witte, Victoriaanse familiebuiten in Dorset, Vermont. Voor de ramen bevonden zich groene luiken en het vierduizend vierkante meter beslaande gazon voor het huis werd omzoomd door reusachtige, statige altijdgroene loofbomen. Het huis telde zo'n twintig kamers die naar een grillig New England Victoriaans ontwerp waren ingedeeld en het meubilair dateerde uit de tijd van zijn grootouders, zo niet van zijn overgrootouders. Teds broers en zusters hadden inmiddels eigen huizen en dus was Ted doorgaans de enige bewoner. Het huis was niet berekend op de winter en kon alleen van mei tot oktober worden bewoond. Maar voor Ted was het een toevluchtsoord waar hij zich kon terugtrekken om te schrijven.

In het voorjaar van 1987 werd ik literair agent en Ted werd een van mijn auteurs. De Amerikaanse uitgeverijbranche werd langzamerhand overgenomen door multinationals met filialen in Duitsland en Engeland. Die bleken zich meer te bekommeren om winstcijfers dan om literatuur en ik had de indruk dat ik meer voor schrijvers kon doen door hun belangen te behartigen bij een tiental uitgevers dan door me tot één uitgeverij te beperken.

In het najaar bezocht ik Ted regelmatig in Dorset. 'Het loofseizoen', eind september, begin oktober, is een heel bijzondere tijd in New England: frisse, wolkeloze dagen, heerlijk koele, door maanlicht overgoten nachten. Overdag wandelden we door de wouden en over de velden van zuidelijk Vermont, en na het diner zaten we op robuuste, groene Adirondack-stoelen, met een glas in de hand te roken. Eigenlijk was ik de enige die (doorgaans cognac) dronk, want Ted was jaren tevoren gestopt (zijn 'hebbelijkheid' had dusdanige vormen aangenomen dat hij zich had aangemeld bij de Anonieme Alcoholisten); terwijl wij spraken rookte ik een sigaartje of twee en Ted rookte nooit meer dan één onheilspellend uitziende 'cheroot'. Behaaglijk geïnstalleerd op het gazon vlak bij de Unitariërskerk waar zijn overgrootvader dominee was geweest, met uitzicht op het dorpsplein en de Dorset Inn, spraken wij over boeken en het schrijversvak, over familie en vrienden. Teds familie moet hem als 'het zwarte schaap' hebben gezien, de Yale-student die in dienst was getreden van de CIA, die, zogenaamd opgebrand, via Kreta, Jeruzalem en New York, als dolend schrijver naar huis was teruggekeerd en wiens boeken werden overladen met geestdriftige recensies die resulteerden in veel minder geestdriftige verkoopcijfers. Maar zijn familieleden en zijn 'vrouwen' steunden hem en bleven in hem geloven.

Het was tijdens die vroege najaarsdagen dat ik ontdekte dat zijn overgrootvader van moederskant een presbyteriaanse dominee was die, in de jaren zestig van de negentiende eeuw, vanuit New York met de boot de Hudson was afgevaren tot aan Troy en vervolgens met de trein en met paard en wagen naar Vermont was doorgereisd. In de bibliotheek van het witte, grillige, Victoriaanse huis in Dorset bevonden zich planken vol met verschoten, in leer gebonden stuiversromannetjes, die zijn overgrootmoeder had geschreven voor winkelmeisjes om hun te leren hoe ze zichzelf konden verbeteren, zich moesten kleden en hoe ze een gepaste echtgenoot aan de haak konden slaan. Ik nam aan dat ze de Danielle Steel van haar tijd was en dat het bescheiden familiekapitaal te danken was aan haar literaire inspanningen en niet aan de gulheid van de kerkgemeente.

We praatten over de nieuwe roman. Die zou *Sister Sally and Billy the Kid* gaan heten en het zou Teds eerste Amerikaanse roman worden. Hij ging over een Italiaan van in de twintig in het Chicago van de 'Roaring Twenties'. Zijn oudere broer, een gangster, had hem geholpen bij de aankoop van een bloemenwinkeltje. Maar de oudere broer wordt bij een vuurgevecht gedood en Billy moet naar de westkust vluchten, waar hij een gebedsgenezeres ontmoet die sterk doet denken aan Aimee Semple McPherson. De échte McPherson verdween in 1926 een hele maand spoorloos en beweerde, toen ze boven water kwam, dat ze was ontvoerd. Rond het stenen huis waarin Billy en zijn gebedsgenezeres hun maand van liefde doorbrengen (het is van begin af aan duidelijk dat de idylle beperkt dient te blijven tot één maand) ligt een ommuurde tuin vol citroenbomen en zangvogels. Hoewel het huis in het zuiden van Californië staat, vertoont het een sterke gelijkenis met een van de tuinen in het Ethiopisch Kwartier in Jeruzalem, met een synagoge aan de ene en een cisterciënzer klooster aan de andere kant.

Toen kreeg ik, vroeg in de lente van 1995, een telefoontje van Ted. Of hij die ochtend op kantoor mocht langskomen? Ik nam aan dat hij het langverwachte manuscript kwam inleveren. Na *Jericho Mozaïek* waren twee eerdere opzetjes op niets uitgelopen. In plaats daarvan kwam Ted me vertellen dat hij stervende was. Of ik zijn literaire nalatenschap zou willen beheren? Een jaar of wat eerder had men prostaatkanker bij Ted geconstateerd. De ziekte was in een te ver gevorderd stadium om nog operabel te zijn. Zijn dokter had hem hormoonpreparaten en andere medicijnen voorgeschreven en de kanker was tijdelijk bedwongen. Maar nu was die weer voortgewoekerd. Nog geen halfjaar later was hij dood. Dat waren gruwelijke maanden voor hem. Hoe dan ook, tijdens die laatste weken en dagen, waarin hij beurtelings bij en buiten bewustzijn was, werd hij verzorgd door 'zijn vrouwen', van wie er een, Carol, na een scheiding van bijna twintig jaar, in zijn leven was teruggekeerd.

In augustus van dat jaar vond een sobere rouwplechtigheid plaats in de Unitariërskerk in Dorset. Nadien was er een receptie op het grote gazon tegenover het familiehuis. Daar kwamen de afzonderlijke segmenten van Teds wereld, wellicht voor de eerste keer, bijeen. Zijn familieleden waren er, zijn twee zusters en twee broers en hun echtgenoten, nichten en neven met aanhang (maar niet Teds exen en de twee dochters die naar New York waren gevlogen om afscheid te nemen van de vader die ze nauwelijks hadden gekend); de buren waren er, vrienden van Yale en een paar collega's uit de jaren dat Lindsay de scepter zwaaide over New York. Waren er ook 'spionnen' aanwezig? Dat valt moeilijk te zeggen, maar wel waren er acht 'geheim agenten' van een ander soort, oud-leden van het Scroll & Key dispuut van 1955. Ann en Carol, die Ted tijdens die laatste, bittere dagen beurtelings en met vereende krachten hadden verzorgd, waren uiteraard ook aanwezig.

Jeruzalem en Dorset. De wondermooie Heilige Stad op de rotsachtige klippen die uitkijkt over de verdorde grijsbruine woestijn. Een stad getekend door duizenden jaren geschiedenis, roerige twisten tussen grootmachten en drie van de meest volhardende, vruchtbare religies die God de mensheid heeft geschonken. En de zomergroene vallei in Vermont (in de winter bedekt met een laag sneeuw en in het voorjaar een modderig dal), waar Dorset gebed ligt tussen twee uitlopers van de zacht glooiende Green Mountains. Ooit was het een bakermat van de Amerikaanse Revolutie en de Amerikaanse democratie, en later een bloeiende agrarische en ambachtelijke gemeenschap en sinds het begin van de twintigste eeuw leek het alsof daar de tijd stil was blijven staan. Het ene oord was het onderwerp van Whittemores dromen en boeken; het andere de vredige thuishaven waar hij de laatste twintig zomers van zijn leven droomde en schreef.

Ted was eindelijk teruggekeerd naar New England. Het was een lange reis geweest – Portland, New Haven, Japan, Italië, New York, Jeruzalem, Griekenland, Kreta, Jeruzalem, New York en nu Dorset. Onderweg had hij vele vrienden en metgezellen. Hij was geen bijzonder goede echtgenoot of vader en had velen teleurgesteld. Maar uiteindelijk had hij zijn stem gevonden, zijn romans geschreven en zijn hart verpand aan Jeruzalem. Ik hoop dat Teds laatste gedachten op zijn sterfbed bij zijn Heilige Stad waren. In zekere zin leek hij sprekend op Hadji Haroen, de steenhouwer die zich ontpopte tot middeleeuwse ridder en later tot antiekhandelaar. Want Whittemore was de eeuwig dolende ridder die 'het helemaal maakte' op de universiteit van Yale, in de jaren vijftig en 'het spoor bijster raakte' in de CIA, in de jaren zestig, en zich vervolgens ontwikkelde tot een begaafd romancier met de stem van een mysticus. De stem van een mysticus die zich het beste uit het Jodendom, het Christendom en de Islam eigen had gemaakt. Zijn overgrootvader, de dominee, en zijn overgrootmoeder, de schrijfster, zouden beiden even trots op hem zijn geweest. Moge hij in vrede rusten in Dorset, Vermont.

Tom Wallace
New York City, 2002

# Edward Whittemores Sinaï Tapijt

*Sinaï Tapijt*, dat in 1977 voor het eerst werd uitgegeven, is het eerste boek van Edward Whittemores Jeruzalem Kwartet: vier romans die de lange, complexe geschiedenis van het Midden-Oosten begrijpelijk maken als geen ander boek, en dat bewerkstelligen door een alternatieve versie van de geschiedenis in het leven te roepen – gedeeltelijk waar gebeurd en gedeeltelijk aan de verbeelding ontsproten (en wat een genot om er tijdens het lezen achter proberen te komen wat in de romans waar is en wat fantasie!) – die, in het eerste boek, begint met te vertellen hoe Skanderbeg Wallenstein, een fanatieke trappistenmonnik uit Albanië, in de negentiende eeuw stuit op wat 'ontegenzeggelijk de oudste bijbel ter wereld' is, en ontdekt dat die 'elke religieuze waarheid die ooit door iemand is aangehangen weerspreekt'.

Wat zou er gebeuren, vraagt hij zich vervolgens af – op een wijze die niet erg verschilt van de feitelijke speculaties van twintigste-eeuwse bijbelgeleerden – 'als de wereld plotseling meent dat Mohammed wel eens zes eeuwen vóór Christus kan hebben geleefd' of 'dat Christus een ondergeschikte profeet ten tijde van

Elia was' of 'dat de deugden van Maria en Fatima en Ruth in de breinen van latere kroniekschrijvers door elkaar waren gehusseld en onderling vrijelijk inwisselbaar waren'?

'Melchizedek heeft recht op zijn Stad van Vrede,' concludeert Wallenstein, evenals 'de mensen recht hebben op hun Jeruzalem'. Ervan overtuigd dat het geloof in de wereld behouden dient te blijven, is Wallenstein er tevens van overtuigd dat het, als de reden tot geloven ontbreekt, zijn plicht is die te verschaffen. 'Het besluit dat hij in zijn cel nam,' vertelt Whittemore ons, 'was de oorspronkelijke bijbel te vervalsen'.

Maar die vervalsing – wat er aanleiding toe gaf, en wat eruit voortsproot – wordt in *Sinaï Tapijt* een fantasierijke gril die het gehele Kwartet bezielt – het is Whittemores wijze om ons te laten nadenken over de vele manieren waarop waandenkbeelden waarheden kunnen voortbrengen en hoe waarheden kunnen worden vervormd door dromen, en – bovenal – hoe het werkelijke en het imaginaire samen kunnen spannen om die gebeurtenissen en legenden tot stand te brengen die bepalen hoe we leven, liefhebben en sterven.

De vier boeken die het Jeruzalem Kwartet omvat zijn tezamen niets minder dan een opmerkelijke lofzang op het Heilige Land, en op de myriaden dromen en daden die, over een tijdspanne van meer dan vier millennia, ten grondslag lagen aan alles wat we zijn gaan zien als oorzaak en gevolg van onze individuele en collectieve lotsbestemmingen.

Maar om te speculeren over de in het Kwartet bestaande verhouding tussen geschiedenis en religie, en tussen het werkelijke en het fantastische – in een poging de gecompliceerde manieren waarop die romans zich, naarmate het verhaal zich door de eeuwen heen ontvouwt, uitspreken over het feitelijke en het bedachte en de tijd zelf trachten te doorgronden of te verklaren – moet men eventjes voorbijgaan aan het feit dat dit in de eerste tot en met de laatste plaats romans zijn die tot leven komen dankzij Whittemores unieke gaven als verhalenverteller.

'De plaats,' poneert Whittemore in *Jericho Mozaïek*, het laatste deel van het Kwartet, 'is het begin van de herinnering'. In deze boeken toont Whittemore ons herhaaldelijk hoe de geschiedenis van een bepaalde plek – haar verleden en de dromen die er in de loop der eeuwen zijn gedroomd – evenzeer ten grondslag ligt aan de loop der dingen als louter politieke gebeurtenissen. De beschrijvingen van plaatsen als Jericho, Damascus, Beiroet, Jeruzalem en de Sinaï – de structuur en bijzonderheden van bouwwerken en marktpleinen, van ondergrondse kamers en bovengrondse fortificaties, van gewijde plekken en woestijnen – worden indringend en tastbaar uitgewerkt. Net als de 'talloze malen dat Jeruzalem is verwoest en weer opgebouwd', krijgen die plaatsen een eigen bezieling – zoals dat ook met Whittemores personages gebeurt en, in een fictionele wereld waar het mogelijke onveranderlijk prevaleert boven het waarschijnlijke, worden zij de sleutelfiguren in het verhaal.

> 'Jericho,' mijmert Abu Musa, een rijke Arabische patriarch en fruitteler die eerder in zijn leven was opgetrokken met de troepen van Lawrence van Arabië, 'is een kruispunt in de geschiedenis... We bevinden ons op slechts een kilometer of twintig afstand van Jeruzalem en iets verder van Amman, en Jeruzalem ligt halverwege Amman, de Oude Griekse stad Philadelphia en de zee. Jeruzalem is een heilige stad en het bijbelse Rabbat Ammon of Amman is de plek waar koning David Uria de Hettiet tijdens de veldslag in de voorste gelederen plaatste opdat hij zou sneuvelen en hij zich Batsheba, de vrouw van de dode, kon toe-eigenen die de koning een zoon schonk die Salomo werd genoemd. Zo ontmoeten de bergen en de dalen, de woestijnen en de zee, wellust en wijsheid en moord en wereldmacht, al die diverse profane en heilige drijfveren van de mens, elkaar allemaal in Jericho, en daarom telen we daar sinaasappels. Om hen die er tot in de eeuwigheid doorheen trekken te verfrissen.'

*Jericho Mozaïek*, waaruit deze passage komt, is de meest duidelijke en de meest eenduidig uitgewerkte van de vier romans. Het is een complex spionageverhaal met als hoofdlijn de lotgevallen van Yossi, een jonge Israëli, die naar men beweert tijdens de oorlog van 1956 in de Sinaï is gesneuveld en die geheim agent wordt met als taak 'zo diep door te dringen in de Arabische cultuur dat er geen weg terug meer is'. Het relaas (grofweg gebaseerd op het waar gebeurde levensverhaal van Ellie Cohen) over hoe hij zichzelf een nieuwe identiteit aanmeet, diverse Syrische regiems overleeft, informatie doorsluist en leert de identiteit aan te nemen van de gerenommeerde zakenman Halim – vooral de wijze waarop hij gegevens verzamelt is van cruciale betekenis tijdens de Zesdaagse Oorlog van 1967 – is gecompliceerd en fascinerend – en kan de vergelijking met de romans van John Le Carré of – misschien nog toepasselijker – Graham Greene glansrijk doorstaan.

Maar voor we toekomen aan de laatste roman van het Kwartet, en aan een beschrijving van de gebeurtenissen die in het recente verleden in het Midden-Oosten hebben plaatsgevonden, voert Whittemore ons terug in de tijd, naar de allereerste perioden uit de geschreven geschiedenis, en dat doet hij met name in zijn eerste roman, *Sinaï Tapijt*, op manieren die bij de lezers eerder herinneringen zullen oproepen aan Borges en Marquez dan aan Le Carré of Greene; en op manieren die volkomen uniek zijn voor Whittemore.

In *Sinaï Tapijt* verplaatsen de personages zich op onwaarschijnlijke en ongeloofwaardige manieren van de ene plaats naar de andere en door de tijd – en de geschiedenis; ze zijn geconcipieerd en worden ons voorgeschoteld als meer dan levensgroot, vaak ook in letterlijke zin. Kijk maar eens naar twee van Whittemores creaties, Plantagenet Strongbow en Hadji Haroen.

Plantagenet Strongbow, die we al op de eerste bladzijde ontmoeten, is de negenentwintigste Hertog van Dorset, een groot schermmeester, plantkundige en ontdekkingsreiziger; hij verdwijnt in 1840 in de Sinaï, en duikt veertig jaar later weer op als een Arabische heiligman die een drieëndertigdelig standaardwerk heeft geschreven over Levantijnse seksualiteit, en die de heimelijke eigenaar van het Ottomaanse Rijk wordt; en hij is twee meter dertig lang. En Hadji Haroen, een voormalige antiekhandelaar en houwer van stenen leeuwen tijdens de Assyrische bezetting van het Heilige Land, uitbater van een dag en nacht geopende kruidenierswinkel onder de Grieken, ober onder de Romeinen, leverancier van hasjiesj en geiten onder de Turken, is een man die al die dingen heeft kunnen doen en op al die plaatsen kan hebben gewoond omdat hij minstens drieduizend jaar oud is.

'Als ik wil dagdromen,' zegt hij tegen Strongbow, 'dan kijk ik naar een van mijn antiquiteiten en in een mum van tijd glip ik terug in de tijd en zie ik Romeinen en Babyloniërs in de straten van Jeruzalem.'

Opmerkelijk aan *Sinaï Tapijt* is dat de erupties van inventiviteit, zoals in bovengenoemde voorbeelden, ons even speels en terloops als mysterieus en magisch worden voorgeschoteld. Het is net alsof de overvloed aan verhalen, waarvan er vele terugvoeren naar feitelijke historische gebeurtenissen en andere groots opgezette sprookjes lijken, ons op effectieve wijze probeert duidelijk te maken wat in het Midden-Oosten vaak bewaarheid lijkt: dat de hele geschiedenis van die regio en van degenen die haar bevolkten – Christenen, Joden en Moslims – op elk moment, op elke plaats en – zoals in de winkel van Haroen – in elk voorwerp aanwezig kan zijn. Wat Whittemore doet om dit gevoel van tijdloosheid te creëren, is zijn blik voortdurend gericht houden op de verhouding tussen de grote momenten in het verleden en hun meest alledaagse, tastbare menselijke bronnen. Hij verliest nooit uit het oog dat de meest verheven of gruwelijke momenten in oorlogen veroorzaakt zijn door individuele menselijke wezens – hun lijden, hoop, verlangens, blijdschap, verwarringen en verliezen.

Zo zijn er de volgende beschrijvingen, enkele bladzijden na elkaar, van ogenblikken die plaatsvonden kort voor, en vooruitblikken naar, de Tweede Wereldoorlog:

> Hadji Haroens gekromde lichaam was nagenoeg levenloos. Hij lag op de stenen grond en hapte, zijn gezicht besmeurd met bloed, amechtig naar adem. Bloed en

> roest stroomden in zijn ogen. De bloedplas onder zijn middel verspreidde zich. Het gebroken been lag in een merkwaardige hoek opzij gebogen.
>
> Een smerige wereld en ze was bang. Waarom lieten de mensen je in de steek? Wat had je gedaan? Iedereen ging altijd weer weg en er was niemand die ze kon vertrouwen, dus droomde ze. Als ze alleen thuis was, trok ze haar kleren uit en danste voor een spiegel, en droomde, want alleen dromen waren veilig en mooi.

En het volgende over de massaslachting in Smyrna, in het jaar 1922:

> De Turken hielden huis langs de grenzen en beroofden en vermoordden en pakten meisjes. Paardenhalsters vatten vlam en de dieren stormden door de menigten en vertrapten lichamen. De mensen waren op sommige plekken zo dicht op elkaar gedromd dat de doden bleven staan en door de levenden overeind werden gehouden.

Als je voor het eerst dergelijke passages leest en, zoals ook de recensenten is overkomen, zich een vergelijking aan je opdringt met de romans van Barth, Borges, Marquez, Nabokov of Pynchon, blijkt uiteindelijk juist dat ene boek dat centraal staat in *Sinaï Tapijt* die vergelijking nog het beste te doorstaan. Want in zijn gebruik van volksverhalen, zijn ongebruikelijke vermenging van feit en fictie, zijn beknotting van de tijd, zijn nadruk op de kracht van wonderen, zijn boekstaving van veroveringen en oorlogen, zijn opsomming van stambomen, zijn beschrijving van barbaarsheden en heldendaden en – bovenal – zijn verhalen over de grote en kleine momenten van de geschiedenis, is *Sinaï Tapijt* toch vooral het meest *bijbelse* boek.

Gezien de plaatsen waar het verhaal zich afspeelt, gezien de stijl en het onderwerp, gezien de snelle bewegingen door de tijd en gezien de visie op alles aan het mensdom wat verdorven en verlossend is, roept *Sinaï Tapijt* herinneringen op aan het boek waarvan het het bestaan nu juist ter discussie stelt. In het begin van de roman stelt Strongbow, die te voet de weg van Constantinopel naar het Heilige Land heeft afgelegd de vraag die hij zichzelf al enige tijd had gesteld: 'Heb jij wel eens gehoord van een mysterieus, zoek geraakt boek waarin alle dingen beschreven staan? Een boek dat circulair, uniek en schaamteloos tegenstrijdig is en dat oneindigheid suggereert?'

En later in het boek krijgt Strongbows zoon Stern, als hij denkt aan zijn vader en zijn grootvader – Engelsman, Arabier, Jood – het volgende visioen, dat in sommige opzichten doet denken aan de openbaringen van de patriarchen in het Oude Testament:

> Het beeld werd hem plotsklaps duidelijk. *Een thuisland voor alle uitverkoren volkeren.* Eén natie waarin de Arabieren, de Christenen en de Joden elkaar in de armen sluiten. Een nieuwe wereld en de Vruchtbare Maansikkel uit de oudheid herboren in de nieuwe eeuw, een grootse natie die zich majestueus uitstrekt van de Nijl, over Arabië en Palestina en Syrië tot aan de heuvels van Anatolië, bevloeid door de Jordaan en de Tigris en de Eufraat, door Galilea; een enorme natie die al zijn drie en twaalf en veertigduizend profeten eert, een luisterrijke natie waar de legendarische steden opnieuw zouden worden opgebouwd en bloeien, Memphis van Menes en Ecbatana van Media en Sidon en Alep van de Hettieten, Kisj en Lagash van Soemerië en Zoar van de Edomieten, Akkad van Sargon en Tyrus van de rode verf en Acre van de Kruisvaarders, Petra van de Nabateeërs en Ctesiphon van de Sassanieden en Basra van de Abbasieden, het sublieme Jeruzalem en het al even sublieme Bagdad van *Duizend-en-één-nacht.*

Vroeg in de winter van het jaar 2000 bracht ik, op eenenzestigjarige leeftijd, voor het eerst een bezoek aan Israël. Op mijn laatste avond in Jeruzalem, kort voor het einde van de sabbat, kwam mijn neef Jerrold, die zevenendertig jaar tevoren naar Israël was geëmigreerd (wij zijn allebei gezegend met de Hebreeuwse naam Yakov, ter nagedachtenis aan onze grootvader van vaders kant) me in mijn hotel opzoeken om afscheid te nemen. Terwijl hij me omhelsde, verzocht hij me niet nogmaals eenenzestig jaar te wachten voor ik Jeruzalem weer bezocht.

Maar ik weet nog dat ik toen dacht dat ik als ik in het Jeruzalem van Edward Whittemore zou wonen, net zo gemakkelijk over eenenzestig jaar als over eenenzestig dagen zou kunnen terugkeren. (Aan het einde van de roman denkt Stern, mijmerend over zijn vaders leven: 'Wat hij deed is te onwerkelijk om niet waar te zijn. Niemand kan zo'n leven uit zijn duim zuigen.') En wanneer en hoe ik misschien ook terugkom – in werkelijkheid of in mijn fantasie of in mijn geheugen – ik zou ontdekken dat mijn affectie voor de stad zou zijn vergroot door het lezen van de vier romans waaruit Whittemores Jeruzalem Kwartet bestaat.

Kortom, het Kwartet is groter dan de som van zijn afzonderlijke delen – als een verbeeldingsvolle constructie die het ons mogelijk maakt, aan de hand van een goed geïnformeerde en bekwame gids door ruimte, tijd en geschiedenis te dwalen, lijken de romans ons geheugen en onze fantasie te prikkelen, zoals ze eerder het geheugen en de fantasie van anderen prikkelden en daarmee alles tot leven wekten dat de bouwstenen lijken uit te stralen van deze heiligste aller steden – deze plek, waar hemel en aarde elkaar, naar verluidt, raken – en geen onbelangrijk aspect daarbij is het vermogen van de verbeelding en het verlangen, verbonden met het geheugen, de geschiedenis zelf vorm te geven.

Jay Neugeboren
New York City, 2002

Jay Neugeboren is de auteur van dertien boeken, waaronder de bekroonde romans *The Stolen Jew* en *Before My Life Began*, en twee bekroonde non-fictie boeken, *Imagining Robert* en *Transforming Madness.* Hij woont in de stad New York.

# Deel een

# I Strongbow

الحج

*Recht voor zich uit,*
*dik en dreigend,*
*hield hij een vier meter lange,*
*middeleeuwse lans.*

De Arabische Jood, of de Joodse Arabier, die tijdens de voorlaatste eeuwwisseling het gehele Midden-Oosten in zijn bezit had, bracht zijn jeugdjaren net zo door als zijn Engelse voorvaderen dat zeshonderdenvijftig jaar lang hadden gedaan.

Op het familielandgoed in het zuiden van Engeland was hem belangstelling voor bloemen bijgebracht, vooral voor rozen. Zijn ouders stierven toen hij jong was en zijn tantes en ooms namen hun intrek in het landhuis om hem op te voeden. Te zijner tijd zou hij zijn titel krijgen en zou hij zonder verdere plichtplegingen de negenentwintigste Plantagenet Strongbow worden die zich Hertog van Dorset mocht noemen.

Want het had er alle schijn van dat het lot van de Strongbows voorgoed bezegeld was. Ooit, men schatte rond 1170, had een van hun voorzaten geholpen Oost-Ierland te onderwerpen en was daarvoor beloond met een adellijke titel. Sindsdien was de familie vervallen tot voorspelbare patronen. Verwarring was in onbruik geraakt of vergeten. In plaats daarvan heersten regelmaat en orde.

De oudste zoon van elke generatie trouwde altijd op de dag dat hij meerderjarig en de nieuwe heer des huizes werd. Zijn echtgenote was in materieel opzicht zijn gelijke en deelde zijn belangstelling voor bloemen. Kinderen werden met regelmaat geboren totdat er een stuk of vijf, zes waren en het aantal jongens het aantal meisjes weinig ontliep. Tegen die tijd waren de hertog en hertogin dertig jaar of daaromtrent en kwamen ze beiden plotseling bij een ongeluk om het leven.

Die ongelukken waren per definitie buitenissig. Na laat op een avond een overmaat aan mede te hebben gedronken, dutten ze bijvoorbeeld in en tuimelden in de open haard. Of ze sukkelden in slaap als ze in een forellenvijver stonden en verdronken in dertig centimeter water.

Of ze stapten na het ontbijt, de vlucht van een vlinder volgend, van een borstwering. Of ze slikten verstrooid een schaapsbout in zijn geheel door en stikten erin. Of een licht erotisch rollenspel waarbij men zich in een middeleeuws harnas stak, leidde tot een fatale bloeding in de schaamstreek.

Hoe dan ook, man en vrouw stierven gelijktijdig op ongeveer dertigjarige leeftijd, en dan was het de plicht van de jongere broers en zusters van de overleden landheer om terug te keren naar het ouderlijk huis om de vijf of zes neefjes en nichtjes groot te brengen.

Binnen de familie was het usance dat die jongere broers en zusters nimmer trouwden, maar daar ze elkaar in leeftijd weinig ontliepen, vonden zij het helemaal niet zo'n ramp om zich opnieuw in het huis van hun jeugd te vestigen en in uitstekende verstandhouding samen te leven. Als Kerstmis naderde, kwamen ze bijeen in de grote eetzaal voor een twaalf dagen durend festijn dat het familiespel werd genoemd, een traditionele sport waarbij alle meubels uit de zaal werden verwijderd en tegenover elkaar uitkomende teams werden gevormd, wier oogmerk het was met een satijnen kussen van het ene eind van de zaal naar het andere te rennen.

Gedurende het eerste uur van elke speeldag was het toegestaan elkaar stevig beet te pakken. Maar daarna was een ferm omklemmen van de geslachtsdelen van een tegenstander voldoende om de opmars van het kussen te stuiten en een nieuwe schermutseling om het in bezit te krijgen teweeg te brengen.

Onder die omstandigheden was het, in weerwil van hun welstand en waarachtige belangstelling voor bloemen, onwaarschijnlijk dat de hertogen van Dorset zich ooit nog in de wereld zouden onderscheiden, ook al zouden zij ouder dan dertig zijn geworden, wat in feite nooit gebeurde.

Van het einde van de twaalfde eeuw tot aan het begin van de negentiende eeuw groeiden elkaar opvolgende Plantagenet Strongbows op met een gedegen kennis van rozen en met een vage herinnering aan hun ouders, leerden zij het familiespel door hun tantes en ooms gade te slaan, kwamen zij tot wasdom en verwekten een erfgenaam en een nieuwe lichting tantes en ooms, alvorens zij bij een buitenissig ongeval het leven lieten. Daarmee hielden ze een willekeurig familiepatroon in stand, wat meteen hun enige schatplichtigheid vormde jegens God, de mensheid en Engeland.

Tot er in 1819, het jaar waarin koningin Victoria het levenslicht zag, een ander soort baby in het landhuis in Dorset werd geboren, anders vanwege een afwijking in zijn genen of anders vanwege een verschrikkelijke ziekte waaraan hij op elfjarige leeftijd ten prooi viel. Hoe dan ook, deze frêle jongeling zou ooit een einde maken aan het zeshonderdenvijftig jaar vredig voortkabbelende bestaan van de Strongbows door de ontzagwekkendste ontdekkingsreiziger te worden die zijn vaderland ooit heeft voortgebracht.

En bovendien de meest omstreden wetenschapper van zijn tijd. Want waar andere beroemde theoretici van de negentiende eeuw uitgebreide, maar los van elkaar staande denkbeelden over geest, lichaam en samenleving formuleerden, zag Strongbow zich genoodzaakt alle drie te bestuderen.

Dat wil zeggen, de seksualiteit in al haar facetten.

Niet met de seksualiteit als noodzaak of ter verstrooiing of in de rol van vooruitblik en terugblik, zelfs niet met de seksualiteit als onmiddellijke oorzaak of als vaag gevolg. En evenmin in termen van natuurlijke historie of natuurlijke wetmatigheid.

En al helemaal niet de seksualiteit als gewoonte of belofte maar simpelweg de seksualiteit op zichzelf, onvoorbereid en ongestructureerd en met niets gepaard gaand, voorbij alle hoop op samenspanning, voorheen ononderscheidbaar en nu in zijn geheel in ogenschouw genomen.

De seksualiteit in de praktijk. De seksualiteit in essentie.

Toentertijd een onvoorstelbare stellingname.

Naast het familiespel in Strongbow Hall bestond er ook een familiegeheim. In een zo oud landhuis moest er tussen het bouwwerk en zijn bewoners bijna wel een mysterieuze relatie bestaan, waarvan de oorsprong een raadsel was, waarschijnlijk een verborgen schuifpaneel dat toegang bood tot duistere gangen die naar het verleden leidden.

Eigenlijk werd beweerd dat het enorme landhuis tussen zijn fundamenten de ruïnes herbergde van een belangrijk middeleeuws klooster dat niet bij name werd genoemd, maar waarvan werd beweerd dat het was ontheiligd toen zijn monniken werden betrapt bij het verrichten van bepaalde, niet nader te noemen, weerzinwekkende handelingen. En dicht bij die ruïnes bevonden zich de restanten van een ondergrondse ruimte uit de tijd van koning Arthur, gewelfd en ondoordringbaar, die eveneens was ontheiligd toen de ridders werden betrapt bij het verrichten van weer andere, niet nader te noemen, weerzinwekkende handelingen.

Nog dieper in de grond bevonden zich, zo wilde de overlevering, de ruïnes van een weids zwavelbassin dat slechts bij vlagen inactief was en dat gebouwd was in de Romeinse tijd.

Naast die baden bevond zich een kleine, doch indrukwekkende offerkring van stenen uit het nog verder terug gelegen tijdsgewricht van de druïden.

En ten slotte werden al die ondergrondse relikwieën omgeven door een immense, grillige structuur van opstaande, naar astronomisch model geplaatste monolieten, die daar in de oudheid door een machtig volk was aangebracht.

Niemand had ooit de geheime doorgangen ontdekt die toegang gaven tot deze onder het huis begraven liggende overblijfselen, ook al had men er voortdurend naar gezocht. Eeuwenlang hadden tantes en ooms Strongbow zich op regenachtige namiddagen bewapend met fakkels en opsporingsexpedities georganiseerd in een poging ze te vinden.

Natuurlijk waren er wél minder belangwekkende ontdekkingen gedaan. In elk decennium stuitte men vroeg of laat wel eens op een gezellig torenkamertje dat vol lag met dierenvellen of een knusse kelderruimte die maar net plaats bood aan drie personen.

Maar het familiegeheim bleef een mysterie. Volgens de overlevering zou het geheime schuifpaneel zich heel wel in de donkere bibliotheek van het huis kunnen bevinden, maar merkwaardig genoeg leidden de tantes en ooms Strongbow hun opsporingsexpedities nooit die kant op. Als zich een regenachtige middag voordeed, zochten zij onveranderlijk in andere richtingen.

Dientengevolge hadden de tantes en ooms die in de negentiende eeuw de zorg voor het huis op zich hadden genomen, kunnen bevroeden dat er onomkeerbare veranderingen op til waren toen ze zagen dat de oudste van hun pupillen, de toekomstige heer des huizes, zijn middagen placht door te brengen in de verlaten bibliotheek.

De gruwelijke waarheid kwam aan het licht toen de jongen elf was, op de winteravond die elk jaar was gereserveerd voor het door de oudere aan de jongere generatie doorvertellen van de familieannalen. Op die avond verzamelden allen zich na het diner rond de grote open haard. De tantes en ooms zaten, met hun ballonvormige glazen cognac, in grote fauteuils; de jongens en meisjes zaten muisstil op kussens op de grond. Buiten huilde de wind om het huis. Binnen keken de kinderen met grote ogen naar de knisperende houtblokken terwijl de oude herinneringen aan het huis werden opgehaald.

Een schimmig, middeleeuws klooster, begon een tante of een oom. Monniken met kappen die gele kaarsen omhooghouden. Gezangen in archaïsche syllaben, wierook en vleermuizen, rituelen aan de voet van een zwart altaar.

Ondergrondse vertrekken uit de tijd van Koning Arthur, fluisterde een ander. Gemaskerde ridders die, eeuwig op zoek naar een onzichtbaar strijdtoneel, door de nevel rijden.

Romeinse legioenen, pas terug uit het land van de farao's, noemde een derde. Vreemde, barbaarse goden en heidense banieren. Luxueuze baden omgeven door stoom, achter de muren van weelderige paleizen.

Druïdische riten, opperde een vierde. Naakte, blauwgeverfde priesters die maretakken omklemd houden, één enkele hoog oprijzende eik op een afgelegen plek in het bos, geestverschijningen in het halfduister boven de veenmoerassen. Angstwekkend, vogelachtig gekrijs uit de diepere spelonken van het woud.

En lang voordien, fluisterde weer een ander, massieve rotsblokken die in een mystiek patroon op de vlakten zijn geplaatst. De stenen zo immens dat een gewoon volk ze nooit kan hebben vervoerd. Wie waren die onbekende volkeren en wat was het oogmerk van hun abstracte ontwerpen? Jawel, wij moeten deze mysteriën wel degelijk overdenken, want zij vormen de geheimen van onze voorouders die vanavond, zoals talloze malen in de loop der eeuwen, in herinnering worden gebracht.

Zo is het, mompelde een oom. Zo is het altijd geweest en zo hoort het. Deze onvergankelijke wonderen liggen verborgen in de oude bibliotheek van ons huis dat werd gesticht door de eerste Hertog van Dorset, en daar rust het geheim dat in ons allen voortleeft, het ondoorgrondelijke Geheim van de Strongbows.

Er ging een geruis rond de open haard. De kinderen huiverden en schoven dichter naar elkaar toe toen de wind huilde. Niemand durfde te denken aan het doolhof van verloren gangen dat zich spiraalsgewijs in de grond onder hen uitstrekte.

Een ijle stem verbrak de stilte, de stem van de toekomstige heer des huizes.

*Nee.*

Rechtop zittend, verder van de haard af dan alle anderen, staarde de jongen ernstig naar de slagzwaarden die boven de schouw hingen.

Nee, herhaalde hij, dat is niet geheel juist. In het afgelopen jaar heb ik alle boeken in de bibliotheek gelezen en er is niets dergelijks te vinden. De eerste Plantagenet Strongbow was een eenvoudig man die naar Ierland ging, met het gebruikelijke succes ongewapende boeren afslachtte en zich vervolgens hier terugtrok om zijn wapenrusting op te poetsen en wat te liefhebberen op het land. De eerste boeken die hij verzamelde handelden over wapentuig, later waren er enkele gewijd aan landbouwaangelegenheden. Het heeft er dus alle schijn van dat het familiegeheim eenvoudigweg inhoudt dat niemand ooit een boek uit de familiebibliotheek heeft gelezen.

De ziekte die hem de dag daarna velde, en die zijn jongere broers en zusters van het leven beroofde, was hersenvliesontsteking. De volgende generatie zou derhalve zonder ooms en tantes blijven en daarmee viel een gerieflijke traditie die dateerde uit de tijd van Hendrik de Tweede plotseling in duigen.

Daarvoor in de plaats lag een door ziekte sterk vermagerde jongen, op sterven na dood, die zich voornam te doen wat geen Strongbow ooit had gedaan. Hij zou zich overgeven aan de verwarring en niet berusten in zijn lot. Zijn eerste besluit was voort te leven en als gevolg daarvan werd hij zo doof als een kwartel. Zijn tweede besluit was 's werelds grootste autoriteit te worden op het gebied van de flora, aangezien hij op die prille leeftijd niet dol was op mensen.

Voor hij ten prooi viel aan de hersenvliesontsteking had hij een normale lichaamslengte. Maar de openbaringen die met de naderende dood gepaard gingen, en zijn gemarchandeer met het noodlot, brachten andere veranderingen teweeg. Tegen de tijd dat hij veertien werd, was hij al meer dan twee meter lang en op zijn zestiende had hij zijn volle lengte van twee meter dertig bereikt.

Uiteraard waren zijn tantes en ooms verbijsterd over de vreemde gebeurtenissen in zijn twaalfde levensjaar, maar evengoed probeerden zij door te leven zoals de Strongbows altijd hadden geleefd. Daarom kwamen zij, toen hij in bed lag aan te sterken, het was immers kersttijd, bijeen in de grote eetzaal voor de gebruikelijke kussenwedstrijd. En hoewel zij angstig en ontredderd waren, deden zij dapper wat ze altijd hadden gedaan en hielden de familietraditie vastberaden in ere, zoals de eerste hertog ooit zijn wapenrusting alle eer aandeed.

Terwijl het meubilair werd afgevoerd, kozen ze hun teams en stootten ze elkaar speels aan, lachten, knikten en schaterden beleefd en gaven ze hier en daar een tikje op de billen, gingen ze geduldig in de rij staan en wijzigden die een ogenblik later al even beleefd, waarbij ze onverstoorbaar achter elkaar bleven staan terwijl ze babbelden over het weer en hopeloos instemmend giechelden.

Het was nog slechts enkele minuten voor middernacht op kerstavond, wat het begin van twaalf plezierige dagen vol gestoei en geravot had moeten zijn. Maar toen het speelveld vrij was gemaakt en net op het moment dat het satijnen kussen ceremonieel in het midden van de vloer was gelegd en het feest op het punt stond los te barsten, viel er een onheilspellende stilte in de zaal.

Ze draaiden zich om. In de deuropening stond hun uitgemergelde neefje, toen al een paar centimeter langer dan ze zich hem herinnerden. En recht voor zich uit, dik en dreigend, hield hij een vier meter lange, middeleeuwse lans.

De jongen liep linea recta naar het midden van de zaal, spietste het satijnen kussen en smeet het in het haardvuur, waar het openbarstte en heel even fel brandde. Toen verkondigde hij, afwisselend op bulderende toon en dan weer nauwelijks hoorbaar, want hij had nog niet geleerd zijn stem te moduleren zonder die zelf te horen, dat ze allemaal voor altijd uit zijn huis en van zijn land werden verbannen. Iedere tante of oom die nadat de klok middernacht had geslagen nog op het terrein werd aangetroffen zou dezelfde straf ondergaan als het kussen.

Onder luid gegil ijlde men de deur uit terwijl de toekomstige Hertog van Dorset, de negenentwintigste in zijn lijn, op kalme toon gelastte dat het meubilair weer op zijn plaats moest worden gezet, waarna hij zijn leven in eigen hand nam.

ألحج

De eerste daad van de jonge Strongbow was de inventarisatie van alle kunstvoorwerpen in het landhuis. Met zijn botanische belangstelling voor determinatie wilde hij precies weten wat hij had geërfd, dus liep hij met een register in zijn ene en een pen in zijn andere hand van de ene naar de andere kamer om alles te noteren.

Wat hij aantrof vervulde hem met afschuw. Het huis was een immens mausoleum dat niet minder dan vijfhonderdduizend afzonderlijke voorwerpen bevatte die in de loop van zeshonderdenvijftig jaar lanterfanten waren vergaard.

Ter plekke besloot hij zijn leven nooit te belasten met materiële goederen en dát, en niet ijdelheid, was de reden dat hij op zijn eenentwintigste, toen voor hem de tijd rijp was om in de woestijn te verdwijnen, alleen een vergrootglas en een draagbare zonnewijzer bij zich droeg.

Maar een dergelijke extreme soberheid lag nog in het verschiet. Eerst moest hij zich in zijn vak bekwamen. Hij sloot de rest van het huis systematisch af en installeerde zich in de centrale hal, die hij inrichtte als een langwerpig botanisch laboratorium. Daar leefde hij zes jaar in ascese en op zijn zestiende schreef hij de rector magnificus van Trinity College een brief waarin hij verklaarde dat hij bereid was zich in Cambridge te vestigen om een academische graad in de plantkunde te behalen.

Het was een korte brief die vergezeld ging van een opsomming van zijn kwalificaties.

Hij beheerste vloeiend Vroeg- en Midden-Perzisch, hiërogliefen, spijkerschrift en Aramees, klassiek en modern Arabisch, had de gebruikelijke kennis van het Grieks, Hebreeuws, Latijn en de Europese talen, Hindi waar van toepassing, en beheerste alle natuurwetenschappen die voor zijn werkzaamheden onontbeerlijk waren.

Ten slotte voegde hij, als voorbeeld van een al door hem ingesteld onderzoek, een kleine monografie toe over de varens die zich op zijn landgoed bevonden. De rector van Trinity College liet het essay door een expert onderzoeken en die riep het uit tot de meest gezaghebbende verhandeling over varens die ooit in Engeland was geschreven. De monografie werd door de Royal Society als speciale circulaire gepubliceerd en zo dook de naam van Strongbow, die later zou worden vereenzelvigd met ranzige verdorvenheid, voor het eerst bescheiden in druk op.

Bijna gelijktijdig maakten drie sensationele incidenten Strongbow tot een levende legende in Cambridge. Het eerste deed zich voor op de avond voor Allerheiligen, het tweede tijdens een twee weken durende periode in de kerstvakantie en het derde op de avond van de winterzonnewende.

Het Allerheiligenincident was een handgemeen met de grootste vechtersbazen op de universiteit. Na het drinken van grote hoeveelheden stout hadden deze beruchte jongelingen zich naar een steegje begeven om elkaar in het najaarsmaanlicht met de vuisten te bewerken. Er verzamelde zich een menigte om hen heen en er werden verwoed weddenschappen afgesloten terwijl de zwetende vechters hun bovenlijven ontblootten.

De steeg was smal. Toevallig kwam Strongbow hem net in lopen toen de knokkers tegenover elkaar hurkten. Na de hele dag op het platteland specimens te hebben verzameld, met de wilde bloemen nu in zijn hand, was hij te uitgeput om op zijn schreden terug te keren. Hij vroeg de kluwen vechtersbazen beleefd even opzij te gaan zodat hij erdoor kon. Even viel er een stilte in de steeg en toen klonk een hees geschater op. Strongbows bos bloemen werd uit zijn hand geslagen.

Vermoeid knielde hij in het maanlicht en pakte zijn specimens op uit de spleten tussen de straatkeien. Toen hij ze allemaal had opgeraapt liep hij door, met in zijn ene hand de bloemen en met zijn andere arm om zich heen maaiend.

Vanwege zijn buitengewoon grote bereik kreeg hij zelf geen klap te verduren. Binnen enkele seconden lag er een dozijn mannen in elkaar geslagen op de keien, allemaal met gebroken botten en heel wat met een hersenschudding. De verblufte toeschouwers drukten zich plat tegen de muren terwijl Strongbow behoedzaam zijn bloemen afstofte, het boeket herschikte en door de steeg de weg naar zijn vertrekken vervolgde.

Het tweede incident had te maken met Engelands nationale schermtoernooi, dat dat jaar in Cambridge werd gehouden. Hoewel hij als schermer een grote onbekende was, schreef Strongbow zich in voor de voorronden van het toernooi, een soort kwalificatiewedstrijden voor amateurs, op basis van aanbevelingsbrieven van twee Italiaanse meesters van internationale naam en faam. Toen hem werd gevraagd op welk wapen hij wilde uitkomen, antwoordde hij alle drie: floret, degen én sabel.

Het voorstel zou, zelfs als hij van die meesters privéles had gekregen, belachelijk zijn geweest. Maar uiteindelijk kreeg hij toestemming aan alle drie onderdelen deel te nemen, aangezien de brieven van de Italianen, zoals hij stelde, niet vermeldden welk wapen zijn specialiteit was.

In wezen had hij geen voorkeur en evenmin had hij ooit les gehad van de twee Italianen of van wie dan ook. Een jaar tevoren had hij, in het besef dat zijn snelle groei wel eens een struikelblok voor hem zou kunnen gaan vormen, besloten zijn evenwichtsgevoel te verbeteren. Schermen leek wat dat betreft even nuttig als andere lichamelijke oefeningen, dus las hij de klassieke schermhandboeken en deed hij elke dag een uur aan schaduwschermen voor een spiegel.

Toen brak voor hem de tijd aan om naar Cambridge af te reizen. Toen hij op weg daarheen Londen aandeed, vernam hij dat twee beroemde Italiaanse meesters in de stad waren om leden van de koninklijke familie schermles te geven. Nieuwsgierig naar bepaalde technieken waar hij gebruik van maakte en die in geen van de handboeken terug waren te vinden, bood hij de Italianen een aanzienlijke som geld als zij hun oordeel wilden vellen over zijn manoeuvres.

Er werd een tijdstip afgesproken. De meesters bekeken zijn oefeningen voor de spiegel en schreven de aanbevelingsbrieven die hij meenam naar Cambridge.

Maar heimelijk waren de twee mannen eerder geschrokken dan geestdriftig over wat ze hadden gadegeslagen. Beiden realiseerden zich dat Strongbows onorthodoxe schermstijl opzienbarend en wellicht onovertrefbaar was. Daarom zegden zij hun afspraken af en verlieten Londen nog diezelfde avond, in de hoop zijn technieken zelf ooit onder de knie te krijgen.

Intussen opende het nationale toernooi in Cambridge begin december. Strongbow, die weigerde een masker te dragen omdat hij dat niet gewoon was en die weigerde zijn methoden te onthullen, won achtereenvolgens alle wedstrijden op floret, degen en sabel, en ging van de voorronden over naar het hoofdtoernooi. Daar bleef hij zonder masker schermen en won hij alles met het grootste gemak.

Aan het einde van twee drukke weken was hij op alle drie de onderdelen doorgedrongen tot de finale, wat op zichzelf al een ongeëvenaarde prestatie was. De finales zouden eigenlijk het grootste deel van het weekend in beslag nemen, maar Strongbow stond erop dat ze direct na elkaar werden afgewerkt. Alles bij elkaar namen zij minder dan vijftien minuten in beslag. In dat korte tijdsbestek ontwapende Strongbow achtereenvolgens zijn drie gemaskerde tegenstanders, terwijl hijzelf alleen een prikje in zijn hals opliep. Bovendien hadden twee van de kampioenen die hij versloeg na afloop van hun duel ontwrichte polsen.

In minder dan een kwartier had Strongbow zich de grootste schermer in de Engelse geschiedenis betoond.

Daarna nam hij nooit meer deel aan een schermwedstrijd. Men nam aan dat de reden daarvan zijn uitzonderlijke hoogmoed was, die velen toen al onverteerbaar vonden. Maar de waarheid was simpelweg dat Strongbow niet meer groeide. Hij had geen behoefte meer aan speciale oefeningen en had de saaie gewoonte opgegeven om voor een spiegel met zichzelf te schermen.

Maar zijn stijl als zwaardvechter behield hij en decennia later was die nog markant genoeg om zijn ware identiteit te verraden, hetgeen hem meer dan veertig jaar na zijn vertrek uit Cambridge bijna overkwam in een piepkleine oase in Arabië.

Strongbow was toen de zestig gepasseerd en leefde als een der armste bedoeïenen. De oase bevond zich op de hadj-route vanuit Damascus en op een dag moest Strongbow snel opzij springen om het zwaard van een moordenaar te ontwijken, hetgeen hij zodanig deed dat de moordenaar zichzelf verwondde. Toen hurkte hij op de grond en begon de wond van de man te verbinden.

Dat jaar reisde ook Numa Numantius, de Duitse geleerde in de erotica en verdediger van de homoseksualiteit, die toevallig getuige was van zijn verrichtingen en versteld stond, mee met de karavaan. Hij stuurde zijn Arabische dragoman onmiddellijk op Strongbow af.

Wie bent u eigenlijk? vroeg de Duitser, waarna zijn tolk de woorden in het Arabisch herhaalde. Strongbow antwoordde bescheiden in een primitief bedoeïenendialect dat hij was wat hij leek te zijn, een hongerende man van de woestijn wiens enige mantel de arm van Allah was.

Numantius, de toonaangevende Latinist van zijn tijd en een buitengewoon zachtmoedige man, zei dat hij toevallig wist dat slechts twee Europese schermmeesters die specifieke techniek ooit hadden beheerst en dat beide Italianen inmiddels dood waren, en dat, hoewel wellicht niemand in de Levant in staat was de genialiteit die erbij kwam kijken te onderkennen, hij dat bepaaldelijk wel was. Om dat te benadrukken, noemde hij zelfs de officiële Latijnse benaming voor de manoeuvre. De tolk vertaalde dit allemaal voor Strongbow, die enkel zijn schouders ophaalde en doorging met het verbinden van de wond. Numantius' nieuwsgierigheid groeide.

Maar meester, fluisterde de tolk, hoe kunt u van zo iemand een antwoord verwachten? Kijk naar zijn vuiligheid en de vodden die hij draagt. Hij is een schooier en een hond en dat was een gelukstreffer, meer niet. Hoe zou een dergelijke woesteling ooit over enige kennis kunnen beschikken?

Maar dat kan wel degelijk, zei Numantius. Hoe dat mogelijk is, weet ik niet en het duizelt me als ik er alleen maar aan denk. Wees dus zo vriendelijk en zeg hem dat ik hem een Maria Theresa-munt zal geven als hij bij zijn God zweert dat hij nooit van die twee Italianen heeft gehoord.

De woorden werden in het Arabisch herhaald en er kwam een grote menigte omheen staan. Het aangeboden geldstuk was in de woestijn een fortuin waard en je kon van geen enkele berooide bedoeïen verwachten dat hij niet op zo'n aanbod zou ingaan. Maar Strongbow had nog nooit van zijn leven een valse eed afgelegd. Dus werd de woordenwisseling tussen hem en de tolk voortgezet.

Wat zegt hij? vroeg Numantius met ontzag. Zweert hij?

Nee, hij zweert niet. Eigenlijk zegt hij dat hij die twee mannen in zijn jeugd heeft gekend.

Wat?

Ja, in een droom. In die droom ging hij vanaf een groot landgoed dat hij bezat naar een grote stad. In die grote stad huurde hij die twee mannen in om hun te laten zien hoe hij schermde, en toen hadden ze het geheim van deze specifieke techniek en van nog andere van hem afgekeken. En hij voegt eraan toe dat wat u hem enkele minuten geleden hebt zien doen, in den beginne waarlijk zijn geheim was, oorspronkelijk en onvervalst, terwijl wat u die Italianen hebt zien doen na-aperij en vals was. En dat zegt hij allemaal in een taaltje dat zo barbaars is dat je er geen touw aan kunt vastknopen.

Numantius stond versteld.

Oorspronkelijk en onvervalst? Na-aperij en vals? Wat bazelt die man toch? Wat is dit voor waanzin?

U zegt het, fluisterde de tolk gehaast, terwijl hij en de angstige menigte achteruitdeinsden. Maar haast u, meester, laat ons vertrekken. Zijn ogen, ziet u het niet?

En inderdaad, Strongbows ogen rolden in zijn hoofd, zijn hoofd tolde op zijn schouders en zijn hele lichaam was oncontroleerbaar beginnen te beven. Hij bracht zichzelf in een derwisj-trance, een trucje dat hij lang geleden had geleerd toen hij voor het eerst naar de woestijn kwam en de onherkenbaarheid van zijn vermommingen nog in gevaar had kunnen komen. Zoals hij wist zou geen Arabier in de buurt blijven van een derwisj die plotseling van geesten bezeten was.

De menigte trok zich, bezweringen prevelend, terug en een verdwaasde Numantius nam met hen het hazenpad uit angst dat hij ten prooi zou vallen aan hersenkoorts. Hij sloot zich weer aan bij de karavaan, daarmee de enige kans verspelend die hij ooit zou krijgen om erachter te komen wat de jonge Hertog van Dorset, na zijn uitermate aanstootgevende verdwijning in Caïro, op de vooravond van Koningin Victoria's eenentwintigste verjaardag, werkelijk was overkomen.

ألحج

Maar het was het derde incident in Cambridge dat uiteindelijk voor Strongbow de meeste gevolgen zou hebben, want daarin speelden de Geheime Zeven, of de Onsterfelijken, zoals ze ook wel werden genoemd, een rol.

Dit studentengenootschap was in 1327 opgericht om het verscheiden van Edward de Tweede te bewenen, nadat iemand een hete pook in de anus van de koning had gedreven. Dankzij erflatingen was het vermogen van het genootschap geleidelijk aan gegroeid, totdat zijn schenkingen die van alle andere particuliere instellingen in Engeland overtroffen. Het genootschap steunde diverse weeshuizen en ziekenhuizen en gaf opdracht tot het maken van portretten van zijn leden voor de National Gallery.

De bescherming die het zijn leden bood was onbegrensd en eeuwigdurend. Als een van de leden in een verre uithoek van het Imperium mocht komen te overlijden, werd zijn lichaam subiet in de fijnste cognac gedrenkt en op kosten van het genootschap naar huis vervoerd.

Koningen en eerste ministers, rissen bisschoppen en bataljons admiralen en generaals, evenals vele landedelen die om niets anders bekendstonden dan bepaalde excentrieke affaires met hun lijfknechten, maakten deel uit van het genootschap. De Geheime Zeven vormden kortom het rijkste en invloedrijkste studiegenotennetwerk van het land.

Daar konden alle masturbatiebroederschappen op de particuliere kostscholen en universiteiten van Engeland qua gedurig prestige niet bij in de schaduw staan.

Zoals de naam al doet vermoeden, waren er altijd slechts zeven studenten lid van het genootschap en duurde hun lidmaatschap van het middernachtelijk uur op de winterzonnewende tot het middernachtelijk uur op de daaropvolgende winterzonnewende, wanneer er een nieuwe groep van zeven werd gekozen. Tijdens het jaar dat hun lidmaatschap duurde, hield het heersende zevental zich, behalve met masturbatiepraktijken, onledig met het bespreken van de verdiensten van hun potentiële opvolgers.

De kerstvakantie begon lang voordat de verkiezingsnacht aanbrak, maar alle studenten in Cambridge kwamen traditiegetrouw, als bij stilzwijgende overeenkomst, op de dag van de winterzonnewende via allerlei sluipwegen terug naar hun studievertrekken. Daar werden alle poorten en deuren opengelaten en hield iedereen de adem in in de loszinnige hoop op een wonder. Van De Zeven was bekend dat zij hun bezoekjes om elf uur 's avonds, onder de mantel der duisternis, begonnen en die een uur later beëindigden, waarbij de man die het laatst werd gekozen de meest illustere van de nieuwe groep zou zijn, en tevens zijn toekomstig leider.

Zo gebeurde het dat Strongbow, die niet de moeite had genomen zijn studie te onderbreken om met kerstvakantie te gaan, op een winternacht in zijn kamer een botanische verhandeling in het Arabisch zat te bestuderen toen er zeven keer luid op zijn deur werd gebonsd. De deurknop draaide om maar verder gebeurde er niets. Strongbows deur zat op slot. Hij had even tevoren een bad genomen en, omdat hij het nog warm had, niet de moeite genomen zich aan te kleden.

Uiteraard hoorde hij het geklop niet, maar hij zag de deurknop vruchteloos draaien. Hij liep erheen om het nader te onderzoeken en onmiddellijk stroomden zeven jongemannen de kamer in en stelden zich in een rij op. Ze leken niet verbaasd over zijn naaktheid, maar de leider van de groep richtte in klassiek Grieks en op verwarde toon het woord tot hem.

Uw deur was op slot.

Dat klopt.

Maar het is middernacht op de winterzonnewende.

Dat is juist. Nou en?

Wilt u zeggen dat u niet weet wat er op deze bijzondere nacht gebeurt?

Ik weet dat de nacht langer duurt dan alle andere, maar wie zijn jullie eigenlijk? Amateur-astronomen?

Bedoelt u dat u niet wéét wie wij zijn?

Nee.

De Geheime Zeven, verkondigde de leider met omfloerste stem.

Mijn god, man, bulderde Strongbow. Ik zie ook wel dat jullie met z'n zevenen zijn, maar wat is jullie duivelse geheim?

Bedoelt u dat u nog nooit van ons hebt gehoord?

Nee.

Maar wij vormen het oudste en eerbiedwaardigste geheime genootschap in Engeland.

Nou, wat is jullie geheim dan? Wat voor genootschap is het?

Een masturbatiegenootschap, zei de leider plechtstatig.

Strongbow schaterde het uit.

Masturbatie? Is dat alles? Wat is daar zo geheim aan? En waarom spreken we in 's hemelsnaam Grieks?

*U bent uitverkoren*, reciteerden de zeven jongemannen eensgezind.

O ja? En waarvoor?

Om toe te treden tot ons genootschap. De Zeven Onsterfelijken.

Onsterfelijk zeggen jullie? Omdat jullie masturberen?

De Zeven waren verbijsterd. Er was nooit enige noodzaak geweest hun genootschap nader te verklaren, laat staan zijn doel te rechtvaardigen. Ze stonden sprakeloos in de rij. Strongbow glimlachte.

Zijn jullie soms de Zeven Wijzen van Griekenland? Hoe vaak komen jullie samen om jullie wijsheden uit te wisselen?

Twee avonden in de week.

Dat is niet voldoende, zei Strongbow. Word ik geacht me te beperken tot twee avonden masturberen per week? Belachelijk.

Niemand hoeft zich te beperken. Alleen komen we dan officieel bij elkaar.

Maar waarom zou je daar sowieso officieel over doen? Een bespottelijke gedachte.

De leider begon te praten over liefdadigheid en broederschap. Hij noemde zelfs koningen en aartsbisschoppen en beroemde staatslieden die lid waren geweest van het genootschap, maar al die indrukwekkende namen werden door Strongbow met een weidse maaiende zwaai van zijn arm weggewuifd.

Luister eens, wijze mannen. Masturbatie is beslist ontspannend, maar waarom zou je daar een genootschap voor oprichten en dan nog een geheim genootschap bovendien? Belachelijk. Pure waanzin.

U bedoelt toch niet dat u weigert toe te treden, stamelde de leider.

Natuurlijk bedoel ik dat. Wat een absurditeit.

Maar in vijfhonderd jaar heeft nog nooit iemand dat geweigerd.

Dat is dan buitengewoon merkwaardig. Maar ik ben nu afgekoeld na mijn bad en denk dat ik me maar eens moet aankleden en me weer aan mijn studie moet zetten. Het werk dat ik aan het lezen ben handelt over *Solanum nigrum*, dat jullie waarschijnlijk kennen onder de naam wolfskers, het is geschreven in Cordoba, in 756, wetenschappelijk degelijk maar niet geheel correct. Zal ik jullie de tekortkomingen uitduiden? Dan moeten we wel van Grieks overstappen op Arabisch, maar wat mij betreft kunnen jullie ook gewoon doorgaan met wat jullie gewoon zijn te doen.

De deur ging open. De zeven jongemannen slopen de langste nacht van 1836 in. De klok had twaalf uur geslagen en door onsterfelijkheid te weigeren, had Strongbow ruim driehonderd van de machtigste Engelsen van zijn tijd, om nog maar te zwijgen van de nagedachtenis aan nog eens drieduizend dode helden van zijn ras, onduldbaar beledigd; een affront dat men zich bijna een halve eeuw later, bij de publicatie van zijn monumentale drieëndertig delen tellende standaardwerk *Seksualiteit in de Levant*, nog goed kon heugen.

Toch was het niet louter zijn intellectuele geweld, zijn meedogenloze strijdvaardigheid of zijn onbeschaamde minachting voor traditie die maakten dat hij in Cambridge als gevaarlijk werd beschouwd. Het kwam ook door zijn ondoorgrondelijke manier van doen.

Want natuurlijk had niemand beseft dat Strongbow doof was en dat hij anderen uitsluitend kon verstaan door hun lippen te lezen. Iedereen buiten zijn gezichtsveld werd derhalve genegeerd alsof hij niet bestond, net zoals alles wat er achter zijn rug gebeurde als niet bestaand werd genegeerd.

In het voorjaar deed zich bijvoorbeeld een verontrustend incident voor toen bij zonsopgang een zware slagregen de helft van het biologisch laboratorium in Cambridge deed instorten. Het laboratorium werd geacht leeg te zijn, maar het donderend geraas was zo luid dat de hele universiteit binnen enkele minuten naar de plaats van het onheil was gesneld.

Wat men daar aantrof op wat ooit de tweede verdieping was geweest, met de gapende afgrond op enkele centimeters achter de plek waar hij stond, was Strongbow die gebogen over een microscoop de nerven van een nieuw lenteblad bestudeerde en totaal niets had gemerkt van de instorting die iedereen zijn bed uit had gejaagd.

Strongbows concentratie vond men al met al beangstigend onwerelds en onafhankelijk. Vanwege zijn onnatuurlijke lichaamslengte leek hij maar vaaglijk op een mens en de enige stemmen die hij leek te horen, waren die van planten. In een ander tijdsgewricht zou hij wellicht als de antichrist op de brandstapel zijn gezet, en het was ongetwijfeld alleen omdat de negentiende-eeuwse wereld zo rationeel was dat hij louter werd beschouwd als uitzonderlijk pervers, maniakaal en on-Engels.

Maar merkwaardig genoeg was het juist die rationaliteit die Strongbow ooit met zulke verschrikkelijke gevolgen zou bestrijden.

Zijn carrière in Cambridge culmineerde in een gebeurtenis die zowel schitterend en typerend alsook zo extravagant was dat hij onduldbaar werd geacht door velen, onder wie de Aartsbisschop van Canterbury en mogelijk ook Victoria, de nieuwe monarch die op het punt stond te worden gekroond.

Strongbow stond, in plaats van na de gebruikelijke drie, al na één jaar voor zijn doctoraalexamen en dat was zo'n grote prestatie dat men hem een extra cum laude moest toekennen, iets wat voorheen en nadien op geen enkele Engelse universiteit is voorgevallen. Bij wijze van afscheidsgeschenk aan de Engelse wetenschappen kondigde hij vervolgens bij de aanvaarding van zijn bul aan dat hij op de oevers van de Cam een nieuwe species rozen had ontdekt.

Zelfs in alle stilte aangekondigd zou die ontdekking een schok teweeg hebben gebracht. In een land dat verknocht was aan rozen leek het ondenkbaar dat de Cam zes eeuwen lang door wetenschappers was bevaren en dat zij allemaal een species over het hoofd hadden gezien.

Maar de aankondiging geschiedde niet in alle stilte. In plaats daarvan nagelde Strongbow zijn proclamatie op een zondagochtend, vlak voor de dienst werd beëindigd en de wetenschappelijke staf naar buiten kwam, luidruchtig aan de kapeldeuren.

Het land was onmiddellijk in rep en roer. Er werd een officiële commissie van deskundigen bijeengeroepen onder voorzitterschap van de Aartsbisschop van Canterbury, die het laatste woord zou hebben, mocht dat ultieme beroep op fair play noodzakelijk blijken.

Strongbows in vijfennegentig stellingen uitgewerkte bewijsvoering werd van de kapeldeuren gehaald en tot de laatste letter door de commissie bestudeerd. Het Latijn was onberispelijk en tot hun ontzetting constateerden de leden dat er niets was om over te beraadslagen of te stemmen. De ontdekking was authentiek. De roos kon op geen enkele wijze bij een van de bestaande soorten worden ingedeeld.

En als haar ontdekker had Strongbow het onvervreemdbare recht haar een naam te geven.

Aangevoerd door de aartsbisschop bracht een selecte delegatie een bezoek aan Strongbows vertrekken. Na hem hartelijk geluk te hebben gewenst, wierp de aartsbisschop voorzichtig een balletje op. Er was een nieuwe roos ontdekt in Engeland, er zou spoedig een nieuwe monarch worden gekroond die stamde uit het Huis Hanover. Was het niet grootmoedig van God dat Hij, Zich bedienend van een briljante jonge geleerde en edelman, het land en Hare Majesteit de Koningin van Groot-Brittannië op dit moment, op deze wijze, zijn zegen gaf.

Terwijl de aartsbisschop aan het woord was, bleef Strongbow gebogen over zijn werktafel, waar hij door een gigantisch vergrootglas een grassprietje bestudeerde. Toen de aartsbisschop was uitgesproken, richtte Strongbow zich in zijn volle lengte op en keek, met het vergrootglas nog steeds in de aanslag, neer op de delegatie.

Achter het krachtige vergrootglas had zijn starende oog een middellijn van vijf centimeter.

Gedurende zijn jaar in Cambridge was Strongbows afkeer van zijn familieverleden tot volle wasdom gekomen. Hij kon de herinnering aan de dwaze ongelukken die achtentwintig opeenvolgende Hertogen van Dorset het leven hadden gekost, aan de dwaze tantes en ooms die eeuwenlang naar het landhuis waren teruggekeerd om de wezen groot te brengen, aan het dwaze familiegeheim dat gewoon een andere naam was voor analfabetisme en bovenal aan de dwaze seksuele activiteiten die het familiespel werden genoemd, niet langer verdragen.

Tegelijkertijd was hij steeds meer minachting gaan voelen jegens Engeland, dat hij te klein en te stijfjes en te bekrompen vond om zijn behoeften te bevredigen. En omdat hij nog jong was, gaf hij er de voorkeur aan de schuld meer te leggen bij zijn vaderland dan bij zeshonderdenvijftig jaar Strongbow-dwaasheden.

Dus liet hij zijn enorme oog op de aartsbisschop vallen en was de redevoering die hij afstak kort.

Uwe Hoogwaardigheid had het over het Huis Hanover, over Duitsers die hier vijfhonderdenveertig jaar nadat mijn eigen hertogdom werd gevestigd, zijn binnengekomen. Het is onmiskenbaar juist dat de Plantagenet Strongbows in zeseneenhalve eeuw niets voor Engeland hebben gedaan, maar ze hadden tenminste het fatsoen dat op Engels grondgebied te doen. Daarom zullen we dat grondgebied en Victoria van Hanover eren door mijn ontdekking de *rosa exultata plantagenetiana* te noemen. Ik dank u voor uw komst en ik dank u voor het feit dat u het onontkoombare bestaan van deze zeldzame bloem hebt erkend.

Aan beide zijden van de werktafel werd geen woord meer gesproken. Het enorme oog bleef in de nabijheid van het plafond zweven terwijl de gekleineerde gedelegeerden afdropen.

Strongbow verliet Engeland onmiddellijk, maar over zijn eerste reizen is weinig of niets bekend of opgetekend. Van tijd tot tijd dook er in een Europese hoofdstad een gedetailleerde monografie op die in Damascus of Tunis was gepost en in eigen beheer was uitgegeven.

En minstens eens per jaar werd er een tiental nieuwe soorten woestijnbloemen gedetermineerd, en waren de ontdekkingen zonder uitzondering bonafide. Dus hoewel men, zelfs toen hij ver van huis was, bang voor hem bleef en een hekel aan hem bleef houden, kon de Engelse botanische gemeenschap niets anders doen dan zijn opeenstapeling van onderzoekingen bewonderen.

Toch besteedde Strongbow eigenlijk maar heel weinig tijd aan de plantkunde. In plaats daarvan had hij, geheel onverwacht, zijn immense concentratievermogen gericht op de bestudering van de seksualiteit, een inspanning die uiteindelijk de ondergang van het Britse Imperium zou bewerkstelligen.

Maar dat was niet Strongbows zorg. Wat voor hem belangrijk was, was de onthutsende ontdekking die hij al na enkele jaren in het Midden-Oosten in een grot in de Sinaï deed, toen hij erachter kwam dat het verloren gewaande origineel van de bijbel werkelijk bestond. Dat geheim zou hij in de eeuw dat hij leefde slechts met één man delen.

Met die ontdekking begonnen Strongbows veertig jaar durende naspeuringen naar de Sinaï-bijbel en zijn levenslange speculaties over wat er in het mysterieuze verloren origineel zou kunnen staan, en dat was, bij alles wat hij de twintigste eeuw naliet, wat zijn enige kind en erfgenaam, de idealistische jongen die wapensmokkelaar zou worden en Stern heette, het meest zou intrigeren en van zijn stuk zou brengen.

# 2 Wallenstein

الحج

*Mensen hebben de neiging fabelen te worden en fabelen hebben de neiging mensen te worden.*

Voordat hij in opdracht van de Habsburgs werd gedood, was een voormalige Tsjechische wees die Wallenstein heette er, ten tijde van de religieuze massaslachting die bekendstaat als de Dertigjarige Oorlog, tot tweemaal toe in geslaagd op te klimmen tot de rang van almachtige Generalissimo van het Heilige Romeinse Rijk.

Een verscheidenheid aan vijanden had hem door de nevelen van Noord-Bohemen nagejaagd, maar toen hij eindelijk in het nauw was gedreven, werd de hellebaard die zijn borst doorboorde gehanteerd door een Engelse kapitein die onder bevel stond van een Ierse generaal. Wij schrijven het jaar 1634 en die moord, gevolgd door het verschijnen van een adelaar, die volgens Arabische overlevering duizend jaar leeft, voerde de kennelijke voorvader van de man die de spectaculairste vervalsing aller tijden zou voortbrengen naar het Middellandse Zeegebied.

Toen hij leefde en het land afstroopte, had Generalissimo Wallenstein zich zo buitensporig in de astrologie verdiept dat iedereen binnen zijn familie de pest had aan sterren; iedereen, met uitzondering van een slome neef die in niets anders geloofde. Op de ochtend dat het nieuws van de dood van zijn oom hem bereikte, snelde de neef daarom onmiddellijk naar zijn plaatselijke wichelaar om hem te consulteren.

De wichelaar had de hele nacht in zijn observatorium zitten knikkebollen. Hij wilde net naar bed gaan, maar kon zijn belangrijkste klant onmogelijk de deur wijzen. Zuchtend legde hij de kaart en probeerde tot een gevolgtrekking te komen. Tegen de tijd dat hem dat lukte sliep hij bijna.

Steekpenningen, krijste de neef. Kunnen die me redden? Moet ik de benen nemen?

Adelaars, mompelde de wichelaar.

De neef van Wallenstein sprong op van zijn stoel.

Vluchten. Natuurlijk. Maar waarheen?

Het spijt me, verder is alles in nevelen gehuld.

Wallenstein rukte aan de baard van de wichelaar, maar de oude man snurkte reeds. Hij galoppeerde terug naar zijn kasteel aan de Donau, waar zijn biechtvader, een jezuïet die de gewoonte had 's middags langs te wippen voor een glaasje wijn, hem opwachtte. Hij zag dat het linker ooglid van de neef neerhing, wat een overtuigend bewijs van oprechte ongerustheid was. Daar hij in dienst van zijn orde veel had gereisd, stelde hij Wallenstein voor zijn hart te luchten. Terwijl de neef aan het woord was, dronk de priester bedaard hun flesje wijn leeg.

*Shqiperi*, mompelde hij na verloop van tijd. Een uitstekend jaar, mijn zoon.

Watte? vroeg Wallenstein, onder zijn neerhangende ooglid door koekeloerend.

Ik zei dat het een opmerkelijk wijnjaar was.

Nee, dat andere woord dat je gebruikte.

U bedoelt de oude naam die de Albanezen gebruiken om hun land mee te duiden? Waarvan men dacht dat het oorspronkelijk adelaar betekende? Het is beslist een oud ras, die Albanezen, ze hebben het overleefd omdat hun land bergachtig en onherbergzaam is. Waarschijnlijk hebben ze zich ooit vereenzelvigd met de adelaars die daar woonden.

De jezuïet leek niet vreemd op te kijken toen Wallenstein neerknielde en bekende dat hij nooit in de sterren had geloofd. Ze praatten nog wat, waarna de priester de jongeman prees vanwege het feit dat hij zich niet door de astrologische flauwekul van zijn oom had laten meeslepen.

Toen vergaf hij hem diverse zonden, droeg hem op een aantal weesgegroetjes te bidden, wenste hem succes in het zuiden, voor het geval hij ooit naar het zuiden mocht afreizen, en bood aan zich over de wijnkelder onder het kasteel te ontfermen indien de eigenaar ooit afwezig mocht zijn.

De eerste Wallenstein in Albanië zag zichzelf als een tijdelijke balling uit Duitsland. Het land was barbaars en hij was van plan het zo spoedig mogelijk te verlaten. Niettemin moest hij leven en dus nam hij zijn intrek in een kasteel en koos zich een vrouw uit de plaatselijke bevolking.

Toen er een zoon werd geboren, stemde hij erin toe dat de baby werd vernoemd naar de nationale held van Albanië, een vijftiende-eeuwse Christen die tot de Islam en vervolgens opnieuw tot het Christendom was bekeerd. Dat was ook de naam waarmee hij de geschiedenis in zou gaan en die hij had gekregen toen hij door de Turken werd gegijzeld. Heer Alexander of Iskander Bei, of Skanderbeg, zoals zijn landgenoten het uitspraken toen hij eindelijk terugkeerde naar zijn vaderland en de beroemdste krijgsman van het land werd, bestormde tijdens de eerste helft van zijn leven in dienst van de Turken onvermoeibaar Christelijke vestingen, en tijdens de tweede helft van zijn leven verdedigde hij diezelfde vestingen al even onvermoeibaar tegen de Turken.

Na tientallen jaren in ballingschap te hebben geleefd, kwam Wallenstein ter ore dat zijn dode oom niet langer een bedreiging voor het Heilige Romeinse Rijk werd geacht. Hij kon nu veilig terugkeren naar zijn woonstede aan de Donau. Opgetogen sloeg hij een hoeveelheid arak naar binnen en beklom zijn toren om te zien wat de sterren van de Albanese nacht voor hem in petto hadden.

Helaas werd hij getroffen door een aandoening waaronder zijn mannelijke nazaten nog generaties lang gebukt zouden gaan. Zijn neerhangende linker ooglid gleed steeds verder omlaag tot het zijn oog bedekte.

Daar hij met één oog niet langer in staat was afstanden te schatten, stapte hij van de toren, landde dertig meter lager op zijn hoofd in een fontein, was op slag dood en daardoor niet bij machte te onthullen dat de sterren hem hadden gezegd dat hij was voorbestemd om een machtige Albanese dynastie te stichten en dat een amnestieverklaring van Duitsland die resulteerde in zijn onmiddellijke dood de zekerste manier was om dit te bewerkstelligen.

Later was het neerhangende linker ooglid spoedig na de geboorte bij alle Skanderbegs waarneembaar. Evenals bij de stamvader had het ooglid de neiging verder neer te hangen onder invloed van alcohol of in het aangezicht van de dood.

Daarbij hoorden andere onmiskenbare trekjes die waren geërfd van de oorspronkelijke Albanese Wallenstein, die altijd al had vermoed dat de Heilige Roomse vijanden van zijn oom uit het noorden spionnen op hem afstuurden om hem te vermoorden.

Tengevolge daarvan waren de Skanderbeg Wallensteins uitermate achterdochtige mannen. Ze bewogen zich steels en durfden nooit iemand recht in de ogen te kijken. Als er gasten in het kasteel waren, trok de heer des huizes zich regelmatig terug en zag men hem eerst langs de verre tuinmuur bij de keuken sluipen, achter de keukenkast schielijk een glaasje arak achteroverslaan om even later weer met een verrekijker voor een torenvenster op te duiken.

Wat de familiekwaal kortweg behelsde was een onwrikbare overtuiging dat het hele universum uitsluitend was gericht op het in gevaar brengen van Skanderbeg Wallensteins. De complotten die zij zich inbeeldden, waren vaag maar alomtegenwoordig en verklaarden bovendien alle gebeurtenissen op aarde.

Traditiegetrouw kregen zij geen scholing. De oorlog was hun roeping en zij verlieten op jeugdige leeftijd het ouderlijk huis om die te volgen en hevig te vechten tegen de Turken of de Christenen, in navolging van hun contradictoire naamgever, de nationale held. Merkwaardig genoeg echter sneuvelde nooit een van hen op het slagveld. Hoewel ze alsmaar te velde trokken, slaagden ze erin alle door hun vijanden aangerichte slachtingen te overleven en terug te keren naar hun kastelen om uitzonderlijk achterdochtige, rimpelige oude mannen te worden.

In bijna alle opzichten waren de mannen van het geslacht Wallenstein dus volstrekte tegenpolen van de Strongbows, die jong stierven zonder ooit enige argwaan te hebben gekoesterd. In hun donkere, vochtige kasteel dat als een winderige buitenpost van de Balkan mistroostig prijkte op een woeste, Albanese steile rots, waren deze bejaarde analfabeten voortdurend ten prooi aan ongeremde wispelturigheden en extravagante karaktertegenstellingen.

Daarenboven waren de Skanderbeg Wallensteins nooit vader en zoon geweest. Liefde gecombineerd met erotisch genot ging hun boven de pet en bij hun eigen vrouwen waren ze impotent. Alleen heel jonge meisjes van acht of negen konden hen seksueel opwinden.

Als er een nieuwe bruid naar het kasteel was gebracht, werd deze stand van zaken haar op subtiele wijze uit de doeken gedaan door de residerende schoonmoeder. Er was echter geen man overboord aangezien het kasteel over een uitgebreide staf van loyale bedienden beschikte. Er kon altijd iets worden geregeld en dat gebeurde dan ook al bijna tweehonderd jaar.

De residerende gezagsvrouwen benadrukten altijd naarstig dat de mannen van het geslacht Wallenstein goede minnaars waren. Toch was het feit dat opeenvolgende Skanderbegs nooit familie van elkaar waren wellicht de ware reden waarom die kasteelheren iedereen thuis zo intens wantrouwden en het grootste deel van hun leven van huis waren om oorlogen te voeren.

الحج

Gewoonlijk waren hun vaders onnozele Albanese butlers of jachtopzieners wier belangstelling zich beperkte tot de inhoud van een provisiekast of van een nest korhoenders. Maar in 1802 bleek de nieuwe vrouw van een Skanderbeg toevallig het bed te delen met een jonge Zwitser die een passie had voor details en die een hoogbegaafde linguïst op een voetreis naar de Levant was. Later dat jaar werd er voor het eerst in de geschiedenis een Wallenstein geboren zonder neerhangend linker ooglid.

De jongen, die zowel verlegen als ascetisch was, onderscheidde zich in meerdere opzichten. Op de leeftijd waarop andere Skanderbegs hitsig naar meisjes van vier, vijf jaar keken ter voorbereiding op hun volwassen seksleven met meisjes van acht of negen, leek hij voor niemand oog te hebben. Het enige dat hem interesseerde was de bijbel, die hij voortdurend las. Eigenlijk bracht deze Skanderbeg zijn hele jeugd door zonder ooit het kasteel te verlaten en zat hij al die tijd in zijn eigen serre die hij in de hoogste toren had gebouwd.

Vanuit die serre had hij een magnifiek uitzicht dat zich helemaal uitstrekte tot aan de Adriatische Zee. Tegen de muren van de kamer stonden de stapels bijbels hoog opgetast en er stond een orgel waarachter hij tot diep in de nacht zat en Bachs Mis in B Mineur speelde. Het gerucht ging dat hij voor zijn twintigste de bijbel uit zijn hoofd kende in alle talen die in bijbelse tijden in het Heilige Land in zwang waren. Dus keek niemand er vreemd van op toen hij op een ochtend bij de poort bleef stilstaan om voor het eerst de slotgracht naar de buitenwereld over te steken en aankondigde dat hij op weg ging naar Rome om toe te treden tot de kloosterorde der trappisten.

Toen Wallenstein zijn gelofte aflegde, deed hij dat als Broeder

Antonius, een eerbetoon aan de vierde-eeuwse kluizenaar en stichter van het kloosterwezen, die op honderdenvierjarige leeftijd in een Egyptische woestijn was gestorven. Als monnik leefde hij grotendeels zoals hij altijd al had geleefd, totdat hij naar Jeruzalem werd gezonden en opdracht kreeg in het St. Catherina-klooster in retraite te gaan.

Dit eenzame, uit grijze granieten muren bestaande cellencomplex aan de voet van de Berg Sinaï, dat in de zesde eeuw door Justinianus was versterkt, werd onderhouden door een merkwaardige stam die de Jebeliyeh heette, een bedoeïenachtig voorkomen had en zich duizend jaar eerder onder dwang had bekeerd tot de Islam. Maar de Jebeliyeh waren eigenlijk afstammelingen van Bosnische en Wallachijse slaven en dus niet al te verre buren van Slot Wallenstein, die Justinianus weer driehonderd jaar eerder onder dwang had bekeerd tot het Christendom, waarna hij ze naar de Sinaï had gestuurd, opdat de monniken zich aan hun gebeden konden wijden terwijl anderen zich om hun schapen bekommerden.

Als een trappist voor de eerste maal in het Heilige Land aankwam, was het gebruikelijk dat hij naar het St. Catherina-klooster werd gezonden om deze en andere wonderen aangaande de tijd, keizers, profeten en de woestijn te overdenken.

Als onderdeel van zijn dagtaak in het klooster werd Broeder Antonius opgedragen het puin op te ruimen in de droogkelder van een voorraadkamer die allang niet meer werd gebruikt. Hij legde een hoopje aarde bloot, en overeenkomstig Gods verlangen naar orde in het universum begon hij het heuveltje af te graven tot de vloer weer egaal zou zijn.

Zijn spade raakte het uiteinde van een lap. Een paar minuten later lag er een groot pakket op zijn schoot. Behoedzaam wikkelde hij de lange stroken stijf windsel af en vond een dikke stapel perkamentvellen. Hij tilde het dekblad op, las de eerste regel in het Aramees in de eerste van de vier kolommen op de pagina, sloot zijn ogen en begon te bidden.

Na enkele minuten opende hij zijn ogen en staarde naar de vloeiende vermenging van Aramees en Oud-Hebreeuws, wetende dat er geen bijbelteksten in die dode talen bewaard waren gebleven. Daarom vermoedde hij dat hij hier een van de oudste Oude Testamenten voor zich had die er bestonden.

Het verloren origineel misschien?

Opnieuw sloot Broeder Antonius zijn ogen om te bidden, ditmaal om zich te behoeden voor ijdelheid. Toen sloeg hij het manuscript nogmaals open en kreeg de schok van zijn leven. Het Nieuwe Testament ook? Eeuwen voordat Christus had geleefd?

Zijn handen beefden toen hij de bladzijden omsloeg en hij terugdacht aan de vele bijbels die hij uit zijn hoofd had geleerd. Het was absoluut onbestaanbaar, maar aan het einde van de middag hadden twee feiten zijn geest in duisternis gehuld.

Ten eerste was deze bijbel compleet en zonder twijfel de oudste bijbel ter wereld.

Ten tweede weersprak hij elke religieuze waarheid die ooit iemand had aangehangen.

De verhalen die hij vertelde vervormden elke gebeurtenis die binnen een tijdsbestek van drieduizend jaar had plaatsgevonden in het oostelijke Middellandse-Zeegebied, in het Heilige Land en met name in Jeruzalem, de legendarische woonstede van Melchizedek, Koning van Salem, hetgeen tevens Koning van Vrede betekent, de fabelachtige priester uit de oudheid die de toekomstige patriarch van alle drie de geloven had gezegend toen de schaapherder Abraham voor het eerst met zijn kudde opdook uit de oosterse dageraad.

Melchizedeks bestaan werd zelfs in twijfel getrokken en datzelfde gold voor Jeruzalem dat sinds Melchizedeks bewind altijd het einddoel was geweest van alle zonen en profeten van God die ploeterend uit de woestijn kwamen aanzetten met hun verkondigingen van verlossing voor de immer zwakke zielen die de stad bevolkten.

Mogelijkerwijs suggereerden de pagina's dat Melchizedek ergens anders had gewoond of iemand anders was geweest. En heel misschien had Jeruzalem wel nooit bestaan.

Voor Broeder Antonius waren de woorden die hij voor zich zag schrikwekkend. Wat zou er gebeuren als de wereld opeens zou gaan vermoeden dat Mohammed wel eens zes eeuwen vóór Christus in plaats van zes eeuwen ná hem geboren kon zijn?

Of dat Christus een ondergeschikte profeet ten tijde van Elia was of een geheime messias ten tijde van Jesaja, die als enige zijn ware identiteit kende en zijn instructies blindelings opvolgde?

Of dat Mohammed en Jesaja tijdgenoten waren, broeders in een gemene zaak die elkaar ten tijde van beproevingen troostten?

Of dat afgoden daadwerkelijk God waren toen zij gehouwen werden in de gedaanten van Hector of David, Alexander of Caesar, als de gelovige in hetzelfde tijdsgewricht leefde als een van die beroemdheden?

Of ongeveer in hetzelfde tijdsgewricht.

Of in ieder geval meende dat hij in dezelfde tijd leefde.

Of dat de deugden van Maria en Fatima en Ruth in de breinen van latere kroniekschrijvers door elkaar waren gehaald en onderling vrijelijk inwisselbaar waren? Dat de deugden die aan Fatima werden toegeschreven eigenlijk eerder Ruth toebehoorden? Dat het lied van Ruth door Maria was gezongen? Dat de onbevlekte ontvangenis van Maria eigenlijk Fatima was overkomen?

Of dat het waar was dat er zo nu en dan talloze Goden in allerhande paleizen en krotten hof hielden? Dat die legioenen Goden afwisselend slank en dik, of knokig en lenig, of doortrapt als struikrovers of zachtmoedig als adorerende grootvaders waren?

Dat ze hele perioden doorbrachten waarin ze zich vaaglijk bekommerden om doorgesneden stierennekken, ambrozijn, gebroken aardewerk, oorlog, vrede, gouden ringen en purperen mantels en wierook, of zelfs verstrooid murmelden terwijl ze op hun wijsvingers sabbelden?

Hoewel er in andere perioden helemaal geen Goden waren? Zelfs niet één? Waar de rivieren naar believen voort stroomden en de lammeren onbevlogen blaatten?

Of dat de timmerman die naar de Jordaan was getogen om door zijn neef te worden gelouterd de zoon van Fatima of de vader van Ruth was? Dat Jozua zijn wijsheid te danken had aan de vijfde Abbasidische kalief van Bagdad, die zelf Judas of Christus geweest had kunnen zijn, ware het niet dat hij zich een hemels verleden duidelijker herinnerde dan dat hij een pijnlijke toekomst voorzag?

Dat David en Julius Caesar stiekeme kaartmaatjes waren? Dat Alexander de Grote hen had uitgedaagd voor een primitief soort triktrak om symbolische bedragen, met gemak won, maar vervolgens zijn winst had verspeeld aan een babbelende barbier, wiens enige historische verdienste was dat hij het haar van Mohammed had geknipt?

Dat Abraham zijn erfgoed had doorgegeven aan de Joden via zijn eerstgeboren zoon, Ismaël, de zwerver, en zijn erfgoed aan de Arabieren via zijn honkvaste tweede zoon, Isaak? En dat hij, daar hij verder geen zonen had, de aanspraken op het vaderschap van de niet-Joden onvoorwaardelijk van de hand wees en weigerde zelfs maar de minste verantwoordelijkheid voor hen te dragen?

Of dat er niet snerpend maar, zoals zijn gewoonte was, gevoelig op de trompetten onder aan de muren van Jericho was geblazen door Haroen ar-Rasjied, terwijl hij verleidelijk zevenmaal om de oase heen reed en zijn volk naar het gelukkige land voerde?

Opdat Jozua wellicht het beloofde bad in de Jordaan zou nemen en Christus zich zou terugtrekken in een weelderig paleis aan de oevers van de Tigris om een verhalencyclus te verzinnen waarin ook de verhalen uit *Duizend-en-één-nacht* zijn opgenomen?

En zo voort in de door de wind vervaagde voetsporen die zich over de pagina's van dit woestijnmanuscript repten waar in magische verwarring een compleet historisch kleed was geweven, waardoorheen in onverwachte knopen en gekleurde tegengestelde patronen, de gewijde schaduwen van geloof zich dan weer verlengden en dan weer verkortten dankzij een voortdurend ronddraaiende zon en een verschuivende maan.

Want in deze oudste aller bijbels lag het paradijs steevast aan de verkeerde oever, werd het nagestreefd door de verkeerde mensen en gepredikt door een profeet die verschilde van de profeet die men had aangehoord, een onbestaanbaar verhaal waarin alle gebeurtenissen eerder of later plaatsvonden dan werd beweerd dat ze plaatsvonden of in plaats daarvan gelijktijdig plaatsvonden.

De wanorde was bijna gekmakend verlammend en verbijsterend. Ontwijkend en onsystematisch en koelbloedig tegenstrijdig waarmee oneindigheid gesuggereerd werd.

Maar de grootste schok werd veroorzaakt door de laatste pagina's, waar de samensteller van de bijbel een autobiografische voetnoot had toegevoegd.

Hij was blind, zei hij, en was sinds zijn geboorte blind geweest. De eerste jaren van zijn leven had hij zittend langs een stoffige landweg doorgebracht, met een kommetje op zijn schoot, smekend om aalmoezen en altijd de hongerdood nabij.

Na verloop van tijd viel hem op dat er altijd wel een paar muntjes zijn kant op kwamen als hij verzonnen verhalen voordroeg, want er was niets dat arme, reizende tollenaars meer waardeerden dan beschrijvingen van wonderbaarlijke gebeurtenissen, aangezien hun eigen levens tegelijkertijd saai en zwaar waren. En het zal wellicht niemand verbazen dat het hem, na zoveel jaren te hebben besteed aan het verzamelen van roddels, geen enkele moeite kostte verhalen uit zijn duim te zuigen.

Niet lang daarna kwam een oud echtpaar naar hem toe met hun zoon, een imbeciel. De jongen kon geen onderscheid maken tussen dag en nacht of tussen zomer en winter, maar zijn ouders hadden ontdekt dat hij, hoewel hij nog jong was, heel goed vormen in het zand kon tekenen. Dat had hen op een idee gebracht. Waarom zouden ze niet eens nagaan of de jongen het alfabet uit zijn hoofd kon leren? Er waren maar heel weinig mensen die konden schrijven. Als de jongen dat onder de knie kreeg, zou hij schrijver kunnen worden en optekenen wat anderen hem dicteerden. Het voordeel was natuurlijk dat hij niet hoefde te begrijpen wat hij schreef.

Het kostte heel wat jaren en al hun geld maar het werd volbracht. Hun zoon kon prachtig schrijven, zeiden zijn leraren. Je hoefde maar een pennenveer in zijn hand te drukken en hij schreef precies wat er werd gezegd, niets meer en niets minder.

Het probleem was dat de andere problemen nog steeds bestonden. Nu waren de ouders allebei ziek en ze wilden iets doen om de toekomst van hun zoon veilig te stellen. Ze dachten aan de blinde verhalenverteller. Als de jongen de blinde man nu eens op zijn reizen vergezelde en zijn woorden optekende, in ruil waarvoor de blinde man hun zoon kon vertellen wanneer hij moest slapen en eten en meer of minder kleren moest aantrekken? Zou dat geen eerlijk en nuttig samenwerkingsverband zijn?

Tja, het leek een goede regeling, had de blinde man gezegd en vanaf dat moment hadden zij samen de ene stoffige weg na de andere afgelegd en in hun povere levensonderhoud voorzien. Genegenheid was uitgegroeid tot liefde en ze waren als vader en zoon geworden. Langs de stoffige wegen van Kanaän was het hun redelijk voor de wind gegaan.

Maar hier moest de blinde man iets opbiechten. De geschiedenissen die zijn aangenomen zoon nauwgezet had opgetekend, waren om diverse redenen helemaal geen geschiedenissen.

In de eerste plaats omdat de blinde man alleen maar wist wat hem ter ore was gekomen en zelf geen ogen had om ook maar iets te verifiëren.

In de tweede plaats omdat hij een nederige positie in de maatschappij bekleedde en maar weinig af wist van grootse gebeurtenissen, omdat hij nooit meer dan flarden en geruchten had opgevangen.

In de derde plaats omdat het rumoer langs de weg vaak oorverdovend was, en hoe kon je nu van een oude man verwachten dat hij in zulk een lawaai tot een samenhangend verhaal zou kunnen komen?

En in de laatste plaats misschien omdat hij het gevoel had dat de waarheid wellicht hoe dan ook beter kon worden opgemaakt uit de open gaten die de toekomst bood dan uit de troebele diepten van het verleden. In de toekomst was alles mogelijk, dus zouden zijn verslagen daarvan onberispelijk correct kunnen zijn. En hoewel sommige gebeurtenissen in het verleden bekend waren en anderen werden vermoed, waren er toch veel meer waarvan men kennis noch vermoeden had.

En daarbij, waarom zou hij zijn arme toehoorders eigenlijk met het verleden om de oren slaan? Die stakkers zagen uit naar nieuwe werelden, niet naar oude. Alles bij elkaar hadden ze maar een paar centen om vol goede hoop aan te horen waarheen ze gingen, terwijl ze drommels goed wisten in welke ellende ze zich al bevonden hadden.

Hoe dan ook, merkte de blinde man bescheiden op, mensen hadden de neiging fabelen te worden en fabelen hadden de neiging mensen te worden, dus maakte het waarschijnlijk niet uit of hij zich bezighield met het verleden of met de toekomst. Uiteindelijk moest het allemaal op hetzelfde neerkomen.

En wellicht waren alle profetieën in werkelijkheid geschiedenissen die door grillen van de tijd op de verkeerde plek terecht waren gekomen? Herinneringen in vermomming? Ergernissen en kwellingen die in uitputting waren opgebiecht wanneer het geheugen hun zware last niet langer kon torsen? Als het zich verlichting verschafte door een stuk uit het verleden te halen en dat in de toekomst te plaatsen?

Hij dacht van wel, maar zelfs als hij in de war was, zorgde hij ervoor zijn toehoorders nooit tekort te doen, door variatie te brengen in zijn voordrachten, zodat ze altijd nieuwe kwesties hadden om over na te denken. Zo nu en dan verhaalde hij van grootse oorlogen en volksverhuizingen en wie wie had verwekt, en hoewel hij soms de ernstige kant van het leven belichtte, besteedde hij ook aandacht aan het sensuele en onbaatzuchtige, waarbij hij zijn verhalen altijd verluchtigde met anekdotes en gezegden en verslagen en merkwaardige uitvindingen en allerlei soorten avonturen en ervaringen die hem te binnen schoten.

En zo had hij jaar na jaar langs de stoffige wegen voor verstrooiing gezorgd, waarbij de blinde man zijn voordrachten hield en zijn imbeciel die woord voor woord optekende.

Totdat er met het vorderen der jaren een moment aanbrak dat ze allebei de stramheid in hun gewrichten begonnen te voelen. Toen hadden zij een warm plekje opgezocht om hun kwalen te ontzien en waren zuidwaarts de woestijn in getrokken tot aan de voet van de berg die Sinaï heette, waar ze juist waren aangekomen op het moment dat dit laatste hoofdstuk werd gedicteerd.

Omdat ze al een poosje in de woestijn hadden doorgebracht, wist de blinde man niet goed hoe het ging in Kanaän. Maar kort geleden had hij een reiziger gevraagd of er nieuws was uit Kanaän. De man had geantwoord dat er door een grote koning die Salomo heette een grote tempel op een grote berg werd gebouwd, wat de blinde man weinig wijzer maakte omdat er, voor zover hij zich kon herinneren, in Kanaän altijd wel een grote tempel op een grote berg werd gebouwd door een grote koning die zus of zo heette.

Hier kwam er een einde aan het dictaat. Helaas kon hij zijn eigen naam niet onder de teksten zetten omdat hij, in zijn blindheid en armoede, en omdat hij een onbeduidend man was, eenvoudigweg nooit een naam had gehad.

En tot besluit adviseerde hij dat de verzen het beste konden worden gezongen onder begeleiding van een lier, een fluit en een ramshoorn, daar die aangename klanken de neiging hebben voorbijgangers erop te attenderen dat er langs de kant van de weg iets belangwekkends plaatsvindt.

> *Maar aardige blinde man zal niet wil niet weet niet* [stond daaronder geschreven, in regels die insprongen om ze te onderscheiden van de voorgaande tekst, en in een wel bijzonder trots en sierlijk handschrift], *zegt imbeciel aller imbecielen toevoegend een paar sommige eigen gedachten eerst Abraham laatst Jezus laatst Jesaja eerst Mohammed gedachte aller gedachten jaren na jaren aangevuld gezegd gewild gehoopt hoop aller hopen hier Mattheüs Marcus Lucas Johannes samenwerken hier Profeet liefde aller liefdes hier Heer nooit aanvullend veel Gabriël doet niet*

*wil niet zal niet toevoegen vele toevoegingen kleine Ruth kleine Maria kleine Fatima hier Elia daar Koningen hier Richteren daar Melchizedek woord aller woorden Heer aller Heren zegt spoedig doet niet wil niet zal niet winter zomer dag nacht eindigt imbeciel aller imbecielen eindigt woestijn eindigt aardige blinde eindigt man zonder naam eindigt doet niet wil niet zal niet te koud te warm te hongerig te moe zegt slapeloze zegt hongerende zegt handen vasthoudende eindigt zoon aller zonen van de vader aller vaderen zonder naam eindigt koninkrijk einde amen einde zij met u einde zegt eindigend einde aller einden eind.*

Broeder Antonius sloeg het boek dicht en kreunde. Hij had de laatste bladzijden vol ontzetting gelezen. De gedachte alleen al deed hem de dampen aan.

Een naamloze blinde bedelaar die voordroeg wat er maar in zijn hoofd opkwam? Zijn geraaskal dat werd opgetekend door een imbeciel die zich geroepen had gevoeld er nog een paar schimmige invallen aan toe te voegen? Dat stelletje dat langs de weg zwierf en zijn armzalige trucjes vertoonde, enkel en alleen om niet van de honger om te komen?

Dat doelloos door de woestijn zwalkte toen Salomo zijn tempel bouwde? Dat zich, uitsluitend om hun jicht te verlichten, installeerde aan de voet van de berg van Mozes? Krankzinnige profetieën en imbeciele hersenspinsels die, maar liefst zevenhonderd jaar vóór het verschijnen van het eerste Oude Testament, met vereende krachten de oorspronkelijke Heilige Schrift in elkaar knutselden?

Voordrachten langs stoffige wegen die varieerden om vermakelijk te blijven? Lieren en fluiten en ramshoorns die jankten en daverden om de aandacht te trekken? Reizigersroddels die waren opgevangen en overgebriefd? Mannen die in Kanaän waren verwekt? Merkwaardige uitvindingen in Kanaän? Deze en andere flarden van geruchten die voor een koperstuk werden verdraaid en naverteld?

En dan op naar de volgende kant van de volgende stoffige weg? Uiteindelijk uitwijkend naar een warm plekje dat goed is voor de gewrichten? Zijn deze dwaze, door twee raaskallende, anonieme zwervers in 930 voor Christus bij elkaar gescharrelde hersenspinsels de gewijde bronnen van bezielde religie?

Broeder Antonius knielde op de grond en bad om inzicht.

De nacht viel. Hij wikkelde het manuscript in de windsels waarin hij het had aangetroffen en begroef het opnieuw in de voorraadkelder. Op weg naar zijn cel maakte hij met gebaren duidelijk dat God hem had opgedragen in afzondering te blijven tot hij een oplossing voor een persoonlijk probleem had gevonden.

De week daarna vastte hij in zijn cel, dronk één kopje water bij zonsopgang en nog eentje bij zonsondergang en aan het einde van die zeven dagen besloot hij wat hem te doen stond.

Melchizedek heeft recht op zijn Stad van Vrede, de mensen hebben recht op hun Jeruzalem. Het geloof moest in de wereld blijven en als de noodzaak daartoe ontbrak, dan zou hij daar wel in voorzien. Als de Vader in de echte bijbel een bejaarde blinde bedelaar was en de Zoon een imbeciele scribent, dan zou Wallenstein de Heilige Geest worden en de Schrift herschrijven zoals die behoorde te worden geschreven.

Het besluit dat hij in zijn cel had genomen, was de oorspronkelijke bijbel te vervalsen.

Uiteraard kon hij zijn vervalsing niet situeren in de tiende eeuw voor Christus, toen de imbeciel de uitspraken van de blinde man had opgetekend. Zijn bijbel diende een authentiek werk van onthulde geschiedenis te zijn en geen allegaartje van op zichzelf staande, door twee dolende vagebonden verzamelde sprookjes. Hij moest dus ergens een flink poosje na Christus worden gedateerd, en dat betekende dat hij in het Grieks moest worden geschreven.

Maar wanneer?

In gebed richtte hij zich om hulp tot zijn naamgenoot en zijn vraag werd onmiddellijk beantwoord. De grote Sint Antonius was in de vierde eeuw de woestijn in getrokken, dus in die tijd zou hij zijn vervalsing situeren. Dat was lang genoeg na Christus om alle waarheden te kunnen hebben vergaard, en toch altijd nog vroeger dan enige andere bestaande bijbel.

Heimelijk bracht hij opnieuw een bezoek aan de voorraadkelder en begroef de echte Sinaï-bijbel nog dieper in de aarde, opdat hij bij zijn afwezigheid niet bij toeval zou worden ontdekt. Toen verliet hij zonder opgaaf van redenen het klooster en keerde terug naar Jeruzalem, naar de verblijfplaats van zijn orde, waar zijn onaangekondigde aankomst tijdens de ochtendmaaltijd zijn broeders bezorgde blikken ontlokte.

Hij verbrak de stilte onmiddellijk met de mededeling dat hij in het St. Catherina-klooster iets had ontdekt dat zijn gelofte van gehoorzaamheid en zijn gelofte van zwijgzaamheid en armoede oversteeg. Men moest hem toestaan enkele jaren zijn eigen gang te gaan, anders was hij genoodzaakt de trappistenorde te verlaten.

De monniken in de refter wisten niet hoe ze het hadden. Toen zijn geschokte superieur hem met trillende stem waarschuwde dat alleen al de suggestie van een dergelijke blasfemie een noodlottige naaktheid ten overstaan van God inhield, wierp de voormalige Broeder Antonius aanstonds niet alleen zijn soutane maar ook zijn lendedoek af, daarmee zijn geslachtsdelen onthullend, en verliet de kamer zonder enige uitleg te geven. Achter hem bleven zijn voormalige broeders urenlang wenend op hun knieën naast hun kommetjes gortepap bidden.

Intussen strompelde Wallenstein, berooid, naakt en heftig bevend in de koude winterwind, door de nauwe stegen van Jeruzalem, waar hij abject om aalmoezen bedelde. En hoewel hij zowat verhongerde en bijna doodvroor, spendeerde hij zijn eerste muntjes niet aan een korst brood of een lendedoek, maar aan een postzegel en een envelop. In deze brief naar Albanië gaf hij opdracht dat een enorm deel van het familiekapitaal, dat hem als de Skanderbeg van zijn generatie rechtens toekwam, naar hem moest worden overgemaakt.

Terwijl hij op het geld wachtte, bleef hij op straat bedelen, maar vond hij ook de tijd om aan zijn speciale studies te beginnen, aan de zware opgave de geheimen van inkt meester te worden, in het bijzonder de technieken om uit verf en onbewerkte chemicaliën oude inkten te vervaardigen. Hij begon zichzelf ook te leren hoe hij oude perkamenten moest beoordelen door ze te betasten, te proeven en eraan te ruiken en zo exact te bepalen hoe oud ze waren. Ten slotte verdiepte hij zich in buitenissige schrijfstijlen.

Gedurende deze tweede inwijdingsperiode droeg hij enkel een lendedoek en woonde hij in een armzalig hol in de grond in het Armeense Kwartier, waar hij zich in leven hield door te bedelen.

Toen het geld eindelijk arriveerde, kleedde hij zich als een welgestelde, erudiete Armeense antiekhandelaar en reisde naar Egypte, op zoek naar een grote voorraad blanco perkament dat in de vierde eeuw was vervaardigd en in de vijftienhonderd jaar dat het bestond noch was verweerd, noch met goede zorgen omringd was, perkament dat al die tijd rustig in een of ander donker graf had gelegen.

In Egypte slaagde hij niet en bijna krankzinnig van radeloosheid keerde hij terug naar Jeruzalem, waar hij ontdekte dat het perkament dat hij zocht allang in de Oude Stad aanwezig was en klaarblijkelijk op de bodem van een antieke Turkse brandkast had gelegen in het rommelige winkeltje van een obscure antiekhandelaar die luisterde naar de naam Hadji Haroen, een Arabier zo behoeftig en verward dat hij de schat bereidwillig afstond alsof hij zich niet bewust was van zijn immense waarde.

Wallenstein sprong een gat in de lucht. Ongetwijfeld zou een minder fanatiek man zo'n vervalsing zelfs nooit hebben overwogen, want wat hij zich had voorgenomen was niet minder dan alle geleerden en scheikundigen en geestelijken van zijn tijd en tot in de eeuwigheid zand in de ogen te strooien.

Maar Wallenstein was onwankelbaar in zijn liefde voor God en uiteindelijk slaagde hij in zijn opzet.

Het kostte hem zeven jaar voor hij alle materialen bij elkaar had. En hij besteedde nog eens vijf jaar in de grot om de exacte schrijfstijl die hij voor zijn vervalsing nodig had in de vingers te krijgen. Gedurende die tijd nam hij heel wat vermommingen aan zodat elke fase van zijn werk ontraceerbaar zou blijven. En hij moest het gehele Wallensteinfortuin besteden en boerderijen en dorpen in Albanië verkopen om zijn vermommingen op peil te houden en aan te schaffen wat hij nodig had.

Toen eindelijk alles in gereedheid was, reisde hij nog één keer naar het St. Catherina-klooster, waar hij zich uitgaf voor een haveloze lekenpelgrim van de Armeense kerk, een cel verzocht om in te mediteren en die ook kreeg. Diezelfde nacht, toen de maan was geslonken tot er niets van over was, sloop Wallenstein naar de plek in de voorraadkelder die in zijn geheugen was gegrift en stal de enige echte Sinaï-bijbel uit zijn geheime bergplaats.

De volgende ochtend bekende de sjofele Armeniër dat hij behoefte had aan een nog eenzamere wijkplaats en zei dat hij een grot vlak onder de top van een berg zou zoeken. De Griekse monniken probeerden hem daarvan te weerhouden omdat ze wisten dat hij niet goed bij zijn hoofd was, maar toen ze merkten dat hij niet te vermurwen was, gaven ze hem hun zegen en baden dat hij in de vorsing van zijn ziel verlichting zou vinden.

Eenmaal in de grot aangekomen pakte Wallenstein de voorraden uit die hij daar had opgeslagen, de chemicaliën en de stapels kostbaar vierde-eeuws perkament. Toen knielde hij en gaf zich over aan de sensuele melancholie van zijn martelaarschap.

# 3 Caïro 1840

الحج

*En juist op het moment dat de klokken*
*middernacht sloegen en het begin van de verjaardag*
*van de koningin aankondigden, verdween*
*hij met een kreet uit het zicht.*

Toen hij op zijn eenentwintigste in Caïro voor het laatst als zichzelf werd gezien en herkend, werd Strongbow beschreven als een magere, breedgeschouderde man met strakke, Arabische gelaatstrekken en een enorme zwarte snor. Zowel in de zomer als in de winter, hoe heet het ook was, droeg hij een imposante, vettige, zwarte tulband en een rafelige, korte zwarte jas, gemaakt van ongewassen en ongekamd geitenhaar. Men beweerde dat deze barbaarse kledingstukken geschenken waren van een woeste bergstam in buiten-Perzië. Zijn gelaatstrekken waren trots, fel en melancholisch, en als hij glimlachte was het net alsof die glimlach hem pijn deed.

In de straten van Caïro, zelfs in de chicste Europese wijken, droeg hij altijd een dikke, zware knuppel onder zijn arm, alsof hij overal op bedacht was; een soort gepolijste, gekronkelde wortel. Maar verreweg het meest karakteristiek aan hem was zijn doordringende blik, die dwars door je heen op iets anders gericht leek.

Het gerucht ging dat hij slechts twee uur per dag sliep en daarmee om twaalf uur 's middags begon. Een van zijn genoegens in die dagen was het 's nachts naakt op zijn rug de rivieren af drijven. Op deze solitaire, nachtelijke manier had hij alle grote rivieren van het Midden-Oosten verkend en hij herhaalde met plezier dat het een volstrekt unieke ervaring was om, na vele uren op je rug op het donkere, zacht kabbelende water van de Tigris te hebben gedobberd, in Bagdad aan te komen.

Zijn beroepsmatige activiteiten, die naar men aannam nog steeds op het gebied van de plantkunde lagen, namen maar drie uur van zijn dag in beslag. Van acht uur 's ochtends tot halftien en nogmaals van halfelf tot twaalf werden specimens onderzocht en gedetermineerd. De rest van zijn tijd was hij vrij om na te denken, te wandelen of te drijven.

Hij sprak slechts zelden met Europeanen en als een van hen een voor hem totaal overbodige opmerking maakte, wendde hij zich af of hief hij dreigend zijn gepolijste, gekronkelde knuppel op. Maar wel vertoefde hij uren achtereen in de bazaars bij de armste bedelaars en charlatans als hij dacht dat zij hem iets belangwekkends konden vertellen.

Er werd beweerd dat hij nagenoeg niets at en zich beperkte tot een klein kommetje rauwkostsalade bij zonsopgang.

Zijn drinkgewoonten waren zelfs nog soberder. Alcohol was in welke vorm dan ook taboe, en dat gold eveneens voor bouillon en paardenbloemenaftreksels, melk, koffie, uitgeperste sinaasappelen en milde moutmengsels. Maar wat zijn landgenoten het meest tegen de borst stuitte was dat hij categorisch weigerde thee te drinken.

In plaats daarvan dronk hij rond theetijd, en bij zonsopgang, merriemelk nog warm van het dier.

Toen hij voor het laatst werd gezien en als zichzelf herkend, had Strongbow op zijn reizen al de eerste littekens opgedaan. Een in Jemen door een stamlid geworpen speer doorboorde zijn kaak en versplinterde vier kiezen en een deel van zijn gehemelte. Met het wapen nog in zijn hoofd hield Strongbow zich met zijn knuppel de stamleden van het lijf en liep de rest van de nacht naar een kustdorpje, waar een Arabier woonde die over voldoende anatomische kennis beschikte om de speer te verwijderen zonder daarbij zijn kaak mee te trekken.

De klus werd geklaard, maar het kartelige litteken aan de zijkant van zijn gezicht bleef.

Toen hij bij vollemaan de Rode Zee overzwom, viel hij ten prooi aan een koorts die etterende blaren op zijn tong veroorzaakte en hem het spreken een maand lang onmogelijk maakte.

Na vermomd als Arabier, de heilige plaatsen Medina en Mekka te hebben bezocht (hij was pas de tweede Europeaan die daarin slaagde), werd hij in de buurt van Aden getroffen door een andere koortsaanval die hij met opium te lijf ging. Grotendeels buiten bewustzijn verkerend, scheelde het maar heel weinig of hij bloedde dood dankzij een plaatselijke vroedvrouw die zorgvuldig zijn lichaam kaalschoor en zijn kruis overlaadde met bloedzuigers.

أالحج

Met een geschonden kruis, gehemelte en tong, had Strongbow al op jeugdige leeftijd littekenweefsel opgelopen door zijn afmattende omzwervingen. Maar het waren niet deze Levantijnse wonden die zijn toekomstige rol in het Midden-Oosten zouden bepalen. Die werd veeleer bepaald door de onverwachte gesprekken die hij in Timboektoe voerde over zowel de liefde als over een hadj, en korte tijd later door de liefde zelve in Perzië.

Strongbow hoorde voor het eerst van de Witte Monnik in de Sahara in Tripoli, waar de voormalige plattelandspriester uit Normandië enkele jaren een onbeduidende Witte Pater was geweest, voordat hij op een avond, na een lange eenzame middag in het stof onder een palmboom te hebben gelegen, plotsklaps besloot dat het Christelijke dictum dat men zijn naaste lief diende te hebben, letterlijk moest worden genomen. Hij verliet zijn orde en reisde zuidwaarts en doorkruiste uiteindelijk de woestenijen op weg naar Timboektoe.

Daar kreeg Pater Yakouba, zoals de afvallige plattelandspriester zich nu noemde, in de gehele woestijn een infame reputatie vanwege zijn ketterse boodschap dat liefde alomvattend en zo compleet moest zijn dat zij zich uitstrekte tot seksuele relaties tussen grote aantallen mensen tegelijk, vreemdelingen en familieleden en hele woonwijken die samen krioelden zodra zij elkaar toevallig tegen het lijf liepen.

Als veel lichamen tegen elkaar gedrukt zijn, predikte de Witte Monnik, verdwijnt de zucht naar ijdelheid. Het alfa en omega worden één, komen en gaan worden één, de geest overwint en alle zielen verenigen zich in de heilige communie. God wordt dus het beste gediend als zo veel mogelijk mensen dag en nacht de liefde bedrijven.

Het is vooral van belang, predikte de Witte Monnik, dat iemand nooit alleen en eenzaam is en zich op een warme middag buitengesloten voelt en verlangend kijkt naar de groepjes mensen die voorbijlopen. En evenmin behoren voorbijlopende groepjes mensen afwijzend te kijken naar een eenzame buitenstaander. In plaats daarvan behoren beide partijen zich onmiddellijk te verenigen in de liefde voor God.

Hoewel Timboektoe een volstrekt Islamitische stad was, werd Pater Yakouba's Christelijke boodschap vanaf het begin goed ontvangen, misschien omdat de buitenpost voor karavanen overal ver vandaan lag, of misschien ook omdat zoveel inwoners verhuisde dorpelingen waren die gewoon waren iedereen te kennen die ze tegenkwamen.

In ieder geval werd Pater Yakouba voortdurend omringd door enthousiaste bekeerlingen van alle leeftijden en kleurschakeringen, variërend van lichtbruin tot koolzwart, die in de loop der jaren een groeiende kinderschare voortbrachten totdat zijn polyseksuele commune bijna de helft van de bevolking van Timboektoe leverde en het aantal inwoners vrijwel alle grote steden tussen Centraal-Afrika en het Middellandse-Zeegebied overtrof.

Toen Strongbow dat verhaal op een avond in een Arabisch koffiehuis ter ore kwam, fascineerde het hem. Vóór middernacht was hij in de woestijn voorbij Tripoli, met zijn vergrootglas in de aanslag voor het geval zich in het maanlicht zeldzame specimens openbaarden. Hij marcheerde in zuidelijke richting over de oude Carthaagse handelsroute die via Mizda en Murzuk naar het Tsjaadmeer voerde, een afstand van bijna tweeduizend kilometer. Daar pauzeerde hij om bij zonsondergang en zonsopgang zijn voeten een bad te gunnen en vervolgens koerste hij westwaarts naar Timboektoe, een afstand van 1800 kilometer.

Als een van de eerste zes of zeven Europeanen die sinds de Romeinse tijd in de stad aankwamen, verwachtte Strongbow op z'n minst een soort welkom of een oploop toen hij in de straten verscheen. Maar tot zijn verbazing schonk niemand zelfs maar de minste aandacht aan hem en lag de plaats klaarblijkelijk zo afgelegen dat de inwoners elke gebeurtenis even aannemelijk vonden. Ondanks zijn teleurstelling, knoopte Strongbow dit in zijn geheugen om daar later ooit nog eens zijn voordeel mee te kunnen doen en begon te vragen waar hij de Witte Monnik kon vinden.

De antwoorden die hij kreeg waren van nul en generlei waarde. Een man wees zowel voor als achter zich, een vrouw knikte zowel naar links als naar rechts. Vermoeid ging hij, met de bloemen die hij die ochtend in de woestijn had geplukt, op het stoffige plein zitten. Er bleef hem niets anders over, dus bestudeerde hij ze door zijn vergrootglas.

Ze zijn heel mooi, zei een zachte stem.

Strongbow tuurde onder zijn loep door naar wat een bejaarde Arabische dwerg leek. Het nietige wezen keek glimlachend naar hem op. Plotseling kwamen er een stuk of vijftig, zestig kinderen het plein op en begonnen te spelen.

Ik ben een Engelse plantkundige, zei Strongbow.

Dan bent u hier nieuw en waarschijnlijk bent u eenzaam.

Op dit moment ben ik alleen maar moe.

Waarom komt u dan niet met de kleine kinderen spelen? Dat heeft altijd een heilzame werking.

Strongbow paste de positie van zijn vergrootglas zodanig aan dat de dwerg een normaal formaat leek te hebben.

Kleine man, ik heb zojuist meer dan drieduizend kilometer gelopen om iemand te ontmoeten die de Witte Monnik van de Sahara wordt genoemd, en nu ik hier ben kan ik hem nergens vinden. Dus u kunt zich wellicht voorstellen dat ik niet bepaald in de stemming ben om met kleine kinderen te spelen.

L'appétit, zei de dwerg, vient en mangeant.

Strongbow liet zijn vergrootglas vallen en de bloemen glipten tussen zijn vingers door toen de kleine grijsaard vrolijk zijn hoofd schudde.

Hebben ze u niet verteld dat ik een dwerg op leeftijd was?

Nee.

Dus u had een heel andere man voor ogen?

Ja.

De dwerg lachte.

Ach, u bent natuurlijk nog erg jong. Hebt u zin om met mij mee naar huis te gaan voor een glaasje bananenbier?

Strongbow glimlachte.

Maar wat is uw huis, Pater? Niemand was in staat me dat te vertellen.

Ach, ze hebben het u wel gezegd, maar uw wandeling moet u in verwarring hebben gebracht. In dit deel van de stad zijn alle huizen van mij.

Pater Yakouba had bijna onmiddellijk in de gaten dat Strongbow doof was en was daarin de eerste. Maar toen Strongbow hem vroeg hoe hij erachter was gekomen, knikte de grijsaard slechts tevreden en schonk de glazen nog eens vol met bananenbier.

Juist op dat moment renden twee-, driehonderd kinderen voorbij het bankje op de binnenplaats waar zij zaten, en de stofwolk die in hun kielzog hoog oprees daalde langzaam neer toen ze uit het zicht verdwenen.

Mijn woestijnvogeltjes, zei Pater Yakouba, die van uur tot uur leven. Wat zingen zij mooi en hoe licht is hun vlucht. En wie anders zal hun koers uitzetten dan ik? En waar anders zullen zij neerstrijken dan in mijn hart? Zo nu en dan denk ik wel eens terug aan een regenachtige dag in Normandië, maar hier is een regenachtige dag een herinnering die aan een ander toebehoort. U hebt meer dan drieduizend kilometer gelopen om hier te geraken, maar wist u dat ik zo'n reis de vlucht van mijn kinderen volgend menigmaal op een middag heb gemaakt? Ja, hun voetsporen aan de hemel. U hebt zich er nog niet aan gewaagd?

Waaraan bedoelt u, Pater?

Aan uw hadj.

Nee, het is zelfs nog niet bij me opgekomen.

Maar dat gaat u natuurlijk nog doen, hier in deze contreien maken we er uiteindelijk allemaal een. En als u dat doet, vergeet u dan vooral niet hoeveel heilige plaatsen er zijn en bedenkt u ook dat een hadj net zomin wordt afgemeten naar het aantal kilometers als een man wordt afgemeten naar de lengte van zijn schaduw. En uw einddoel? Jeruzalem? Mekka? Misschien, maar het zou ook een eenvoudiger plaats kunnen zijn waarnaar u op zoek bent, een onverharde binnenplaats zoals deze of zelfs een heuvelhelling waar een paar bomen beschutting bieden op het heetst van de dag. De hadj zelf is waar het om draait, dus wat u zoekt is een lange, ongehaaste reis. Er is zojuist een zwerm vogels voorbijgekomen, maar van waar naar waar in de woestijn ging hij? Ik weet het niet, maar als de vogels neerstrijken zal ik bij mijn heilige plaats zijn aangekomen.

Pater Yakouba leunde achterover tegen de lemen muur en zijn gezicht plooide zich in het licht van de woestijnzon in duizend rimpels.

Gaat u van plant tot plant? vroeg hij.

Nee, Pater, ik denk dat ik daar maar van afzie.

Mooi zo, van volk tot volk dus en wat u verlangt is een vruchtbare en gevarieerde reis, dus bid maar dat u uw einddoel niet snel zult bereiken. En als u onderweg iemand ontmoet, stop dan onmiddellijk om te praten en vragen te beantwoorden en stel zelf ook vragen, zoveel u kunt. Merkwaardige gewoontes en tegenstrijdige waarheden? Zinsbegoochelingen ook? Sluit ze alle aan uw hart als waren zij uw eigen ziel, want zij zijn uw eigen ziel, vooral de zinsbegoochelingen. En trek nimmer de eigenaardige manieren van anderen in twijfel, want u bent net zo eigenaardig. Geef hun gewoon Gods geschenk, hoor hen aan. Dan zult u aan het einde nergens spijt van hebben, want dan zult u de weg van uw hart hebben gevolgd.

Een hadj, peinsde Strongbow. Zo had ik het nog nooit bekeken.

Pater Yakouba glimlachte bedeesd.

Nu is het tijd voor mijn middagdutje. Zeg, zou u me een kleine dienst kunnen bewijzen als u terug bent in Tripoli?

Wat u maar wilt, Pater.

Denkt u dat u me een fles calvados zou kunnen toezenden? Of is dat te veel gevraagd? Natuurlijk, wij veranderen onze levenspatronen en bananenbier is heel goed drinkbaar, maar zo nu en dan denk ik terug aan een regenachtige dag in Normandië.

Ze lachten samen op die warme middag op een stoffige binnenplaats in Timboektoe, ze lachten en namen afscheid en praatten nog verscheidene weken met elkaar voordat Strongbow vertrok om nogmaals de woestijn te doorkruisen en om te rusten aan het Tsjaadmeer om bij zonsopgang en zonsondergang zijn voeten een bad te gunnen.

In Tripoli regelde Strongbow de eerste van vele zendingen calvados naar zijn nieuwe vriend en begon tevens aan die enthousiaste briefwisseling, die de omvangrijkste correspondentie van de negentiende eeuw zou worden en die naar men later aannam tijdens de Eerste Wereldoorlog verloren ging.

Het daaropvolgende voorjaar liep Strongbow, tijdens een cholera-epidemie in Perzië die zeventigduizend mensen het leven kostte, een tijdelijke en gedeeltelijke blindheid op die hem het lezen van boeken, maar niet van lippen, onmogelijk maakte. Hij maakte van die periode gebruik om zich de koran te laten voorlezen zodat hij die uit zijn hoofd kon leren. Terwijl hij herstelde, vastte en bad hij en werd vervolgens, toen zijn gezichtsvermogen terugkeerde, tot meester-soefi gewijd.

Maar belangrijker was dat hij bij het begin van de epidemie verliefd was geworden op het mysterieuze Perzische meisje wier dood hem nog jaren zou kwellen. Hij had haar hooguit een paar weken gekend voordat de epidemie haar van het leven beroofde, maar de herinnering aan hun tedere liefde bleef hem altijd bij. En toen hij in zijn verdriet de koran uit het hoofd leerde besloot hij, zoals Pater Yakouba had gesuggereerd, dat hij als de tijd rijp was, een hadj zou ondernemen en dat het vanwege het beminnelijke Perzische meisje een seksuele verkenning naar het wezen en het doel van de liefde zou zijn.

الحج

Strongbow werd dus om tal van redenen door Engelsen in de Levant ziekelijk ijdel en pedant gevonden. Die mening was algemeen en zelfs universeel, hoewel daaraan moet worden toegevoegd dat geen van hen Strongbow kende.

En hem ook niet wilde kennen, zo werd duidelijk tijdens de copieuze diplomatieke receptie die in 1840 in Caïro werd gegeven ter gelegenheid van de eenentwintigste verjaardag van Koningin Victoria. De hoogste ambtenaren waren van de partij, evenals de belangrijkste Europese ingezetenen van Egypte. Vanwege zijn indrukwekkende afkomst moest men Strongbow ook wel uitnodigen, maar natuurlijk verwachtte niemand dat hij daadwerkelijk zou komen opdagen. Een officieel tuinfeest met respectvolle heildronken op de koningin was nu precies waar hij geacht werd een hekel aan te hebben.

Toch maakte Strongbow zijn opwachting, poedelnaakt.

Of liever, van alle kleding ontdaan. Zoals zo vaak had hij om zijn middel zijn draagbare zonnewijzer gebonden, een monsterlijk zwaar bronzen geval dat tijdens het vijfde Abbasidische Kalifaat in Bagdad was gesmeed. Maar de enorme zonnewijzer hing tegen zijn zij en de leren riem rustte ver boven zijn kruis op zijn heupen, waardoor niets aan het oog werd onttrokken.

Strongbows entree was waardig, zijn passen waren afgemeten en zelfs log. Hij sloot achter de rij gasten aan, passeerde die ernstig buigend en koos toen een plaatsje achter in de tuin tegenover het orkest, op de opvallendste plek die er te vinden was.

Daar stond hij, eenzaam en rechtop, in zijn volle lengte van twee meter dertig, zonder een woord te zeggen of een spier te vertrekken, met in zijn ene hand een uitpuilende leren buidel en in zijn andere zijn vertrouwde en gigantische vergrootglas dat hij vlak voor zijn oog hield terwijl hij op de walsers neerkeek.

Ongeveer een uur lang stond hij de dansers gade te slaan totdat hij klaarblijkelijk tevreden was over zijn optreden. Toen verscheen er een glimlach op zijn gezicht, lachte hij luidkeels en marcheerde hij dwars over de dansvloer naar de overkant van de tuin, waar de muur het hoogst was.

Met één sprong zat hij boven op de muur. Hij riep dat hij ooit in Perzië waarlijk had liefgehad en dat ze allemaal naar de hel konden lopen, wierp de zonnewijzer met een zwaai achter zich, bleef nog een ogenblik dralen en verdween met een kreet uit het zicht, net op het moment dat de klokken middernacht sloegen en het begin van de verjaardag van de koningin aankondigden.

Maar Strongbows verschijning was zo indrukwekkend en zijn reputatie zo excentriek dat geen van de gasten zijn naaktheid had opgemerkt. Alle opmerkingen die later werden gemaakt hadden te maken met zijn onvergeeflijke lompheid in de keuze van het moment waarop hij vertrok, zijn hese gelach en onbetamelijke kreet toen hij dat deed, zijn al even schaamteloze verwijzing naar een obscene ervaring in Perzië, zijn tegendraadse vertrek over de muur in plaats van door een poort, de zware bronzen zonnewijzer die hij voor de zoveelste keer zo nodig moest dragen en heen en weer liet slingeren om mensen met zijn kracht te imponeren, en vooral het grote onbehagen dat iedereen had gevoeld toen dat grotesk grote oog, met een middellijn van vijf centimeter, vanaf die onnatuurlijke hoogte op hen neerkeek.

Wat zijn kledij of het gebrek daaraan betreft, werd aangenomen dat hij zich zoals gewoonlijk niets van het decorum had aangetrokken en was verschenen in zijn gebruikelijke belachelijke uitmonstering, de forse vettige zwarte tulband en de rafelige, korte zwarte jas van ongewassen en ongekamd geitenhaar.

Stuitend gedrag, zoals men van hem gewoon was. Maar die nacht in 1840, toen hij over een tuinmuur klom, boosaardig grijnsde, zijn zonnewijzer heen en weer zwiepte en schreeuwde over liefde en zijn naaktheid door niemand werd opgemerkt, was de laatste keer dat iemand de reus ooit nog in de gedaante van Strongbow zou zien.

De zonnewijzer en het enorme vergrootglas herinnerde men zich allebei op die nacht te hebben gezien, maar niet dat andere voorwerp dat hij bij zich had, die uitpuilende leren buidel. Hij moest zelfs naar een arme wijk van de stad lopen, een aantal straten verderop, voor hij een blinde bedelaar trof die hem ervan kon ontdoen.

Of liever een erbarmelijke oude man die in een morsig steegje met een kopje op zijn schoot zat te doen alsof hij blind was. Toen Strongbows schaduw naderde, begon de bedelaar zijn gelamenteer, maar toen de gedaante dichterbij kwam, zette de oude man grote ogen op, ook al had hij ze jarenlang getraind nooit blijk te geven van enige uitdrukking.

Bij Allah, fluisterde de verblufte man.

Ja? zei Strongbow.

De bedelaar hapte naar adem en wendde zijn blik af. Het dwaze was dat hij wel zijn kopje ophield en zijn best deed om de kruiperige woorden die bij zijn vak hoorden uit te kramen.

God geve u een lang leven, mompelde hij ten slotte, want zo waar ik hier zit, bij Allah, ik ben naakt.

De stem stierf radeloos weg, het kopje werd bevend opgehouden. Strongbow knikte en reciteerde de formele woorden die gebezigd werden als men een bedelaar wilde afpoeieren.

In Gods naam, man, ga dan uws weegs, want Hij zal u zeker kleding verschaffen.

Toen ging hij op zijn hurken zitten, glimlachte en legde zijn handen op de schouders van de bedelaar. Hij trok hem dicht naar zich toe en knipoogde.

Nu we die plichtplegingen achter de rug hebben, mijn vriend, wat wilde je eigenlijk zeggen?

Ook de bedelaar glimlachte.

Heer, ik heb veertig jaar lang met een stinkende lendedoek om op precies deze plek gezeten en diezelfde woorden tegenover duizenden en nog eens duizenden voorbijgangers herhaald. En nu.

En nu ontmoet ik een man die waarachtig naakt is.

Strongbow lachte. Hij opende de leren buidel en een stroom van Maria Theresa-thalers werd in de schoot van de bedelaar gestort. De man keek vol ontzag naar de dikke goudstukken.

Bijt er maar op, zei Strongbow. Beschroomd pakte de bedelaar een muntstuk en beet erop. Zijn ogen werden groot. Zijn hand beefde zozeer dat de munt tegen zijn tanden ratelde.

Zijn ze echt?

Nou en of.

Een fortuin. Daarvan kun je tot in lengte van dagen als een koning leven zonder ooit nog een vin te verroeren.

En ik voorspel u dat u dat zult.

Ze zijn toch niet voor mij?

Allemaal, geen enkele uitgezonderd.

Maar waarom, heer?

Omdat ik ze al de hele avond meezeul om ze cadeau te doen aan iemand die blind genoeg is om de wereld te zien zoals zij is. Maak nu dat je wegkomt, bedelaar, Allah schenkt de blinde een overdaad aan kleding als hij goed kan zien.

Strongbow draaide zich om en marcheerde lachend de steeg uit, waarbij de bronzen zonnewijzer tegen de stenen muren rinkelde. Het was volbracht. Hij was gereed om serieus aan zijn hadj te beginnen. Achter hem klonk een triomfantelijke kreet.

Een wonder, o slapende inwoners van Caïro, God is groot en Mohammed is Zijn profeet.

# 4 Sinaï 1836-1843

الحج

*En de bouwstof van haar muur was*
*jaspis; en de stad was zuiver goud.*

Het kostte Wallenstein zeven jaren om de oorspronkelijke bijbel, uitsluitend uit zijn geheugen puttend, te vervalsen. Hij voegde ook nog twee niet-canonieke boeken aan zijn Nieuwe Testament toe; de Zendbrief van Barnabas en de Herder van Hermas. Uit eigen bron ontsproten teksten die deskundigen ervan moesten overtuigen dat zijn codex daadwerkelijk was geschreven tijdens de eerste chaotische dagen van het Christendom, voordat de bisschoppen waren overeengekomen welke boeken tot de Heilige Schrift behoorden en welke tot de pseudepigrafen.

In de zomer zinderde Wallensteins grot van een meedogenloze hitte. In de winter hingen de ijspegels aan het plafond en ranselden slagregens de berg. Koortsaanvallen vertroebelden zijn geest en hevige pijnkrampen verlamden zijn vingers.

Als hij zijn ene hand niet langer kon gebruiken, nam hij zijn pennenveer over in zijn andere hand en schreef door, zodat de kromgetrokken hand gelegenheid had om te helen, een vaardigheid die hij zich in Jeruzalem eigen had gemaakt, daar hij wist dat geen enkele mens de kracht zou kunnen opbrengen het werk in de grot te voltooien, tenzij hij met beide handen kon schrijven.

Van de dolende Jebeliyeh ontving hij een beetje voedsel en water dat, zoals de Griekse monniken hadden opgedragen, geplaatst werd in een kleine pot aan de voet van de berg waar hij die ongeveer om de drie dagen ongezien in het donker kon ophalen. Want hoewel de monniken de wens van de verwarde Armeniër om geen mens te zien en door geen mens te worden gezien respecteerden, wisten zij ook dat God, met Zijn veelvoud aan verplichtingen, wel eens zou kunnen vergeten het uit wormen en sprinkhanen bestaande dieet van de lijdende kluizenaar aan te vullen.

Vanaf het eerste tot aan het laatste licht zat hij gebogen over de schoven van het uitdijende manuscript, zonder notie te nemen van de onophoudelijk kauwende zandmuggen en de zwermen insecten die zich in de schemering te goed deden aan zijn frêle lichaam. Hij ging zo op in zijn werk dat hij niet eens meer met zijn ogen knipperde als er een mier over zijn oogbol liep, waarbij zijn creatieve werk zo nu en dan alleen werd gadegeslagen door een steenbok of een gazelle of een mol, een wilde kat of een jakhals of een luipaard; schuchtere en wilde dieren die kwamen kijken naar het onpeilbare geduld van dit mededier, terwijl aan de onzichtbare hemel, voorbij de monding van de grot, adelaars de duizendjarige levens die hen in de woestijn waren vergund celebreerden en ijle vluchten kwartels en korhoenders en patrijzen korte tijd voorbijvlogen als het hun seizoen was.

Totdat Wallenstein zich er op een ochtend op betrapte dat hij zat te raaskallen over legioenen sprinkhanen zo groot als paarden, met op hun koppen kransen als van goud en met ijzeren borstschilden, afzichtelijke beesten met haar als van vrouwen en tanden als die van leeuwen en staarten als schorpioenen, die onophoudelijk de steden op de vlakte aanvielen om overtreders in het dal van zijn Boek der Openbaringen te vergiftigen en aan stukken te scheuren, waarbij het bloed in de naam van God als rivieren vloeide.

En eerbiedig sloeg hij op een avond zijn ogen op van de overvloed aan pest en bloedbaden en zag een schitterende hoge berg met een schitterende stad erop, het heilige Jeruzalem dat uit de hemel neerdaalde temidden van fonkelende juwelen.

En de bouwstof van haar muur was jaspis, schreef hij in zijn gedragen vierde-eeuwse Grieks, en de stad was zuiver goud.

Een paar dagen later schreef hij zijn laatste waarschuwing en opperde dat indien iemand afnam van de woorden van het boek dezer profetie, God zijn deel zou afnemen van het geboomte des levens en van de heilige stad, welke in dit boek beschreven zijn.

En toen schreef hij: De genade van de Here Jezus zij met allen. Amen. En plotseling had hij de laatste hand gelegd aan deze gigantische apocalyptische vervalsing.

Wallenstein keek naar de lompen in zijn schoot. Hij had het laatste vel perkament omgeslagen en zijn schoot was leeg. Opeens sloeg de angst hem om het hart. Hij strekte zijn armen uit en raakte de muren van de piepkleine grot aan.

Heeft het boek des levens niet meer bladzijden? Waar zijn we hier?

Hij staarde naar de pennenveer in zijn hand. Hoe recht en mooi was zij en hoe belachelijk waren de stukken huid en bot die haar omklemden. Kromme, weerzinwekkende vingers. Waarom waren die zo lelijk terwijl het ranke schrijfriet zo mooi was gebleven?

Wallenstein huiverde. De pennenveer viel uit zijn hand. Hij kroop de grot uit en keek met knipperende ogen tegen de berg op. De zon was net onder. Een mol zat hem met grote ogen aan te kijken. Nederig knielde Wallenstein en de mol stelde hem een vraag.

Wat heb jij vandaag voor God gedaan?

Wallenstein boog zijn hoofd. In het tanende licht trok hij zijn lompen om zich heen en zijn hoofd gleed lager en lager tot zijn voorhoofd rustte in het stof waar het antwoord werd gegeven.

Vandaag heb ik het universum herschreven in Zijn naam.

En daar bleef hij de ganse nacht, zonder één enkele beweging te maken, de laatste uren aanvaardend die hem op de Berg Sinaï vergund waren en tevens de laatste heldere momenten van zijn leven.

Wat hij had gedaan, had hij uitsluitend voor God gedaan, maar evengoed wist hij wat hem nu te wachten stond.

Bij zonsopgang pakte hij zijn materialen bij elkaar. De grot was opnieuw zoals hij hem had aangetroffen; klein, kaal en vervallen.

Wallenstein strompelde de berg af naar de poort van het St. Catherina-klooster. De monniken renden hem tegemoet om de verwilderde kluizenaar te aanschouwen die zich zeven jaar lang niet had laten zien, maar toen de poort openging deinsden alleen de ouderen niet achteruit.

Wat was dit voor gezicht? Voor lichaam? Dat kon geen mens bezitten. Had God de ziel al tot Zich genomen?

De oudere monniken wisten wel beter. Ze bogen deemoedig hun hoofden en baden terwijl de abt opdracht gaf ter viering de klokken van het klooster te luiden. De klokken beierden en de abt stapte naar voren om de gekromde gestalte met het gruwelijk misvormde gelaat toe te spreken.

Is het werk af? Hebt u gevonden wat u zocht?

Wallenstein trachtte een stem te vinden die voor mensen verstaanbaar was. Zijn van pijn verwrongen mond opende en sloot zich. Hij stiet een hees, bibberig geluid uit.

Af.

De abt sloeg een kruis.

Komt u dan bij ons om uit te rusten, o broeder van de berg? U bent immers in uw opzet geslaagd, u hebt bereikt wat u van zins was te doen. Doe u te goed en laat uw wonden helen en laat ons u helpen. Het zal ons een eer zijn u te dienen, broeder.

Wallenstein wankelde. Aan de horizon van de woestijn was een rafelig litteken verschenen, een onuitwisbare hallucinatie. Hij probeerde het litteken weg te vegen, maar zijn hand kon er niet bij.

Het was veroorzaakt door Gods schepselen, door de mieren in de grot, die zeven jaar lang over zijn ogen waren gelopen en met hun voetstapjes een pad hadden gemaakt. Elke dag was het pad scherper uitgesleten totdat er al snel geen landschap meer was en enkel het litteken overbleef om naar te kijken. Hoeveel tijd restte hem nog? Weken? Dagen?

Komt u bij ons uitrusten? vroeg de abt nogmaals.

Eén nacht, fluisterde Wallenstein. Een cel voor één nacht als het u belieft.

De abt sloeg opnieuw een kruis. De kluizenaar tegenover hem was de dood duidelijk nabij. Hij maakte aanstalten bezwaar te maken, maar de pijn op Wallensteins gezicht weerhield hem ervan.

Zoals u wilt, mompelde hij bedroefd. Gaat u morgen op reis?

Ja.

Waar moet u heen?

Naar Jeruzalem.

De abt knikte. Nu meende hij het te begrijpen. De kluizenaar voerde zijn ziel naar de Heilige Stad om die prijs te geven. Wie zou het zeggen? Misschien was zijn taak nog niet voltooid. Misschien was er nog een laatste verbond dat hij gedurende zijn ontberingen op de berg met God had gesloten.

Jeruzalem, zei hij zacht. Ja, ik begrijp het.

ألحج

Die nacht, toen de monniken sliepen, vond Wallensteins vervalsing van de Sinaï-bijbel zijn weg naar een plekje achter op een stoffige plank in een van de provisiekamers van het St. Catherina-klooster. De meeste andere boeken daar waren van weinig waarde, maar toch niet zo onbeduidend dat ze in de toekomst niet door een wetenschapper zouden worden onderzocht.

Wat het originele manuscript met zijn afschrikwekkende ambiguïteiten betreft, dat zou hij meenemen naar Jeruzalem, want hij was geenszins van plan het te vernietigen. Want het mocht dan wel geschreven zijn door een anonieme blinde en een anonieme imbeciel die in de woestijn het spoor bijster waren geraakt, maar was niet ook de grote Heilige Antonius de woestijn in getrokken op zoek naar het Woord?

Ja, zei Wallenstein tot zichzelf, dat had St. Antonius ook gedaan. En als andere arme zielen dezelfde poging hadden gewaagd en in verwarring waren gebracht door geestverschijningen en zinsbegoochelingen en waren gezwicht voor onhoudbare visioenen, dan mocht hun werk toch niet worden vernietigd, want ook zij hadden het geprobeerd, alleen was het Woord zoals zij het hadden gehoord verkeerd. Dus was het nooit bij Wallenstein opgekomen om het originele manuscript, een werk van God als elk ander, te vernietigen. Hij legde het liever te ruste in een droog, donker graf, zoals zijn eigen blanco perkament voorheen had gelegen.

En vanwege zijn bescheidenheid kwam het ook nooit bij Wallenstein op dat hij, in de loop van zijn langdurige verblijf in een woestijngrot, het voorbeeld van St. Antonius volgend, wellicht een monastieke prestatie had geleverd waarmee hij St. Antonius evenaarde en waardoor hij dus een nieuwe St. Antonius was geworden.

Of simpelweg de ware St. Antonius, een kluizenaar wiens liefde voor God van alle tijden was.

Of, zelfs nog vreemder, dat hij in de loop van zijn beproevingen van uitputting en honger, gekweld door de schitterende zon en verlaten sterren en toch in zijn grot in leven blijvend, eigenlijk de levens had doorleefd van die twee onbekende zwervers wier voordrachten langs de kanten van stoffige wegen hen drieduizend jaar geleden uiteindelijk hadden geleid naar de voet van de berg.

Dat Wallenstein dus eigenlijk niets had gevonden en niets had vervalst.

Dat hij in plaats daarvan, evenals een blinde man en een imbeciel, in verbijstering en verwondering zijn eigen heilige hymne had gecomponeerd onder de mystieke begeleiding van een denkbeeldige lier, fluit en ramshoorn.

Oneindig veel mogelijkheden en rondwentelende speculaties die in elk geval Wallensteins aangetaste geest te boven gingen. Met zijn laatste krachten sleepte hij zich door de woestijn tot aan de poorten van Jeruzalem, die hem onmiddellijk overweldigde met haar veelheid aan bezienswaardigheden, geluiden en geuren, zo onthutsend na zeven jaar eenzaamheid in een grot in de Sinaï.

Feitelijk raakte Wallenstein volkomen de kluts kwijt in de doolhof van stegen. Hij dwaalde in kringetjes rond en zou misschien door Jeruzalem zijn blijven dwalen tot hij erbij neerviel als een onbeduidende hoop lompen op de keien die in zijn dood nog een kostbaar bundeltje omklemde, als hij niet toevallig tegen de antiekwinkel was aangelopen waar hij ooit het perkament voor zijn vervalsing had gekocht.

Hadji Haroen, de bejaarde eigenaar van de winkel, herkende zijn voormalige klant niet meteen, maar toen hij dat deed bood hij hem dadelijk voedsel, water en een slaapplaats aan, die Wallenstein alle drie weigerde omdat hij wist dat zijn einde nabij was. In plaats daarvan smeekte hij Hadji Haroen hem te begeleiden naar het Armeense kwartier, naar het keldergat waar hij zich zo lang geleden de vaardigheden voor zijn taken had eigen gemaakt.

Je daalt daar toch niet opnieuw in af, vroeg Hadji Haroen, als altijd bezorgd over de vuiligheid en het duister in het hol.

Ik zal wel moeten, fluisterde Wallenstein, ten behoeve van mijn pakketje. Vaarwel en God zegen je, broeder.

Met die woorden draaide Wallenstein zich om en kroop moeizaam in het gat. Hij tastte de aarden vloer af. Waar moest hij graven?

Er verscheen een barst in de aarde, het litteken op zijn ogen.

Hij boog zich over de barst en klauwde als een razende in de aarde, waarbij hij zijn nagels scheurde en zijn vingers openhaalde, en deed zijn uiterste best om de bron van het geheugen te graven zolang hij daar nog tijd voor had. Steeds wanneer er weer een andere barst in de aarde verscheen, hakte hij er woest en wanhopig op in, waarbij hij zelfs nog dieper in de zich uitspreidende scheurtjes in zijn geest graaide.

De botten in zijn handen verbrijzelden op steen. Hij had een geplaveid, oud, droog en luchtdicht gat uitgegraven dat, voordat het was opgeslokt door de voortdurende verwoesting en wederopbouw van Jeruzalem, ooit een cisterne kon zijn geweest. Een stokoude put in een ondergronds verschiet? Precies wat hij nodig had.

Hij plaatste het pakket in de cisterne, legde de stenen terug op hun plaats, sloot de put weer af en stampte de keldervloer aan tot die hard en vlak was. Niemand zou ooit iets vermoeden.

Wallenstein gilde. De zachte aarde onder zijn voeten was plotseling versplinterd en in duizend littekens opengebarsten. Zijn verschrikkelijke vermoeden op de Berg Sinaï was bewaarheid geworden in de woestijnvoetsporen van Gods mieren en nu moest hij vluchten, uitgestoten en verworpen, zijn Heilige Stad voor altijd voor hem verloren omdat hij haar had geschapen.

Zacht kreunend sleepte hij zich de trap op en verwijderde zich van de kelderruimte, verblind door de littekens op zijn ogen, waardoor hij zich niet bewust was van de magere gestalte die hem vanuit de schaduw had gadegeslagen, de man die hem had teruggebracht naar zijn vroegere woning in het Armeense Kwartier en toen uit nieuwsgierigheid was blijven dralen, een zachtmoedige handelaar in vierde-eeuws perkament en andere antiquiteiten, Hadji Haroen.

Nu doof voor de rauwe kreten van Jeruzalem en blind voor haar muren, strompelde Wallenstein de stad uit en ploeterde voort in noordelijke richting, waar hij een eerste en vervolgens een tweede bergkam bereikte. Elke keer als hij achteromkeek, zag hij minder van de grootse hoge berg en de grootse stad die erbovenop was gebouwd. Het jaspis en het goud waren verdwenen, de koepels versplinterden, de torens en minaretten tuimelden om.

Nog éénmaal barstte het landschap en ging de stad verloren in nevel en stof. Zoals aangekondigd had het netwerk van littekens bezit genomen van zijn geest.

Wallenstein zeeg neer op zijn knieën en stortte ter aarde. Een wit waas bedekte zijn ogen, koorts deed hem huiveren, open zweren bevlekten zijn huid, zijn handen waren onbeweeglijke klauwen, één oor hing aan een stukje kraakbeen en zijn neus was weggevreten; in alle opzichten leek hij een leproos in het laatste stadium van verval, totaal gebroken door zijn negentien jaren in het Heilige Land.

En onaangeroerd door de wereld. Dus heeft hij natuurlijk nooit geweten dat een Duitse wetenschapper die korte tijd later het St. Catherina-klooster doorzocht, het resultaat van zijn ongeëvenaarde devotie vond en trots de ontdekking van de oudste aller bijbels aankondigde; een schitterend geschreven manuscript dat alle daaropvolgende versies verbeterde en staafde, het onomstotelijke bewijs van de verre herkomst van de traditionele Heilige Schrift.

Geleerden waren verrukt, de jonge Duitser werd wereldberoemd. En na wat beschaafd gemarchandeer werd het prachtige manuscript gekocht door tsaar Alexander de Tweede, destijds even machtig als welke verdediger van welk geloof dan ook en toepasselijk genoeg, evenals de inmiddels krankzinnige zoekgeraakte kluizenaar, een naamgenoot van een van de militaire helden die de oorspronkelijke verteller en zijn klerk op de jeugdige leeftijd van drieëndertig hadden laten sterven, net als een van hun geestelijke helden.

Alexander de Grote en Christus, een blinde man en een imbeciel, de tsaar en Wallenstein, allemaal deelden zij in de loop der eeuwen dezelfde profane en gewijde bekommernissen.

# 5 De Hadj

*Uiteindelijk kon alleen maar van zijn werk worden gezegd dat het ongerijmd, waarheidsgetrouw en volkomen onacceptabel was.*

Nadat Strongbow uit Caïro was verdwenen, kwamen zijn botanische monografieën steeds minder frequent uit. Soms ging er een jaar voorbij en zag slechts één enkele pagina in Praag het licht. Toch waren zijn observaties zo meesterlijk en ondoorgrondelijk dat algemeen werd aangenomen dat hij aan een of ander buitengewoon project was begonnen waarvan deze povere publicaties slechts willekeurige voetnoten waren. Gezien zijn briljantheid in botanie kon er geen andere verklaring worden gevonden voor zijn ogenschijnlijke onverschilligheid op dit gebied.

In het begin van de tweede helft van de negentiende eeuw werd deze opvatting gesterkt toen er twaalf jaar totaal geen levensteken van Strongbow werd vernomen. Inmiddels waren plantkundigen over de hele wereld ervan overtuigd dat de excentrieke geleerde zich in een verre uithoek van de woestijn had teruggetrokken voor het verwerken van zijn bevindingen die hij spoedig, niet noemenswaardig verschillend van zijn tijdgenoot Darwin, als een monumentale nieuwe theorie over de oorsprong der plantensoorten wereldkundig zou maken.

En inderdaad was Strongbow bezig zijn bevindingen te verwerken en een theorie te formuleren, maar die had niets met planten van doen, en die fenomenale ommezwaai was te danken aan zijn kortstondige samenzijn met het lieftallige Perzische meisje. En hij kon met geen mogelijkheid van zijn onderwerp worden afgebracht, ondanks zijn talloze vermommingen als berooide kamelendrijver of rijke koopman uit Damascus, als argeloze sjacheraar in guichelheil of als verzamelaar van woestijnzuring en soortgelijke lentekruiden, als geobsedeerde derwisj die regelmatig aan trances ten prooi viel of als ondoorgrondelijke hakim of genezer en toediener van kinine, kalomel, kaneelwater, een paar rabarberzaadjes en één deel laudanum.

Weliswaar had geen enkele Europeaan kans gezien hem de decennia dat hij dwalende was te spreken, maar er waren aanduidingen van wat ophanden was.

In een van zijn bloemenmonografieën, gepubliceerd in 1841, liet hij doorschemeren dat van Engelse vrouwen in de Levant bekend was dat zij zweetten en dat hun zweet een penetrante geur verspreidde. Als iemand toentertijd de onzalige implicaties van deze verklaring had overwogen, had hij kunnen beseffen dat Strongbow al onverbiddelijk neigde naar een reusachtige en onzegbare obsceniteit.

Maar niemand had iets in de gaten. Geleerden concentreerden zich op zijn gedurfde beschrijving van nieuwe bloemen, en terwijl zijn collega's in afwachting van een botanische verhandeling het Engelse platteland afschuimden, vervolgde Strongbow zijn epische reis door een totaal ander landschap.

Ook toen waren alle verhalen over Strongbow die in de loop der jaren Europa bereikten meer dan misleidend. Zonder uitzondering waren zij volkomen onjuist, de bespottelijke verzinsels van andere Europeanen.

In gezelschap van waarachtige Levantijnen was zijn gedrag uitgelaten en opgewekt. Samen met hen verslond hij hele lammeren en koppels duiven en die bergmaaltijden spoelde hij weg met liters bananenbier en flessen angstwekkend koppige sterkedrank die hij brouwde door bepaalde palmbomen af te tappen en het sap te laten gisten, wat het snel deed, want het alcoholpercentage verdubbelde met het uur.

Als het een omvangrijke slemppartij was geweest, sliep hij vaak een week achtereen, waarbij zijn onbeweeglijke en immens lange lijf uitgestrekt lag als een python die een prooi verteert. En als het alcoholgebruik overdadiger was dan gewoonlijk lag hij soms wel twee weken lang in zijn tent te wachten tot zijn hoofd en ingewanden zich hadden hersteld.

En hij had al evenmin een hekel aan thee. Integendeel, Strongbow consumeerde waarschijnlijk meer thee dan enige Engelsman die ooit had geleefd. Elke maand kwam er voor hem een in Ceylon bestelde theekist in Akaba aan. Die dronk hij in één maand tot op de bodem leeg en vervolgens vulde hij de hermetisch sluitende droogkist met de aantekeningen en dagboeknotities die hij in datzelfde tijdsbestek had vergaard.

Thee eruit. Een grote stroom pis. Aantekeningen en dagboeken erin.

En wat conversatie van welke aard dan ook betreft, daar kon hij geen genoeg van krijgen. Soms zat hij drie, vier weken achtereen met een man, deed er niet toe wie, koortsachtig te praten over cryptologie of muziek of de baan van een onzichtbare planeet, of de vervaardiging van doorzichtige bijenkorven, of de mogelijkheid van een reis naar de maan of de beginselen van een nietbestaande wereldtaal. Overal waar hij zich bevond, greep hij elke mogelijkheid aan om onmiddellijk in te gaan op elk onderwerp dat zich toevallig aandiende in de vlammen van een kampvuur of in het schemerduister van een rokerige tent, in de achterkamer van een bazaar of onder de sterren in een besproeide tuin.

In Tripoli leerde hij, allang doordrongen van de verwantschap tussen slaap en mystiek, tussen waakzaamheid en waanzin, de techniek van het hypnotiseren toen hij een paar prostituees genas van hun prijsdrukkende gewoonte te snurken.

In Arabië merkte hij op dat de temperatuur op 1650 meter hoogte 's zomers veertig graden in de schaduw bedroeg terwijl 's winters al het land boven de duizend meter met sneeuw bedekt was.

Wonderbaarlijke regenbuien deden zich voor in de woestijn, maar niet in elk mensenleven. De Wadi er-Rummah, die vijfenveertig kameelmarsen of vijftienhonderd kilometer lang was, was opeens een machtige rivier geworden met vijf kilometer brede meren, waarin Strongbow een tijdje op een vlot had geleefd en gestrande bedoeïenen had overgezet.

Op één enkele dag, het was een drieëntwintigste juni, legde hij achtenzestig variëteiten van terloopse seksuele handelingen vast die werden verricht door een in afzondering levend bergvolk in het noorden van Mesopotamië. En in een enkel aantekenboekje catalogiseerde hij niet minder dan vijftienhonderdnegenentwintig vormen van seksuele activiteit die werden gepraktiseerd door een in nog grotere afzondering levende stam die sinds de tijd van Haroen ar-Rasjied niet meer door een buitenstaander was bezocht; een volk dat zijn gehele geschiedenis om een oase op het uiterste puntje van het Arabisch Schiereiland had rondgedraaid.

Van Darwin werd beweerd dat hij een prestatie soortgelijk aan de eerste had geleverd met een bepaalde soort in Brazilië en een prestatie soortgelijk aan de tweede met bepaalde exemplaren in Uruguay.

Maar bij Darwin betrof het een kleine krekelsoort en zijn exemplaren varieerden van schol tot schimmelsoorten, die hij vervolgens in wijn gedrenkt naar huis zond om later te worden gecatalogiseerd, terwijl Strongbows Levantijnse studieobjecten levensgroot waren, uitsluitend ter plekke met wijn konden worden volgegoten en zelfs dan de neiging hadden hun typische kenmerken voortdurend voor zijn ogen te wijzigen.

الحج

Strongbow zat diep in de Sinaï samen met de oudsten van de Jebeliyeh-stam en vroeg hun of er zich in die regionen nog ongewone dingen hadden voorgedaan. Ze antwoordden dat nog niet zo lang geleden een kluizenaar negentig manen in een grot op de berg boven het St. Catherina-klooster had doorgebracht.

De monniken hadden gedacht dat de kluizenaar bad, maar de Jebeliyeh wisten beter. In werkelijkheid had de kluizenaar op oud papier zitten krabbelen en een dik boekwerk bij elkaar geschreven dat er bovendien heel oud uitzag. Ze hadden het niet van dichtbij gezien, maar ze wisten dat het in oude talen geschreven was.

Hoe weten jullie dat? vroeg Strongbow.

Op een avond, vertelden ze, kwam er toevallig een oude man naar ons kamp die vele talen kende en we brachten hem naar de berg om te horen wat hij kon horen. De oude man zei dat de kluizenaar een mengelmoes sprak van Oud-Hebreeuws, Oud-Grieks en een taal die hij nooit eerder had gehoord.

Heeft de oude man alleen geluisterd?

Nee, omdat hij blind was, was hij ook gewiekst met geluiden. Hij luisterde lang genoeg om te weten dat de kluizenaar dacht dat hij tegen een mol sprak, toen zette hij een raar stemmetje op en deed alsof hij de mol was, waarbij hij piepgeluidjes maakte maar ook woorden gebruikte. Aangezien de kluizenaar gek was, verbaasde hij zich niet over de vragen van de mol en gaf gewoon antwoord. Maar natuurlijk sloegen die antwoorden nergens op.

Heeft de mol gevraagd wat hij had opgeschreven?

Dat heeft hij, en de kluizenaar antwoordde dat hij bezig was het heilige boek te herschrijven dat hij ergens in de omgeving, misschien wel in het klooster, had opgegraven.

Waarom herschreef hij het?

Omdat het chaotisch was, een leemte die alle dingen omsloot.

En wat ging hij doen met zijn herschreven kopie?

Haar ergens achterlaten waar de wereld haar zou vinden.

En het origineel?

Het opnieuw begraven zodat de wereld het niet zou vinden.

Strongbow ging bij het vuur achteroverzitten en dacht na over deze dialoog tussen een mol en een kluizenaar. Hij wist dat het bijbelmanuscript dat bekendstond als de Codex Sinaiticus pas recentelijk in het St. Catherina-klooster was ontdekt. Maar als het nu eens een vervalsing was? Als het echte document nu eens een totaal ander beeld schetste van God en de geschiedenis?

Na een tijd pakte hij een Maria Theresa-thaler uit zijn mantel en legde die op de grond voor de Jebeliyeh-oudsten.

Dit schitterende verhaal doet me veel deugd. Is er nog iets aan toe te voegen?

Alleen dat de oude man die zich voor de mol uitgaf, voorspelde hoeveel uur na zijn terugkeer van de berg hij zou sterven en naar bed zou gaan om zijn dood af te wachten. Hij is nooit meer wakker geworden. Nadien verliet de kluizenaar de grot om nooit meer terug te keren. We kunnen je er wel naartoe brengen als je wilt.

Strongbow stemde daarmee in en ze beklommen in het duister de berg. Voor de opening van de grot stak hij een kaars aan. De opening was te smal voor hem om naar binnen te kruipen, maar hij stak zijn arm erdoorheen en nam de maat. Toen bedankte hij de oudsten voor hun informatie en vertrok tegen middernacht naar Akaba, doorgaans een afstand van acht dagmarsen. Maar Strongbow was geïntrigeerd door wat hij had vernomen en voordat hij wist wat hem overkwam, hapte een hond naar zijn enkels, hetgeen een overduidelijk bewijs was dat hij zich in de buurt van een Arabisch dorp bevond. Voor het eerst legde hij zijn bespiegelingen terzijde en keek op van de grond. Een herdersjongen stond naar hem te kijken.

Welke stad is dit?

Akaba, antwoordde de jongen.

En welke dag?

Het werd hem verteld. Hij keek naar de woestijn achter zich en glimlachte. Hij had twee zonsondergangen en drie zonsopgangen doorgelopen zonder het te merken. De herder zei iets. Hij keek het gespannen gezichtje aan.

Wat zeg je, jongen?

Heer, ik vroeg of u een goede of een boze djinn was?

Strongbow lachte.

En waarom zou ik een djinn zijn?

Omdat u vier meter lang bent en omdat u zojuist de Sinaï uit bent komen lopen zonder waterzak of proviand of wat dan ook.

Met helemaal niets?

Alleen met uw lege handen.

Ja, alleen hiermee, zei Strongbow langzaam. Maar een djinn is toch niet altijd groot? Hij zou ook klein kunnen zijn en in een piepkleine grot wonen en in negentig manen nergens heen kunnen gaan. En in al die tijd maar één keer iets kunnen zeggen en dan nog alleen tegen een mol.

De jongen grinnikte.

Dus dat deed u daar, heer, en nu bent u zojuist van uiterlijk en omvang veranderd, zoals uw soort dat doorlopend doet, van een mol in een reus, net zoals het u belieft, in een ogenblik of in negentig manen. Nou, het water is die kant op als u uw gezicht mocht willen wassen, ik weet dat u niet hoeft te drinken. Maar djinn, zoudt u mij, voor u gaat, willen vertellen wat u tegen de mol hebt gezegd?

Wat krijgen we nu? Wil je dat ik de hele waarheid toevertrouw aan een schaamteloze deugniet, een ondermaatse schavuit?

Ik ben geen schavuit, heer.

Hand op je hart?

Ja, vertelt u het me alstublieft.

En je zult geen woord van het geheim aan iemand anders overbrieven?

Nee, heer.

In het kort diste Strongbow een onbekend verhaaltje uit *Duizend-en-één-nacht* op en liep door, de kleine jongen dromerig over de baai starend achterlatend, waar een dhow aan kwam varen met specerijen uit India en een logge houten kist met een bekende inscriptie in het Singalees die verklaarde dat de inhoud bestond uit de hoogste kwaliteit thee uit Kandy, waar zich de tempel bevond waarin een tand van de Boeddha werd bewaard.

Aan het begin van de tweede helft van de negentiende eeuw was er een periode van twaalf jaar waarin er niets van Strongbow werd vernomen. In die tijd werkte hij aan zijn verhandeling, niet in een afgelegen uithoek van de woestijn, zoals men algemeen aannam, maar juist in het hart van Jeruzalem, waar hij zowel woonde als werkte in de achterkamer van een antiekwinkel.

Voor Strongbow waren dat vredige jaren. De robuuste theekisten vol met zijn notitieboeken stonden in rijen langs de muren opgesteld. Hij gebruikte een aantal kisten als zijn werktafel en een reusachtige Egyptische stenen scarabee, verzacht met kussens, was zijn zetel. Een antieke Turkse brandkast was zijn archiefkast en een roestige kruisvaardershelm diende om zijn gedachten op te richten, ongeveer zoals een middeleeuwse alchemist een schedel voor zich op tafel zou kunnen hebben liggen.

Door het zware metselwerk was het gewelf behaaglijk warm in de winter en koel in de zomer en nagenoeg geluiddicht. Als hij achter zijn werktafel zat werden hem om de twintig minuten kleine kopjes stroperige koffie en een handjevol zware sigaretten bezorgd uit een winkeltje verderop in de steeg. Gedurende die perioden van concentratie sprak hij zelden met iemand, behalve met de antiekhandelaar die zijn huisbaas was en, maar minder frequent, met een dikke, geoliede Arabier in de bazaar, van wie hij de eerste zaterdag van elke maand zijn papier betrok.

Een cognacje bij uw koffie? vroeg de papierleverancier toen Strongbow plaatsnam op het daartoe aangewezen kussen aan de voorkant van de winkel.

Graag.

De gebruikelijke bestelling van vijftien riem?

Als u zo vriendelijk wilt zijn.

De man riep instructies naar zijn bedienden en installeerde zich vervolgens, zijn gewaden om zich heen draperend, zodanig tegenover Strongbow dat hij goed uitzicht had op de smalle straat buiten. Hij klopte op zijn glanzende haar en nam trage trekjes van zijn waterpijp terwijl hij wachtte tot de bestelling was neergeteld.

Wil het vlotten met uw werk?

Ik lijk op schema te liggen.

En het gaat nog steeds over hetzelfde? Louter over seks?

Ja.

De gladde Arabier bracht loom een nieuwe laag olijfolie aan op zijn gezicht en keek naar de passerende menigte. Zo nu en dan beantwoordde hij een knikje of een glimlach van iemand in de steeg.

In alle eerlijkheid, zei hij, bevreemdt het me nogal dat iemand zevenduizend vellen papier per maand kan volpennen over zoiets alledaags. Hoe is dat mogelijk?

Daar zegt u zowat, zei Strongbow, soms begrijp ik het zelf ook niet. Hebt u een vrouw?

Vier, Allah zij geloofd.

Van alle leeftijden?

Van een bezadigde huishoudster tot een pril bakvisje dat haar dagen in giechelende zinledigheid slijt, Hij zij opnieuw geloofd.

En toch bent u 's avonds vaak van huis?

Mijn werk noopt me daartoe.

En wie zijn die jonge vrouwen die ik 's avonds in de omgeving van de Damascuspoort zie paraderen?

De ongesluierden die obscene gebaren maken en zichzelf te koop aanbieden? Het is waar, Jeruzalem is verdorven.

En die jongemannen die daar al even talrijk aanwezig zijn?

Die zich zelfs hebben opgemaakt? Die knipogen terwijl ze een buiging maken? Schaamteloos.

En de kleine meisjes in de schaduw die zo jong zijn dat ze slechts tot de navel van een man reiken?

Maar evengoed allerlei suggestieve bewegingen maken? Ja, het is stuitend voor een heilige stad.

En de zwermen al even kleine jongens, die zich ook in de schaduw ophouden?

Maar evengoed zo wulps zijn dat ze een man maar nauwelijks voorbij laten? Schandelijk.

Wie was dat oude wijf dat zojuist de winkel passeerde en met haar tandeloze grijns deze kant op keek?

Een oude slons en uitbaatster van een privé etablissement hier in de buurt.

Brengt ze hier af en toe een bezoekje?

In de slappe periode 's middags.
Voor zaken?
Allah zij geloofd.
Biedt ze vertoningen en verstrooiing aan?
Precies zoals u zegt, Hij zij wederom geloofd.
Maar ook om in haar tandeloze staat in bepaalde zaken als vertrouwenspersoon op te treden?
In heel bepaalde zaken.
En kwijt deze oude bes zich krachtdadig van haar taak tot er weer leven in de brouwerij komt?
Heel krachtdadig.
En die geile oude man vóór haar die ook een heimelijk blik in deze richting wierp?
Haar broer of haar neef, dat weet geen mens.
Komt hij ook af en toe voor een onderonsje?
Het werk moet doorgaan, Allah zij geloofd.
Heeft die man vernuftige voorvallen te vertellen?
Heel vernuftige, Hij zij nogmaals geloofd.
Verhalen over ongehoorde uitstapjes?
Absoluut ongehoord.
Maar hij komt altijd op een ander tijdstip dan zijn zuster of nicht?
Als feiten en verhalen samenvallen zou het ons duizelen.
En daarenboven hebben deze man en deze vrouw talloos veel wezen in alle mogelijke varianten tot hun beschikking?
Talloos. Alle. Daarenboven.
Een bediende boog en verkondigde dat Strongbows bestelling klaarlag. Hij stond op om te vertrekken. De gladde papierhandelaar glimlachte met half geloken ogen.
Wilt u niet een of twee trekjes opium voor u gaat? De kwaliteit is deze maand voortreffelijk.
Dank u, maar het lijkt me beter van niet. Het heeft de neiging mijn werkzaamheden te benevelen.
Weet u het zeker? Het is pas tien uur en u hebt nog de hele dag voor u, en een hele nacht, bovendien. Afijn, misschien volgende maand.

Strongbow knikte vriendelijk, stapte op de keien en verliet de dikke man die langzaam olijfolie op zijn gezicht smeerde terwijl zijn bediende opnieuw zijn waterpijp vulde.

De eigenaar van de antiekwinkel wiens achterkamer hij huurde was uit heel ander hout gesneden. Lankmoedig, mager en zweverig, leek hij meer in het verleden te leven dan in het negentiende-eeuwse Jeruzalem. Met voorwerpen die teruggingen tot 1000 jaar voor Christus kon hij uitstekend overweg, maar als een stuk ouder was, raakte hij altijd in de war en moest hij Strongbow vragen wat die ervan vond.

Toen Strongbow terugkeerde, bestudeerde de antiekhandelaar, Hadji Haroen, enkele van zijn meer waardevolle sieraden en legde de juwelen en ringen van het ene bakje in het andere. Strongbow boog zijn lange lijf over de toonbank om de schitterende edelstenen te bewonderen die licht naar alle kanten sprenkelden en hem deden duizelen met hun kleurenpracht.

Zou jij eens willen kijken? vroeg Hadji Haroen schuchter, een ring omhooghoudend. Ik heb deze zojuist van een Egyptenaar gekocht en ik weet niet goed wat ik ermee aan moet. Wat vind jij? Ongeveer het midden van het Nieuwe Rijk?

Strongbow deed alsof hij de ring door zijn vergrootglas bestudeerde.

Heb jij eenentwintig jaar geleden een hadj gemaakt?

Hadji Haroen keek verschrikt op.

Ja.

Maar niet met een karavaan? Niet via de gebruikelijke routes? Heb je je beperkt tot afgelegen paden die niet eens paden waren?

Ja.

Strongbow glimlachte. Hij herinnerde zich de handelaar hoewel de man zich hem natuurlijk niet kon herinneren omdat Strongbow zich destijds als derwisj had vermomd. De man was hem op een middag bij de grote tweedeling tussen de wadi's van Noord-Arabië tegen het lijf gelopen en had opgemerkt dat de hemel merkwaardig donker leek voor dat uur van de dag, wat inderdaad het geval was, aangezien er toevallig net op dat moment een komeet boven hun hoofden voorbijgleed.

Eigenlijk was Strongbow juist daarom speciaal naar die plek gekomen, om metingen te verrichten met een sextant en een chronometer en zich ervan te vergewissen dat de onbekende komeet werkelijk bestond. Eerder had Strongbow zijn omloop van zeshonderdenzestien jaar gededuceerd uit bepaalde astronomische aanduidingen die te vinden waren in de levens van Mozes en Nebukadnezar en Christus en Mohammed, in de zohar en in *Duizend-en-één-nacht*. Die middag had hij dat uitgelegd aan de angstige Arabier die vaag had geknikt en toen dromerig zijn weg had vervolgd.

Strongbows Komeet. Hij had er in jaren niet aan gedacht. Heel even overwoog hij hier een astronomische monografie aan te wijden, maar nee, dat zou op loze zelfgenoegzaamheid duiden. Zijn methode om de komeet te dateren was ingewikkeld, hij had al genoeg aan zijn hoofd en kon zich niet veroorloven zich door hemelse zaken te laten afleiden.

Strongbow likte aan de ring. Ouder, oordeelde hij.

Echt?

Ja.

De Arabier zuchtte.

Ik zie het er niet aan af. Ik had hem niet ouder geschat dan begin Nieuwe Rijk.

Nee. Nog ouder. Het einde van de zeventiende dynastie, om precies te zijn.

Aha, de Hyksos, een duister volk. Hoe wist je dat?

Geproefd.

Wat?

Het metaalgehalte.

Hadji Haroen bedankte hem uitbundig. Strongbow glimlachte en verdween in zijn gewelf. In zijn ogen was het een gepast en gerieflijk onderkomen. Voor in de winkel verpatste de Arabische handelaar prullaria uit het verleden, terwijl hij achter in de zaak de voorlopige bewijzen op een rijtje zette op een bergtop die Jeruzalem heette.

En toen hij achter zijn werktafel zat, moest hij meer dan eens terugdenken aan een gesprek tussen een mol en een kluizenaar in het licht van de maan op een andere berg. Wie was hij geweest, die zonderling? Wat had hem ertoe bewogen zo'n ongelooflijke taak op zich te nemen?

Natuurlijk zou dat voor altijd een geheim blijven. Er was geen enkele manier om daar achter te komen.

Zaterdagochtend. Weer vijftien riem papier voor de komende maand. Hij haalde een dossier uit de antieke brandkast, dronk een kopje stroperige koffie en stak een zware sigaret op. Even staarde hij naar zijn roestige kruisvaardershelm, toen klopte hij op de neus van zijn gigantische scarabee en toog weer aan het werk.

Slechts één keer in de loop van die twaalf jaar durende arbeid in Jeruzalem stagneerden Strongbows werkzaamheden, maar de gevolgen daarvan waren zo vérstrekkend dat zijn verhandeling er bijna drie keer dikker door werd dan hij oorspronkelijk had voorzien.

Dat gebeurde op een hete zomerzondag in zijn gewelfde kamer achter in de antiekwinkel. De avond tevoren had hij, zoals gewoonlijk tegen middernacht, een hoofdstuk voltooid, en de volgende ochtend om zes uur had hij zich, eveneens zoals gewoonlijk, op zijn reusachtige stenen scarabee geïnstalleerd en, alvorens hij zijn pen oppakte, naar de roestige kruisvaardershelm gestaard.

Enige tijd later merkte hij dat hij nog steeds naar de kruisvaardershelm zat te staren. Hij had de pen in zijn hand, maar de tweehonderddendertig vellen papier die hij die dag met zijn handschrift vol had moeten krabbelen lagen nog onaangeroerd op een keurig stapeltje. Met zijn zonnewijzer omgegord stapte Strongbow naar buiten om te zien hoe laat het was. Hij hield het bronzen instrument omhoog en hapte naar adem.

Drie uur in de middag? Hij kon het niet geloven. Met een diepe frons op zijn voorhoofd liep hij weer naar binnen.

Hadji Haroen lag uitgestrekt in een hoek van de voorkamer oude manuscripten door te nemen, zoals hij op zondagmiddagen wel vaker deed. Hoewel hij de privacy van zijn huurder altijd eerbiedigde, was de uitdrukking op het gezicht van de man op dat moment zo bekommerd dat hij besloot er een paar woorden aan te wagen.

Is er iets mis, vroeg hij op zo gedempte toon dat de vraag genegeerd zou kunnen worden. Maar Strongbow bleef meteen met een ruk stilstaan waardoor de zonnewijzer tegen de muur aan ramde en met luid geraas een regen van pleisterwerk deed neerdalen.

Ja. De tijd. Het heeft er alle schijn van dat ik de afgelopen negen uur niets heb uitgevoerd en ik weet niet wat ik daarvan moet denken. Het is voor mij ongehoord om niets te doen.

En je hebt helemaal niets gedaan?

Blijkbaar. Het schijnt dat ik achter mijn werktafel naar mijn kruisvaardershelm heb zitten staren. Negen uur? Het is onvoorstelbaar.

Hadji Haroens gezicht lichtte hoopvol op.

Maar dat is niet niets. Dat is dagdromen.

Hij maakte met zijn armen geestdriftige gebaren in de richting van de planken die volstonden met kunstvoorwerpen.

Moet je al die aandenkens aan het verleden zien die ons omringen. Ik besteed het grootste deel van mijn tijd aan het dagdromen daarover. Wie had dit in zijn bezit en waarom? Wat deed hij in die tijd? Wat is er daarna van geworden en wat daar weer na? Het is betoverend. Zo ontmoet je mensen uit alle tijden en kun je lange gesprekken met hen voeren.

Maar ik doe niet aan dagdromen, zei Strongbow met nadruk.

Zelfs niet vandaag?

Tja, het lijkt erop dat ik het vandaag wel heb gedaan, maar dat kan ik me niet voorstellen, en ik kan me al evenmin voorstellen waarom, het is gewoon niets voor mij. Als ik naar Timboektoe wandel, dan wandel ik daar naartoe. Als ik de Tigris afdrijf naar

Bagdad, dan kom ik het water niet uit voor ik in Bagdad ben aangekomen. En als ik een verhandeling schrijf, dan schrijf ik die.

Ach, misschien laat je iets weg uit je verhandeling dat er eigenlijk in hoort. Misschien is dat de reden van je dagdromen.

Strongbow keek hem perplex aan.

Maar hoe zou ik nou iets over het hoofd kunnen zien? Dat is evenmin mijn gewoonte. Dat doe ik niet.

De oude Arabier glimlachte en verdween in de achterkamer. Een ogenblik later stak hij zijn hoofd om de hoek en Strongbow schaterde het uit bij het zien van de bespottelijke vertoning. Hadji Haroen had de kruisvaardershelm opgezet die te groot was voor zijn hoofd en dus alle kanten op wiebelde.

Hier, zei hij vrolijk, een uitgelezen hersenstimulator, die zal ons goede diensten bewijzen. Als ik wil dagdromen, staar ik naar een van mijn antiquiteiten en even later glijd ik terug in de tijd en zie ik Romeinen en Babyloniërs door de straten van Jeruzalem lopen. Laten we nu eens kijken wat jij ziet. Waar gaat je vertoog over?

Seksualiteit.

Dan moet het een vrouw zijn die je eruit hebt weggelaten. Wie is ze? Kijk heel diep.

Strongbow keek naar de oude man met de helm en ja hoor, het werkte. Opeens zag hij haar weer, zo duidelijk alsof ze stond waar Hadji Haroen stond. Hij sloeg zijn handen ineen en zijn ogen neer.

Een Perzisch meisje, fluisterde hij.

En jij was nog jong?

Pas negentien.

Een lieftallig Perzisch meisje, mompelde Hadji Haroen zachtjes.

Ja, zei Strongbow, zo oneindig lieflijk. Er was een beekje in de heuvels ver van welke stad dan ook, waar ik op een dag in een smalle vallei stilhield om uit te rusten en daar kwam ze zingend op me toe lopen. Ze was in het geheel niet bang voor mij, het was alsof ze die ontmoeting had voorzien. We spraken urenlang met elkaar en lachten en spetterden en speelden in het water als twee kleine kinderen, en toen de duisternis viel, vlijden we ons neer in de schaduw en beloofden elkaar die wondermooie plek die we samen hadden ontdekt nooit meer te verlaten. De dagen en nachten die volgden waren grenzeloos in hun liefdesmomenten, er leek geen einde aan te komen. Maar toen, op een dag, keerde ze voor korte tijd terug naar haar dorp en toen ze weer terugkwam zeeg ze op het gras ineen, cholera, en kon ik niets anders doen dan haar toefluisteren en haar hulpeloos in mijn armen houden terwijl het leven uit haar wegvloeide en opeens was het pardoes met haar gedaan. Ik heb haar in de vallei begraven. Een paar weken waren ons samen vergund, niet meer dan dat, en toch herinner ik me elke grasspriet daar, elk plekje in de zon en elk geluid dat het water op de rotsen veroorzaakte. Een stroom herinneringen, de meest hartstochtelijke en droevigste momenten die ik in mijn hele leven heb gekend.

Strongbow zuchtte. Hadji Haroen kwam naar hem toe en legde een frêle hand op zijn schouder.

Ja, zei hij, een lieftallig Perzisch meisje. Ja, zij mag zeker niet ontbreken.

Strongbow ging rechtop staan en schudde de stemming van zich af.

Nee, zo'n soort boek is het niet. En dat was trouwens allemaal veel te lang geleden.

Te lang geleden? zei Hadji Haroen dromerig. Niets is ooit te lang geleden. Ikzelf heb ooit ook een Perzische vrouw gehad. Zij was de dochter van Attar.

Wie bedoel je? De soefi-dichter?

Ja.

Maar die leefde in de twaalfde eeuw.

Nogal wiedes, zei Hadji Haroen.

Strongbow keek hem een ogenblik doordringend aan. De wijze waarop de oude Arabier beschroomd vanonder de grote kruisvaardershelm glimlachte had iets verontrustends en onbestemds. Hadji Haroen wreef in zijn handen en knikte bemoedigend.

Wil je het doen? Alsjeblieft? Al is het maar een paar pagina's? Al was het maar om jezelf te bewijzen dat niets ooit te lang geleden is?

Strongbow lachte.

Goed dan, waarom eigenlijk ook niet, ik zal haar erin opnemen. Overigens vind ik dat je die helm op moet houden. Het is duidelijk dat jij er meer aan hebt dan ik.

Strongbow keerde zich om en liep neuriënd en popelend om aan dit geheel nieuwe aspect van zijn werk te beginnen terug naar de achterkamer. Achter zich zag hij dat Hadji Haroen al begon te knikkebollen boven het verschoten manuscript, waarbij de helm langzaam over zijn ogen schoof terwijl hij zich in de stilte van die warme zomerzondagmiddag overgaf aan een mijmering.

Een vreemde man, dacht Strongbow. Hij lijkt waarachtig te geloven wat hij zegt. Misschien zal ik ooit de tijd vinden om hem te leren kennen.

Strongbows veertig jaar durende hadj eindigde met de publicatie van zijn reusachtige, drieëndertig delen tellende verhandeling; bestaande uit zestigduizend pagina's platte tekst en nog eens twintigduizend pagina's in een kleiner letterkorps met voetnoten en toegevoegde verwijzingen, alles bij elkaar meer dan driehonderd miljoen woorden, wat de totale bevolking van de westerse wereld ruim overschreed.

De meeste voetnoten konden uitsluitend worden gelezen met een vergrootglas even krachtig als dat van Strongbow, maar één blik op willekeurig welk deel was voldoende om zelfs de meest sceptische lezer ervan te overtuigen dat Strongbow zich volledig en met nimmer aflatende wetenschappelijke bekwaamheid had vastgebeten in de details van zijn onderwerp, daarbij ten volle gebruik makend van de rationalistische premissen van de negentiende eeuw.

En dat in een tijd dat het gezaghebbende Engelse medische handboek over seksualiteit beweerde dat de meerderheid van de vrouwen totaal geen seksuele gevoelens ervoer, dat masturbatie tuberculose veroorzaakte, dat gonorroe door vrouwen in het leven was geroepen, dat onmatige geslachtsgemeenschap de oorzaak was van een hele ris fatale aandoeningen en dat seksuele gemeenschap, indien zij niet plaatsvond in absolute duisternis, tijdelijke hallucinaties en permanente hersenbeschadiging veroorzaakte.

Strongbows verwerping van deze en andere absurditeiten viel nog in het niet bij de krankzinnige esoterica die volgde, zoals bijvoorbeeld de in Somalië in zwang zijnde gewoonte de schaamlippen van jonge meisjes weg te snijden en hun vulva met paardenhaar dicht te naaien om maagdelijkheid tot aan het huwelijk te verzekeren.

En aan de omvangrijke presentatie werd bovendien op geen enkele wijze afbreuk gedaan door de gravure op het titelblad van een met littekens bedekt, vastberaden gezicht omhuld door een Arabische hoofdtooi en permanent getaand door de woestijnzon dat niettemin onmiskenbaar toebehoorde aan een Engelse aristocraat wiens familie, ondanks een zekere ingewortelde lethargie, zeseneenhalve eeuw in Engeland op handen was gedragen.

En de schok die het teweegbracht werd evenmin gedempt door de opmerking van de auteur in het voorwoord dat hij de voorgaande veertig jaar een absolute meester was geweest op het gebied van alle dialecten en gebruiken in het Midden-Oosten, en dat hij zich die veertig jaar van allerlei vermommingen had bediend om vrijelijk tot in elke uithoek van de regio door te kunnen dringen.

Strongbows verhandeling was het diepgravendste onderzoek op het gebied van de seksualiteit dat ooit was gepleegd. Zonder aarzelingen of bedekte toespelingen, in feite zonder iets om de lezer gerust te stellen, onderzocht hij aandachtig elke seksuele handeling die ooit had plaatsgevonden, van Timboektoe tot aan de Hindoe Koesj, van de krottenwijken van Damascus tot aan de paleizen van Bagdad, en in alle zich gedurig verplaatsende bedoeïenenkampen onderweg.

Alle pretenties werden in één klap waargemaakt. De bewijsvoering was naar Victoriaanse maatstaven in alle opzichten evenwichtig. Toch waren de feiten nog steeds onverbiddelijk, de zin en onzin onontkoombaar, de gevolgtrekkingen dodelijk.

Gezien de keuze van zijn onderwerp was te verwachten dat de overgrote meerderheid van het publiek het werk weerzinwekkend zou vinden. Want zelfs als er in het beruchte broeierige oostelijke Middellandse-Zeegebied zulke dingen gebeurden, dan was dat nog geen reden om die op schrift te stellen.

En dan ook nog in zulke onomwonden bewoordingen, bruinjoekels bijvoorbeeld, een term die altijd was gebezigd om iedereen ten oosten van Gibraltar aan te duiden, maar die nog nooit in druk was verschenen, zelfs niet in de meest vulgaire publicaties. Maar hier maakte Strongbow hen tot de inhoud van zijn gehele eerste hoofdstuk en herhaalde hij het woord onophoudelijk, regel na regel, pagina na pagina en voorzien van het gebruikelijke voorvoegsel klote, klote bruinjoekels klote bruinjoekels klote bruinjoekels klote bruinjoekels klote bruinjoekels klote bruinjoekels klote als om blijk te geven van zijn minachting voor alle bekende normen van betamelijkheid waaraan men zich diende te houden.

Toch waren er andere revolutionaire denkers in de negentiende eeuw die zich ook met maatschappij-ondermijnende thema's bezighielden en het was aanvankelijk verbazingwekkend dat Strongbow, in tegenstelling tot hen, in principe op geen enkele steun aasde. In plaats daarvan joeg zijn scriptie zowel de contemporaine pleitbezorgers van Darwin en Marx als de toekomstige pleitbezorgers van Freud tegen zich in het harnas.

En altijd om dezelfde reden. In beide gevallen sprak Strongbow de nieuwe meesters tegen door alle principes en mechanismen, of ze nu subtiel of boud waren, te ontkennen. Hij had de onbeschaamdheid om te suggereren dat er helemaal geen wetmatigheden in de geschiedenis of de mens of de maatschappij bestonden, dat er zelfs geen enkele neiging tot zulke wetmatigheden bestond. Het was een onvoorspelbaar ras, zei hij, dat naar voren stiet of zich terugtrok al naargelang de beweging van de lendenen op dat moment.

Verder viel er niets over op te merken. Binnen de structuur van het Strongbowisme werden gebeurtenissen bepaald door willekeur en toeval en was het leven grillig en ongestructureerd, in het begin bepaald door bevliegingen en aan het einde getekend door chaos; een soort ononderbroken zinnelijk wiel bestaande uit vele geslachten en leeftijden dat op de grens van het orgasme door de tijd dendert. Degenen die er dapper liberale denkbeelden op nahielden en van wie men had kunnen verwachten dat ze Strongbows natuurlijke voorstanders zouden zijn, zagen zich genoodzaakt hem om persoonlijke redenen in felle bewoordingen aan de kaak te stellen.

Want in Deel Zestien, en twintig miljoen woorden verderop in Deel Achttien, werd onmiskenbaar gesuggereerd dat alle orthodoxe denkers zich schuldig hadden gemaakt aan geheime misdrijven. Volgens de grondbeginselen van het Strongbowisme maakten deze ogenschijnlijk brave gelovers in de moderne tijd zich schuldig aan een walgelijke retraite in achtenswaardigheid door uit te gaan van grootse ordenende principes.

Dat deden zij, aldus Strongbow, uitsluitend om de ranzige wanorde van hun ware karakters, de verborgen krochten waar seksuele fantasieën met de dartele uitbundigheid van door het eten van lentegras dronken lammetjes over glibberige hellingen buitelden, te verhullen.

Zo rekende hij af met zijn mogelijke verdedigers, zowel de Darwinisten als de Marxisten. En na als heimelijke seksmaniakken te zijn gebrandmerkt, zat er voor hen niets anders op dan felle tegenstanders van het Strongbowisme te worden.

En de overgrote meerderheid van zijn landgenoten, die er traditiegetrouw voor waren om grote legers overzee te sturen, was ontsteld door Strongbows bewering dat elke militaire veldtocht niet meer dan een verkapte seksuele aberratie was, om precies te zijn een diepgewortelde angst voor impotentie.

In Deel Twaalf, en nogmaals negentig miljoen woorden later in Deel Tweeëntwintig, wees hij erop dat fuck you en fuck them en fuck off de favoriete, meest gebezigde krachttermen van imperialisten en patriotten waren. Zo werden er legers opgericht omdat het waarschijnlijk was dat hun oprichters niet in staat waren nog iets anders op te richten.

De wezenlijke fundamenten van het imperialisme, de opbrengsten die voortsproten uit overzeese militaire strooptochten, vergeleek hij op vulgaire wijze met uitwerpselen. De stuitende passage verscheen in Deel Acht.

*Er is niets dat een klein kind belangrijker vindt dan zijn eigen ontlasting, om de eenvoudige reden dat dat het enige product is dat hij op zo jeugdige leeftijd in staat is te produceren.*
*Daarom zijn degenen die imperiums opbouwen en anderen die bemoeienis hebben met geld de steeds opnieuw opduikende kinderen van elk tijdperk die spelen met hun uitwerpselen, en in weer een andere hoedanigheid zien we hoe ze zich in allerlei bochten wringen om hun formidabele seksuele wanorde in achtenswaardigheid te hullen.*
*Want in het Westen wordt het axioma gehuldigd dat het ongepast is om je leven lang met stront te spelen, terwijl een bedachtzame accumulatie van fortuin als aanbevelenswaardig en zelfs als bewonderenswaardig wordt gezien.*

En Strongbow beperkte zijn anale aanvallen al evenmin tot degenen die werden betrapt met geld in hun handen. Hij keerde zich ook tegen alle clubleden en iedereen die gebrand was op ceremonieën of kapelmuziek. Die aanstootgevende uitlatingen waren te vinden in een paar korte regels in Deel Zesentwintig.

*Wat beogen die geestdriftigen nu eigenlijk? Zou het kunnen dat ze bang zijn voor de gladde en glibberige en de volkomen aritmische ritmiek van de ware seksualiteit? Is dat de reden waarom zij zichzelf verenigen in een anti-or-*

*gie van geestdodende rituelen en saaie zondagmiddagconcerten? Omdat zij hun trots enkel nog kunnen uiten in de enige sensuele daad waartoe ze in staat zijn?*

*In het draaien van een drol?*

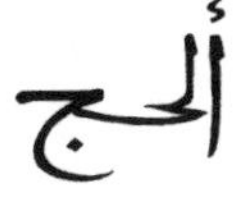

Strongbows werk was al even beledigend jegens de velen die romantische illusies koesterden over het Oosten, zoals degenen die graag het gerucht geloofden dat in de exclusievere Londense herensociëteiten al lange tijd de ronde deed en inhield dat er een uniek jongensbordeel in Damascus bestond met een speciale kerker, waar een man zich tegen betaling, tot het einde van zijn aardse bestaan door Marokkaanse huurlingen kon laten afranselen.

Niets van waar, zei Strongbow, die vervolgens een opsomming gaf van alle bordelen in het Midden-Oosten, compleet met hun instrumentarium en specialiteiten.

Daarbij kwam dat Strongbows meer alledaagse waarnemingen van het leven met de bedoeïenen eenvoudigweg verkeerd werden geïnterpreteerd, zoals bijvoorbeeld een onbeduidend terzijde over kameelkoeien. Als zij een jong werpen, vertelde hij, werden twee van de vier uiers door de bedoeïenen met twijndraad afgebonden, opdat de familie de helft van het voedsel met het jonge kalfje kon delen.

Men vond dat dit incest suggereerde, nog gecompliceerd door bestialiteit, waarbij men zich bovendien te buiten ging aan mutilatie en bondage en ontaarde lactatiemethoden. Deze opmerkelijke vermenging van meervoudige perversies was zo complex dat het gewoonweg onvoorstelbaar was.

Zo verging het ook sommige van zijn minder gedetailleerde reisaantekeningen. Een terloopse opmerking dat overal op de markten in Tunis garnalen van twintig centimeter verkrijgbaar waren, slechts één terzijde temidden van duizenden over voedsel en eetgewoonten in de regio, werd eruit gepikt als een bekentenis die voor eeuwig en altijd een bewijs vormde voor de lijdzame trouweloosheid en algemene verdorvenheid die al tijden werden geassocieerd met de Oosterse geest, die als het ware gevangenzat in een erotisch coma dat werd veroorzaakt door een overmaat aan zonlicht en blauwe luchten en was verstoken van de nevel, mist en regen die de menselijke terughoudendheid in Europa in stand hielden.

Maar bovenal was er dat belangrijke aspect in Strongbows werk dat hem was aangereikt door Hadji Haroen, de verlegen antiekhandelaar die twaalf jaar lang zijn huisbaas in Jeruzalem was geweest. Naar aanleiding van hun korte gesprek op een warme zomerzondagmiddag over dagdromen, toen de oude Arabier de roestige kruisvaardershelm had opgezet en glimlachend had benadrukt dat geen gebeurtenis ooit te lang geleden was om te worden vergeten, had Strongbow twee derde van zijn totale tekst gewijd aan zijn herinneringen aan het lieftallige Perzische meisje dat hij zo lang geleden had bemind.

Die tedere passages beschreven de enkele weken die hij samen met haar doorbracht tot in de subtielste details, het beekje in de heuvels waar hij haar had aangetroffen en de pas ontloken lentebloemen en het zachte gras waar ze onder de zon en onder de sterren hadden gelegen, de woordjes die zij hadden gefluisterd en het genot dat zij hadden gedeeld in die eindeloze minuten in het voorjaar, toen hij nog maar negentien was en zij een paar jaar jonger; liefde uit lang vervlogen tijden, die nu werd opgeroepen in een verhaal dat tweehonderd miljoen woorden telde en daarmee het meest volledige liefdesverhaal was dat ooit was verteld.

Toch werd dat deel van Strongbows werk volkomen genegeerd. De wondermooie passages gewijd aan het lieftallige Perzische meisje werden in hun geheel overgeslagen alsof ze niet bestonden, alsof ze voor zijn Victoriaanse lezerspubliek totaal niet van belang waren, in vergelijking met de vooruitzichten van een kerker in Damascus waar Marokkaanse huurlingen konden worden gecontracteerd om je heimelijk tot je laatste ademtocht af te ranselen.

Het moge duidelijk zijn dat Strongbow inmiddels de meeste beroepsgroepen en alle politieke stellingnamen had beledigd. Maar hij vertikte het om het daarbij te laten. Onverbiddelijk wroette hij dieper in een losbandig moeras van beledigingen totdat hij in Deel Achtentwintig, gestimuleerd door zijn eigen obscene bezieling en ongebreidelde geraas, zelfs opperde dat elk levend wezen, ongeacht zijn status of standpunt, seksueel suspect was.

*De mens heeft de neiging zijn eigen persoonlijke belang te zien als het algemeen belang. Zo ziet een schoenlapper de wereld als een schoen, en is de staat van de zool van hem afhankelijk.*

*Een natuurkenner die zo verstandig is te beseffen dat hij zich sinds zijn kinderjaren heeft ontwikkeld door zus te kiezen en niet zo, door dit te doen en niet dat, beschouwt alle soorten op aarde als het product van een zelfde soort ontwikkeling. En ten slotte vindt een politiek filosoof met een moeilijke stoelgang het verleden opgezwollen en lomp en acht hij de toekomst noodzakelijkerwijs gedoemd tot explosieve omwentelingen vanuit de onderste regionen of de laagste klassen.*

*En natuurlijk heeft ieder van deze hypothetische personen het, vanuit zijn eigen gezichtspunt, bij het rechte eind. Dat wil zeggen dat alle mensen gelijk hebben zolang ze zichzelf beschrijven.*
*Vanuit het oogpunt van een schoenlapper is de wereld een schoen. De mensen ontwikkelen zich vanuit hun kinderjaren en obstipatie kan heel goed uitmonden in een explosieve ontlasting. Maar al die talloze individuele handelingen mogen niet verhullen dat zij allen deel uitmaken van een chaotisch, grenzeloos geschift universum.*

Het Strongbowisme was bijzonder veelomvattend, zoveel mag duidelijk zijn. Het kon allerlei soorten personen aanvallen en deed dat ook. En het was vooral schadelijk voor degenen die wilden geloven dat er een soort structuur bestond die het universum beheerste, bij voorkeur een imposant of dramatisch stelsel dat een alomvattende verklaring kon geven voor wat er gebeurde, of die nu religieus, biologisch, maatschappelijk of psychologisch van aard was.

Of op z'n minst een gedeeltelijke verklaring. En zo niet van dagelijkse gebeurtenissen dan toch van gebeurtenissen die zich eens in een mensenleven voordeden. Of eens in een eeuw. Of eens in een epoque.

Of op z'n allerminst één geruststellende verklaring voor één bepaalde gebeurtenis op een moment ergens sinds het begin der tijden, een of ander nietig structuurtje, deed er niet toe hoe futiel. Wat had het anders allemaal te betekenen?

En hier leek Strongbow te glimlachen. Ik bedoel maar, leek hij te zeggen.

Want in zijn drieëndertig delen werd met geen enkel woord gerept over een samenzwering in wording. Zelfs dat niet. Integendeel, volgens Strongbow waren alle hunkeringen naar het bestaan van een samenhang in het leven hopeloze illusies uit de kindertijd die later, op onbewaakte ogenblikken, de kop opstaken; illusies die het gevolg waren van misplaatste, kinderlijke opvattingen aangaande een boven hen gestelde orde, en die uiteindelijk uitmondden in het onvermogen van de volwassene om de seksuele chaos onder hem te aanvaarden.

Aan de voorlopige uitspraak van de hoer: ik zit op een fortuin, voegde Strongbow een aanzienlijk verruimde, definitieve uitspraak toe: ik zit op alles wat tegelijk niets is.

Deze stelling verscheen in zijn krachtigste formulering in een nauwelijks leesbare voetnoot in Deel Tweeëndertig, in zo'n klein letterkorps gedrukt dat je de ogen van een bedoeïen moest hebben om hem te kunnen ontcijferen.

*Alle uiteenlopende Levantijnse handelingen die hier tot dusverre tot in de details beschreven staan en die een ade-*

*quaat beeld van het leven geven, heb ik bij herhaling geconstateerd binnen de negen geslachten, zowel van lage als van hoge komaf, maar nooit in het kader van een organisatie of een vooropgezet plan.*
*Overal en te allen tijde was het effect incoherent, en hoe graag ik ook zou denken dat iemand heeft geweten waar hij of zij op deze meest cruciale momenten in het leven mee bezig was, of er zelfs maar enkele ogenblikken bij stil bleef staan, moet ik oprecht bekennen dat ik daar niets van heb kunnen constateren.*
*Het omgekeerde is eerder waar. Veertig jaren onderzoek hebben me geleerd dat mannen en vrouwen gretig neuken. Als ze klaar zijn neuken ze opnieuw en als ze niet neuken wanneer je ze toevallig tegen het lijf loopt, of bezig zijn krachten te verzamelen voor de volgende neukpartij, dan is dat alleen omdat hen om een bizarre reden de gelegenheid daartoe ontbreekt.*
*In feite wordt er heel wat afgeneukt in de wereld, maar is er niemand die daar verantwoordelijk voor is, er is geen organisatie die het in goede banen leidt, er zijn geen aanbevelingen die eraan ten grondslag liggen.*
*In plaats daarvan neuken mannen en vrouwen er lukraak op los, zoals zij dat altijd hebben gedaan, zonder noemenswaardige aandacht te besteden aan koninkrijken of dynastieën, zonder zich te storen aan de universele grondbeginselen die in de loop der eeuwen gewoontegetrouw op alles van toepassing worden verklaard terwijl ze dat niet zijn, in extase en onbesuisd, het rad der sensualiteit alsmaar rond en rond draaiend.*
*Het zou waarlijk troostrijk nieuws zijn als we een structuur konden vinden of een programma of zelfs maar een zweem van een samenzwering in het leven, een of ander vast punt waar we zouden kunnen gaan zitten en eindelijk stilstand ervaren. Maar na het draaien van het rad zo lang te hebben bestudeerd, moet ik erkennen dat zulks niet bestaat. Helaas zijn we er alleen maar. Ieder van ons. Explodererend in het zoveelste orgasme.*

Strongbow verdedigde evenmin zijn verdorven aanvallen op iedereen door te verklaren dat hij de ongeremde seksuele pathologieën van zijn tijd diagnostiseerde met het doel die te genezen. Eigenlijk waren remedies ondenkbaar in zijn ogen, want het was evident dat hij geloofde dat de mens per definitie krankzinnig was.

Dat maakte hij duidelijk in Deel Drieëndertig.

*Binnen het dierenrijk vormen wij een onverbeterlijke en wetteloze soort, terminaal aangedaan, een variant die lijdt aan een ongeneeslijke ziekte. Wijze mannen van alle tijden hebben dat vermoeden al uitgesproken. Het komt neer op aangeboren krankzinnigheid en ten gevolge daarvan heeft de mens altijd willen terugkeren naar de ordelijke en verordonneerde condities van het dierenrijk waar hij ooit voldoening vond.*

*Alle herinneringen aan verloren paradijzen staven dit, evenals de visionaire dromen van toekomstige utopieën.*

*Steeds wanneer een profeet of een filosoof spreekt van een nieuwe mens in een nieuw tijdsgewricht is zijn creatie onveranderlijk dezelfde, de oude man in het oude tijdsgewricht, het dier in zijn dierenrijk, het beest tussen de grazende kudde, dat zoekt naar voedsel, dat verteert, scharrelt en zich terugtrekt in een ogenschijnlijk tijdloze eeuwigheid, onbezorgd want onbewust van de problemen overal om hem heen, onsterfelijk want zich onbewust van de dood, onbestaand want zich onbewust van het bestaan.*

*Voor een dier is dit absoluut een gelukkig leven. Maar voor u en mij kan het dat nooit meer zijn.*

Niettemin maakte Strongbow in de slotzinnen van Deel Drieëndertig duidelijk dat hij ondanks alles toch bereid was te leven met zijn bevindingen en dat zelfs met een zeker animo.

*Het is waar dat het leven gekreukt en stompzinnig en ruig is. Maar dankzij de paar jaren goede herinneringen die het*

*ons geeft, moeten we ook toegeven dat het zich even aangenaam laat aanraken als een oude, veel gebruikte wijnzak.*
*Of, zo u wilt, de veel gebruikte ballen van een oude man.*

Zo was Strongbows verhandeling niets minder dan een boosaardige aanval op de gehele rationele wereld van de negentiende eeuw, waar voor alle problemen verstandige oplossingen bereikbaar werden geacht. In zijn systeemloze universum was niemand veilig en waren er geen oplossingen, niets dan het leven zelf.

Om dat aan te tonen, had hij driehonderd miljoen woorden in drieëndertig delen bijeengebracht, zonder de feiten ook maar één enkele keer geweld aan te doen.

Het was misschien dus wel begrijpelijk dat het Strongbowisme in het Westen niet één voorstander wist te vinden. Uiteindelijk kon alleen maar van zijn werk worden gezegd dat het ongerijmd, waarheidsgetrouw en volkomen onacceptabel was.

ألحج

Toen het manuscript voltooid was, zond Strongbow het met de karavaan van Jeruzalem naar Jaffa, waar een groot gecharterd stoomschip lag te wachten om zowel de kamelen als het manuscript naar Venetië te vervoeren. Daar zou de karavaan door zijn woeste bedoeïenendrijvers worden gehergroepeerd en in een statig deinende gang over de Alpen naar Bazel trekken, de plaats die hij voor publicatie had uitverkoren vanwege de traditionele Zwitserse neutraliteit. Strongbow zelf, die na twaalf jaar onafgebroken werk in de achterkamer van de antiekwinkel behoefte had aan vakantie, verliet Jeruzalem en bezocht de kusten van de Dode Zee, waar de zon warm was én altijd scheen.

Op de laagste plek op aarde hing Strongbow behaaglijk rond in zwavelbaden, terwijl zijn boekdelen punctueel uitkwamen in een privé-editie van twaalfhonderdenvijftig exemplaren, hetzelfde aantal waarmee Darwin de eerste druk van de *Oorsprong der Soorten* liet uitkomen. Maar de enige overeenkomst met Darwins vertoog was dat *Seksualiteit in de Levant* ook al op de eerste dag van uitgave was uitverkocht.

Daarom was het voor de Britse consul in Bazel niet nodig te pogen de resterende exemplaren in beslag te nemen, zoals was bevolen door Hare Majesteits regering. In plaats daarvan toog de consul met zijn staf naar de grootste Britse bankier, die zijn staf meestuurde voor een gezamenlijk bezoek aan de grootste plaatselijke Zwitserse bankier, die voor die dag zijn burelen sloot en zijn veel talrijkere staf bijeenriep voor de mars dwars door de stad naar Strongbows drukker.

Het was derhalve een groot en gemêleerd gezelschap dat zich bij zonsondergang achter de gesloten deuren van een gieterij in een van de buitenwijken van Bazel verzamelde. De ovens werden tot de hoogste temperatuur opgestookt en Strongbows manuscript werd erin gesmeten en door de vlammen verteerd. Vervolgens begon men met het naar binnen rijden van de wagens overladen met de platen die gebruikt waren om de verhandeling mee te drukken en schoof men die in de smeltovens, waar ze werden gereduceerd tot enorme identieke klompen vormeloos metaal.

De ovendeuren werden met een klap dichtgegooid, schaduwen dansten op de muren, plotselinge vonkenflitsen schoten door de lucht en het bestaan van *Seksualiteit in de Levant* in druk duurde nog geen vierentwintig uur en was voorbij toen de zon weer opkwam. Omdat hij in de woestijn had geleerd geduldig te zijn, had Strongbow dat wellicht nog kunnen accepteren. Maar niet wat er gedurende die nacht had plaatsgevonden.

Want het scheen dat het parlement op de avond van de publicatie in het geheim bijeen was gekomen om zijn verhandeling te bestuderen, en onder luid Schande Schande-geroep die zonder bedenkingen verachtelijk on-Engels had geoordeeld, en daarop unaniem een noodwet in het leven had geroepen die inhield dat met onmiddellijke ingang zijn titel als Hertog van Dorset nietig en vervallen werd verklaard, dat alle privileges die hem niet specifiek als individueel burger waren verleend, dienden te worden genegeerd en hem moesten worden ontnomen, en dat hij tot in de eeuwigheid in het gehele imperium diende te worden beklaagd.

De teerling was geworpen. Maar er was nooit enige twijfel over wie er uiteindelijk aan het langste eind zou trekken.

# 6 JHWH

*God besteedde Zijn tijd ongetwijfeld anders,*
*maar hoe?*

Rond het midden van de eeuw werd een spookachtige verschijning een vertrouwd beeld in bepaalde dorpen in Centraal-Albanië. Deze verziekte figuur, een uitgemergelde man met gapende gaten in zijn hoofd, blootsvoets, onbehaard en grotendeels naakt, hield zich op in de buurt van waterpoelen en kraamde onzin uit in een onbekende taal.

Doorgaans zouden de daar woonachtige boeren weinig consideratie hebben gehad met zo'n zonderlinge schooier en hem met hun knuppels mores hebben geleerd, maar de verschijning van deze leproosachtige man was zo onwerelds dat ze hem in plaats daarvan groenten aanboden. Zwijgend aanvaardde de spookverschijning hun uien en wortelen en vervolgde zijn raadselachtige weg die hem na enkele dagen altijd weer naar hen terugvoerde.

De taal die de boeren bij de waterpoelen hoorden bezigen was Aramees en de spookverschijning was niemand minder dan de laatste der Skanderbeg Wallensteins, die in de loop van zes of zeven verloren jaren op miraculeuze wijze zijn weg vanuit het Heilige Land terug naar huis had gevonden. De dorpelingen bij wie hij nu om een aalmoes bedelde, waren ooit zijn lijfeigenen geweest en de mysterieuze cirkel die hij beschreef, lag rond het kasteel van de Wallensteins, hoewel zijn ogen te zwak waren om de klippen boven hem, waarop het ooit had gestaan, te onderscheiden.

Er kwam verandering in toen hij zich in de buurt van een kerk waagde waar Bachs Mis in B Mineur werd gespeeld. De muziek riep vage herinneringen in hem naar boven aan een serre in een toren en aan de Albanese dialecten uit zijn jeugd, die hem in staat stelden de vragen te stellen die hem naar het kasteel leidden, waar hij in delirium ineenzeeg. Toentertijd woonden daar twee personen, een moeder, die ooit schoonmaakster belast met het onderhoud van de stallen was geweest, en haar jonge dochter. Alle andere bedienden waren lang tevoren gestorven of vertrokken nadat Wallenstein het familievermogen in Jeruzalem had opgesoupeerd.

Het kasteel zelf bevond zich in een deplorabele staat. De daken waren verdwenen en de bovenste verdiepingen waren ingestort. Er groeiden struiken waar generaties Skanderbeg Wallensteins ooit door gangen waren geslopen en argwanend over het omringende landschap hadden uitgekeken. Slechts één kamer temidden van de funderingen was intact gebleven, een kleine keuken waarin moeder en dochter hun intrek hadden genomen.

Ook zij zouden zijn vertrokken als de moeder niet invalide was geraakt ten gevolge van nierstenen die haar het lopen onmogelijk maakten. Maar zoals de zaken nu stonden, zouden ze niet weten waar ze heen moesten en als ze dat wisten hadden ze trouwens toch geen geld om een kar te huren die hen erheen kon brengen. Dus onderhield de dochter een pover moestuintje op een van de bovenverdiepingen en verzamelde brandhout van de brokstukken van vroegere raamkozijnen en meubels.

Het was de dochter die Wallenstein bewusteloos in de drooggevallen kasteelgracht aantrof. Hoewel zij een klein meisje was, nam ze de lichte knekelbaal zonder veel moeite op haar schouders en droeg hem tussen de puinhopen door naar de keuken, waar zij en haar moeder hun rokken in repen verband scheurden en kruidenpleisters aanbrachten. Die nacht lagen zij op de kale stenen terwijl Wallenstein op hun strobaal sliep.

Na verscheidene maanden te zijn verpleegd, begon Wallenstein tekenen van herstel te vertonen. De zweren op zijn huid genazen, zijn verkrampte vingers ontspanden zich, de troebelheid verdween uit zijn ogen, hij kon met één oor weer horen en zijn darmfuncties en speekselproductie beheersen. Het andere oor miste hij nog steeds en aan zijn door mieren weggevreten neus kon weinig worden gedaan, maar de dochter sneed een prachtig oor en een levensechte neus voor hem uit hout, die op hun plaats werden gehouden door een dun leren riempje dat op zijn achterhoofd werd vastgeknoopt.

De kruidengeneesmiddelen hadden een opmerkelijk effect op Wallensteins kwalen, met uitzondering van één, een hoge koorts waarvan de oorzaak onopgehelderd bleef. Wallenstein had voortdurend een lichaamstemperatuur van 39.5 en zou die zijn leven lang houden, maar hij was uitstekend in staat zich in deze nieuwe koortsachtige omstandigheid te handhaven. Wat moeder en dochter beiden zorgen baarde was de wijze waarop hij sprak, na uit zijn coma te zijn ontwaakt.

Want het was net alsof Wallenstein, na de grootste vervalsing in de geschiedenis te hebben volbracht, op onverklaarbare wijze was bekeerd tot dezelfde ketterijen die hij nu juist had willen corrigeren. Twee keer eerder had hij zich onderworpen aan extreme religieuze omstandigheden, de eerste keer aan de zwijgplicht van de trappisten en daarna aan de nog stringentere zwijgzaamheid en eenzaamheid van het kluizenaarsbestaan in de woestijn.

Nu kwam zijn derde omwenteling, een absoluut geloof in de verbijsterende tegenstrijdigheden van de Sinaï-bijbel waarvan het herschrijven hem bijna de kop had gekost. En omdat hij geloofde dat hij aan het einde der tijden leefde, was hij ervan overtuigd dat hij de complete tekst van het begraven origineel moest reciteren voor het geval zijn verbluffende verwarringen voorgoed verloren zouden zijn.

Zo stortte Walllenstein zich van volslagen stilzwijgen in volslagen spraakzaamheid, en praatte en praatte hij alsof hij nooit meer kon ophouden.

Als hij 's ochtends op de strobaal ontwaakte, zei hij nog wel eens iets begrijpelijks. Als hij rechtop in bed zat had hij de gewoonte Ik ben die Ik ben te schreeuwen over een schouder, de schouder onder het houten oor.

En vervolgens draaide hij zijn neus, wellicht om zijn woorden te benadrukken, of simpelweg omdat hij met dat oor niets kon horen, de andere kant op en schreeuwde met evenveel overtuigingskracht over zijn andere schouder Hij is die Hij is. Deze primaire aankondigingen herhaalde hij soms wel een keer of twaalf voor hij tevreden was over hun oprechtheid, waarna hij uit bed sprong, het voor hem klaargezette ontbijt negeerde en naakt door de kale ruïnes van zijn voorouderlijk kasteel begon te struinen op zoek naar de talloze veranderlijke personages die ooit ontsproten waren aan de verbeelding van een blinde man en een imbeciel, en altijd vond hij wel een menigte van gezichten in een ineengestorte muur, waar hij dan voor bleef stilstaan om de steenblokken de rest van de dag onvermoeibaar toe te spreken.

Of hij hield drie weken lang een voordracht tegen een boom, want het bouwvallige kasteel en de woestenij eromheen waren voor hem een mythisch land van Kanaän geworden, waarvan de stoffige bermen druk werden bevolkt door herders en priesters en schoenlappers en kooplieden in alle varianten, om nog maar te zwijgen van de veertigduizend profeten die, naar werd gefluisterd, sinds het begin der tijden aan de woestijn waren ontsproten.

Duisternis en sneeuw, herfst en windvlagen, lente en regen en de drukkende hitte van de zomer, niets kon Wallenstein ervan weerhouden zijn bezielde boodschap te prediken tegen de rotsen en de bomen en de struiken die hij abusievelijk aanzag voor de menigten die door zijn hoofd wervelden; Jesaja en Fatima en Jezus die naar hem luisterden terwijl ze op olijven kauwden, Jozua en Judas en Jeremia die luisterden en een wijnzak deelden, Ismaël en Maria die onder het luisteren elkanders hand vasthielden, Ruth en Abraham die in het gras zaten en luisterden terwijl Mohammeds vliegende paard boven hen zweefde en Elia en Haroen ar-Rasjied die gretig naar voren drongen, allemaal om hem heen krioelend om maar geen woord te missen dat ontsnapte aan de lippen van Melchizedek, de legendarische koning van Jeruzalem.

Want Wallenstein had zich inmiddels gerealiseerd wie hij was. Dit oude geheim was goed bewaard gebleven, maar hij kende het, dus marcheerde hij door de open galerijen van het kasteel, dan weer zegenend, dan weer waarschuwend, de hand hoopgevend of onderwijzend opgeheven, de armen wijd uitgespreid, waarbij hij betekenisloze spreuken proefde en met indrukwekkend luide stem herhaalde voor niemand in het bijzonder, terwijl de duizendeneen dromen door zijn geest dwarrelden.

Naarmate zijn lichaam zich herstelde, namen deze verbale uitspattingen toe in welsprekendheid en snelheid en kwamen de woorden zo rap uit zijn mond dat hij geen tijd meer had om ze te formuleren. Krachtige tirades werden afgestoken als louter kabaal. Hele preken werden ingekapseld tot een halve ademtocht, waar ze verdwenen nog voor ze waren geuit, de onuitgesproken lettergrepen onlosmakelijk en ononderscheidbaar met elkaar verweven.

Totdat het minste gerucht vanuit de buitenwereld, zelfs zijn eigen voetstap, hem kon doen vergeten waar hij zich bevond. Als dat gebeurde stak hij beschroomd zijn houten oor naar voren en voor enkele seconden leek het alsof hij verdwaald was, voor de zoveelste keer teruggedreven naar de diepe stilte van die piepkleine grot onder de top van de Berg Sinaï, die hij zo goed had gekend.

Maar even plotseling glunderde hij dan opeens weer van blijdschap. Honderden gezichten tekenden zich af in een rots, duizenden gezichten flankeerden de stam van een boom, een nieuwe zee van bewonderaars dromde om hem heen.

Wallenstein zette zijn houten neus recht en verschikte zijn houten oor. Hij was bereid. Met kracht barstte hij los in een zo mogelijk nog verwardere monoloog.

Sophia, de dochter, was acht jaar oud toen Wallenstein terugkeerde naar het kasteel. Omdat ze altijd in afzondering tussen de vervallen resten had gewoond en behalve haar moeder eigenlijk nooit iemand had gekend, had ze geen reden om Wallenstein als krankzinnig te beschouwen. Haar moeder had een opgezwollen lijf en deed nooit een mond open, Wallenstein had houten gelaatstrekken en hield geen moment zijn mond. Zo zat de wereld in elkaar voor Sophia die van nature ootmoedig en bedeesd was. Geleidelijk aan leerde ze hem lief te hebben als een vader en was hij in staat tederheid jegens haar te voelen in weerwil van de zwermen hallucinatorische gebeurtenissen die schreeuwden om zijn aandacht.

Toen ze oud genoeg was, probeerde ze zichzelf de fijne kneepjes van het zakendoen te leren in de hoop het kasteel te kunnen herstellen en zo zijn leven gerieflijker te maken. Geld kon nog steeds in zijn naam worden geleend, maar de geldschieters waren gewiekst en ze werd vaak vernederd.

Sophia de Zwijgster werd ze in de dorpen genoemd, omdat ze per gelegenheid nooit meer dan enkele woorden sprak. De mensen dachten dat dit te wijten was aan verlegenheid, maar eigenlijk kwam dit voort uit een eenvoudige en behoedzame angst dat al te veel woorden van haar kant het vreugdevolle geheim van haar nieuwe liefde zouden onthullen en dat die daarmee op onverklaarbare wijze zou worden verjaagd.

’s Nachts huilde ze eenzaam in het kasteel, de volgende dag keerde ze terug naar de geldschieters en leerde na verloop van tijd de investeringen te beheren. Nauwgezet betaalde ze alle schulden die op het kasteel rustten af en kocht ze de boerderijen en dorpen terug, zodat de bezittingen van Wallenstein uiteindelijk even omvangrijk waren als ooit.

Toen Sophia nog jong was, deden de nierstenen van haar moeder uiteindelijk haar organen barsten en ze overleed, de geadopteerde vader en dochter alleen in het kasteel achterlatend. Bijna terstond werden zij geliefden en dat bleven ze twintig jaar lang. Gedurende die periode had Wallenstein, ontroerd door een lijfelijk contact dat hij nooit eerder had gekend, heldere momenten waarop hij in staat was zich de oorspronkelijke bijbel die hij had gevonden te herinneren en Sophia de wonderen te beschrijven die daarin stonden, waarbij hij haar ook vertelde van de vervalsing die hij had gemaakt.

Ik moest het wel doen, fluisterde hij, ik had geen keuze. Maar er komt ooit een dag dat ik terugga en het origineel weer opgraaf.

Zijn stem brak toen hij die woorden uitsprak en hij begon hulpeloos in haar armen te schreien, wetende dat hij nooit zou terugkeren daar die momenten van helderheid voor hem te zeldzaam en te kort van duur waren om ooit nog iets belangrijks tot stand te kunnen brengen.

Het Armeense Kwartier? zei hij hoopvol. Het boek ligt daar waar ik het heb achtergelaten. Ik zal het toch terug kunnen vinden, of niet soms?

Natuurlijk kun je dat, antwoordde Sophia, hem dicht tegen zich aandrukkend en zijn tranen wegvegend, maar haar simpele liefde was geen partij voor de herinnering aan negentien jaar in het Heilige Land en de gruwelen van een berggrot en de littekens op de aarden vloer van een keldergat in Jeruzalem.

Je kunt het, zei ze, je kunt het je kunt het, herhaalde ze wanhopig terwijl ze voelde hoe zijn lichaam zich in haar armen ontspande en hij indommelde, waarbij de bedroefde verkramping van zijn gezicht al verslapte tot een imbeciele grijns.

Na twintig jaar raakte Sophia zwanger. Ze wilde het kind niet, maar Wallenstein bad en smeekte haar het te houden en uiteindelijk gaf ze hem zijn zin. Ze stemde er ook mee in het kind Catherina te noemen als eerbetoon aan het klooster waar hij zijn nieuwe geloof had ontdekt.

Het kind bleek een jongetje en Sophia noemde het prompt Catherina, maar zijn geboorte was de grote tragedie van haar leven. Vanaf die dag sprak Wallenstein nooit meer een woord tot haar, raakte hij haar nooit meer met een vinger aan en zag hij haar nooit meer, ook al stond ze vlak voor zijn neus. Zonder dat zij het wist had hij, achter zijn grijns, al enige tijd met de gedachte gespeeld dat hij wellicht niet slechts Melchizedek was, hoe doorluchtig die eerste priester uit de oudheid ook zijn mocht.

In het geheim vroeg hij zich al een tijdje af of hij soms God was.

Met de geboorte van zijn zoon werd hij door zijn eigen vermetelheid overmand en werd de toch al ongelooflijke overbelasting van zijn geest naar een ultieme of oorspronkelijke chaos gedreven. In zijn gedachten was Catherina Christus en daalde hij dadelijk af in de onbegrensde profetieën van de bijbel die hij in Jeruzalem had begraven, een visioen waaruit geen terugkeer mogelijk was.

En nu hij God was waren de heerscharen van zijn schepping zo talrijk, de dimensies van zijn universum zo weids, dat hij nooit kon ophouden met praten, zelfs geen moment. Toch voelde hij ook dat het beneden zijn waardigheid was om het woord te richten tot rotsen en bomen en struiken. Dat waren de taken van Melchizedek, brenger van de goddelijke boodschap.

God besteedde Zijn tijd ongetwijfeld anders, maar hoe?

Wallenstein spitste zijn houten oor in de hoop een vertrouwd geluid op te vangen. Toen hij God was geworden, werd hem, dat zal niemand verbazen, duidelijk dat ook God nimmer zweeg. Het zal niemand verbazen dat God net zo gestaag sprak als hij had gedaan toen hij Wallenstein was. Maar wat was er zo belangrijk dat alleen God het kon zeggen?

Een naam? Dezelfde naam die hij al jarenlang in zijn rappe redevoeringen had aangeroepen? Een naam die zo eerbiedig, zo snel, werd uitgesproken dat er nooit tijd was geweest om er klinkers in op te nemen? Een naam derhalve die alleen door Hem kon worden uitgesproken? Een naam die niets anders was dan geluid?

Wallenstein probeerde het. Hij zei het op heel luide toon.

JHWH.

Het klonk goed en hij herhaalde het, verbaasd dat hij, simpelweg door zichzelf bekend te maken, het gehele universum kon samenvatten en alles erin kon beschrijven, precies wat hij tijdens al die jaren van redevoeringen afsteken had gezocht, één enkel onuitsprekelijk woord aan het einde der tijden, zijn eigen naam.

JHWH.

Ja, hij had het timbre te pakken en het was een ongeëvenaarde methode om de waarheid te bekrachtigen.

Plotseling grinnikte hij. In één klap was hij gevorderd van het geheim van de blinde man drieduizend jaar geleden langs de stoffige wegen van Kanaän tot aan het geheim van de imbeciele scribent. Nu zou hij nooit meer de moeite nemen om lezingen af te steken tegen een steen of een boom of een struik. Nooit zou hij meer eten of slapen of meer of minder kleren aantrekken of door gangen en tuinen dwalen en zijn verhalen variëren om de waarheid te verifiëren. Nu zouden er voor hem geen winters en zomers of dagen en nachten aan de voet van de berg meer zijn.

Hij had zijn autobiografische voetnoot beëindigd, zegt eindigend einde aller eindes, en nu kon hij stil blijven staan en tot in alle eeuwigheid zijn eigen naam herhalen.

Bedroefd keek Sophia toe hoe hij zijn onzinnige kreten slaakte, wetende dat er maar één manier was om hem te redden, slechts één manier waarop hij kon leven, en dus pakte ze hem bij zijn hand en leidde hem door de diepste krochten van het kasteel naar een geluiddichte zwarte kerker, honderden meters onder de grond, liet hem op een brits plaatsnemen en deed de ijzeren deur op slot, waarna ze hem getrouw driemaal daags voedsel en water bracht en hem een uur of langer liefdevol streelde terwijl hij zijn onuitsprekelijke naam uitkrijste voor alle werelden die hij had geschapen, waarna ze behoedzaam zijn houten neus en zijn houten oor recht zette alvorens ze hem vaarwel kuste en de deur weer op slot deed, opdat er in de inktzwarte duisternis misschien momenten zouden aanbreken waarop hij zijn veelvuldige taken als schepper van alle dingen zou kunnen vergeten en er het zwijgen toe zou doen en tenminste elk dag het eten en de slaap zou vinden die noodzakelijk waren voor een leven dat de voormalige kluizenaar en vervalser dertig jaren had geleefd, en hij bleef onder het kasteel in leven tot 1906 en bereikte dankzij Sophia's liefdevolle verzorging de leeftijd van honderdenvier, diep begraven in het grenzeloze duister of licht dat God voor Zichzelf in het universum van Zijn grot had ontdekt.

# 7 De Tiberias Telegrammen

*De hartstocht van de vreemdeling*
*gaat uit naar zijn volk. Laat de*
*vreemdeling zich huiswaarts spoeden.*

Het nieuws over de triomfantelijke boekverbranding in Bazel en de noodwet die de regering tegen hem had uitgevaardigd, bereikte Strongbow door middel van een maanden oude Romeinse krant.

Toen hij in het kabbalistische centrum van Safad vertoefde, was hij op een ochtend naar Galilea gegaan om te vissen. Het was een frisse dag, het was stil op het land, het wateroppervlak was rimpelloos. Na verloop van tijd ving hij een visje en tastte in zijn mantel naar iets om het in te wikkelen, maar hij had niets anders bij zich dan een versleten exemplaar van de zohar.

Een tumult op de heuvel boven hem trok zijn aandacht. Een rumoerige groep Italiaanse pelgrims beklom de helling voor een ontbijtpicknick op de plek waar Christus de Bergrede had afgestoken. Terwijl ze voort ploeterden, brak een van de mannen ongeduldig een grote salami doormidden en nam er een flinke hap uit, het inpakpapier weggooiend, dat langs de heuvel omlaag dwarrelde in Strongbows richting.

Strongbow wilde net zijn vis in de krantenpagina wikkelen toen hij zijn eigen naam in een vettige kop die naar de bek van de vis wees zag opdoemen. Het bericht was glibberig maar bevatte alle essentiële feiten.

Strongbow bond onmiddellijk zijn zware bronzen zonnewijzer om zijn middel en struinde langs de kust naar Tiberias, waar een klein Turks garnizoen was gelegerd. Zonder een woord te zeggen, duwde hij de schildwachten opzij en baande zich een weg naar de privévertrekken van de Turkse commandant, een jongeman die, nog niet gekleed, aan zijn kopje ochtendkoffie zat te nippen.

De commandant griste zijn pistool van het nachtkastje en vuurde in het wilde weg alle negen kogels af op wat hij aanzag voor een reusachtig grote Arabier met een vis in zijn hand en een zonnewijzer om zijn middel en een boek over Joodse mystiek onder zijn arm. Toen de kogels zich in de muren hadden geboord, legde de Arabier doodgemoedereerd de vis op het nachtkastje en legde er een Maria Theresa-thaler naast.

Ik heb zojuist een plantenetende vis gevangen die zich voedt met algen en ik wil het nieuws van deze vangst naar Engeland versturen.

Wat?

Een St. Petrus-vis, nogal veel graatjes maar heel smakelijk. Hebt u een telegrafische verbinding met Constantinopel?

Ja, fluisterde de doodsbange Turk, terwijl hij eerst naar de vis keek, toen naar het boek, vervolgens naar de gouden munt en toen weer naar de cryptische, Arabische aforismen die in de zonnewijzer gegraveerd waren.

Mooi zo. Zend dan twee telegrammen voor me naar Constantinopel, naar iemand die je kunt omkopen of vertrouwen, met instructies dat die via een commercieel telegraafkantoor dienen te worden doorgestuurd naar een adres in Londen dat ik u zal geven.

Maar ik weet niet eens wie u bent.

Strongbow legde een tweede gouden munt op het tafeltje naast de vis. De ogen van de Turk werden speldenknopjes.

Hoe kan ik er zeker van zijn dat uw vangst authentiek is en dat uw vistochtje niet bedoeld is om het Ottomaanse Rijk te schaden?

Strongbow legde nog een munt op het tafeltje en de ogen van de Turk werden groot toen hij keek naar de zes glinsterende gouden borsten van de vroegere Oostenrijkse keizerin, die grotendeels ontbloot waren en die, na zestien kinderen te hebben gezoogd, indrukwekkend uitpuilden.

Of misschien zelfs bedoeld is om het Rijk te vernietigen?

Strongbow legde een vierde en laatste munt op het tafeltje, daarmee de vis met goud omringend. Hij hief zijn zonnewijzer op en bestudeerde hem.

Op dit moment in uw leven heeft de Profeet u voor een keuze gesteld.

O ja? Wat is die keuze dan?

Steek dit geld in uw zak, verstuur mijn telegrammen, geef bevel deze vis te bereiden voor uw middagmaal en knal elke ondergeschikte die zich schuldig maakt aan insubordinatie neer. Of, en dat is de andere mogelijkheid, weiger het geld aan te nemen, dan zal ik u en al uw manschappen neerknallen, de telegrammen eigenhandig versturen en de vis bereiden voor mijn eigen lunch.

De lange Arabier keek opnieuw op zijn zonnewijzer. Eigenlijk was deze geestverschijning uit de woestijn zo onnatuurlijk lang en zelfverzekerd dat de Turk zich afvroeg of hij wellicht zelf de Profeet was, in welk geval het geen verschil uitmaakte wat hij besloot. En hoewel hij er nog steeds voor terugschrok de telegrammen via de militaire kanalen te verzenden, vormden de acht bolle borsten van Maria Theresa samen een flinke som geld.

Het is tijd, zei de geestverschijning, de Turk met een ruk uit zijn mijmeringen doen opschrikkend. Onmiddellijk stak hij zijn hand in de la van het nachtkastje en pakte pen en papier.

Allah moet het zo hebben gewild, zei hij zuchtend.

Daar heeft het inderdaad alle schijn van, mompelde Strongbow, die al snel bezig was series van vier letters neer te pennen.

Natuurlijk waren Strongbows codes onmogelijk te ontcijferen en konden ze uitsluitend worden gelezen door zijn notaris in Londen, die bepaalde verzegelde enveloppen in zijn brandkast had liggen die, wanneer hem dat werd opgedragen, dienden te worden gebruikt bij de ontcijfering.

Het eerste telegram instrueerde de notaris het landhuis van de Strongbows in Dorset en de talloze percelen die daar deel van uitmaakten te verkopen. Ook moest hij alle andere Strongbow-bezittingen die zich overal verspreid over het industriële noorden en Ierland, Schotland en Wales bevonden liquideren en daarbij gebruik maken van honderden tussenpersonen opdat de enormiteit van deze financiële transacties geen argwaan zou wekken.

De gigantische sommen geld die al die verkopen opleverden, moesten vervolgens op slinkse wijze worden overgemaakt naar banken in Praag om uiteindelijk in een Turks consortium te worden ondergebracht. Pas als de laatste duit van het Strongbow-fortuin veilig uit Engeland weg was, mocht de notaris het tweede telegram dat hem uit Tiberias was toegestuurd ontcijferen.

Hoewel het eerste telegram lang en gedetailleerd was geweest, was het tweede beknopt. En hoewel Strongbow weigerde het volledig te adresseren, was het gericht aan koningin Victoria.

Erin merkte Strongbow, zijn eigen familie als voorbeeld opvoerend, op dat de kwaliteit van het seksuele leven in Engeland de afgelopen zevenhonderd jaar rampzalig was verslechterd. Hij gaf toe dat de koningin waarschijnlijk niet bij machte was daar iets aan te veranderen, maar merkte tegelijkertijd op dat zijn zelfrespect hem niet langer toestond deel te hebben aan een dergelijke troosteloze teloorgang.

Daarom deed hij afstand van zijn staatsburgerschap. Nooit zou hij meer één voet ten westen van de Rode Zee zetten. Vervolgens besloot hij met een serie scabreuze beschuldigingen die de obsceniteiten in *Seksualiteit in de Levant* nog overtroffen.

MEVROUW, U BENT EEN KLEINE EN BEKROMPEN MOEDER DIE REGEERT OVER EEN KLEIN EN BEKROMPEN LAND. HET WAS ONGETWIJFELD GOD DIE U BEIDE KLEIN HEEFT GE-

SCHAPEN, MAAR WIE MOETEN WIJ DIE BEKROMPENHEID VERWIJTEN?
HET ZOU MIJ NIETS VERBAZEN ALS UW NAAM IN DE TOEKOMST ONLOSMAKELIJK VERBONDEN ZAL BLIJVEN MET LELIJKE PRULLARIA, DONKER, PLOMP MEUBILAIR EN STIEKEME, BOOSAARDIGE GEDACHTEN, MET ARROGANTE BOMBAST EN KINDERPROSTITUTIE EN EEN HELE RIS ANDERE GROVE PERVERSIES.

KORTOM, MEVROUW, UW NAAM ZAL WORDEN GEBRUIKT OM DE VRESELIJKSTE ALLER GEHEIME SEKSUELE AANDOENINGEN MEE AAN TE DUIDEN, EEN PREUTSE HUICHELACHTIGHEID DIE ONDER ZIJN ZWARE LAVENDELGEUR EEN WEERGALOZE STANK VERSPREIDT.

Het adres op het telegram luidde Hanover, Engeland. Als afzender stond vermeld Plantagenet, Arabië.

Zo had de dove jongen die ooit, lang geleden, met een lans in zijn hand, het familielandgoed had ontdaan van zeshonderdenvijftig jaar frivole historie, nu eindelijk het gevoel dat hij zijn vocatie had gevonden. Het enorme vergrootglas en de bronzen zonnewijzer dienden terzijde te worden gelegd. Op zestigjarige leeftijd had hij besloten een hakim of genezer te worden en de armen in de woestijn gezond te maken.

Uiteraard kon hij onmogelijk weten dat de toevloed van zijn immense fortuin naar Constantinopel, in naam nog de hoofdstad van de woestijn maar toen al hopeloos corrupt, onvermijdelijk repercussies zou hebben die de stad verre zouden overstijgen, totdat aan het einde van de negentiende eeuw niet alleen de woestijn maar het gehele Midden-Oosten het eigendom zou zijn van één man, een magere, blootsvoetse reus die nederig sprak als een Arabier en af en toe vernederd werd als een Jood, die inmiddels beide was geworden, een Arabier én een Jood, een ononderscheidbare semiet die woonde in een rafelige open tent en zijn schapen hoedde.

Van Galilea wandelde hij naar Constantinopel en begon daar de banken en concessies en dochterondernemingen op te richten die ervoor zouden zorgen dat zijn fortuin zich zonder zijn inmenging zou ontwikkelen. De ene dag was hij een Perzische potentaat, de volgende een Egyptische emir, de derde een Bagdadse bankier.

Hij verwierf zich een meerderheidsbelang in de posterijen en het telegrafisch systeem, kocht alle staatsobligaties op en bracht nieuwe in circulatie, werd de geheime betaalmeester van de Turkse landmacht en marine, kocht de afstammelingen van de Janitsaren om, overlegde met pasja's en ministers en reserveerde trustfondsen voor hun kleinzonen, verwierf zich de exploitatierechten van de waterputten in Mekka en alle waterputten op alle hoofdwegen die naar Mekka leidden, kocht tweehonderdenvierenveertig industriële bedrijven binnen de Turkse invloedssfeer, ontsloeg en herbenoemde de Armeense, Griekse, Oud-Griekse en Syrisch-Griekse patriarchen in Jeruzalem en de Koptische patriarch in Alexandrië, huurde vierduizend kilometer spoorlijn, stelde bruidsschatten in voor de dochters van de belangrijkste landeigenaren tussen de Perzische Golf en de Anatolische hooglanden en herstelde de gouden mozaïeken en polychrome marmerwerken van Santa Sophia zodat, tegen de tijd dat hij klaar was om de stad te verlaten, iedereen die zich ooit een machtspositie in dat deel van de wereld zou verwerven aan hem rekenschap zou moeten afleggen.

Hoewel niemand het wist, had hij het Ottomaanse Rijk gekocht.

En evenmin was er iemand die wist dat hij de vernietiging van het Britse Rijk al had gewaarborgd door het langzaam in een dal te laten afglijden waaruit het nooit meer zou kunnen oprijzen. Sommigen zouden het begin van dat verval dateren op de dag dat zijn barbaarse karavaan met zijn monsterlijke lading Oosterse wetenswaardigheden in Venetië aan wal was gegaan. Of een twaalftal jaren eerder, toen hij voor het eerst plaatsnam op de reusachtige stenen scarabee in Jeruzalem om die noodlottige kennis op schrift te stellen. Of misschien zelfs nog vele jaren daarvoor toen hij in een monografie over bloemen had laten doorschemeren dat van Engelse vrouwen in de Levant bekendstond dat ze zweetten.

Maar al die data waren te recent. Honderd jaar was een aannemelijker tijdspanne voor de ineenstorting van een imposant imperium, dus was die onomkeerbare neergang waarschijnlijk ingezet op die warme avond in 1840 in Caïro, toen een lachende, spiernaakte jonge Strongbow de receptie ter ere van de eenentwintigste verjaardag van koningin Victoria de rug toekeerde en over een tuinmuur sprong om aan zijn hadj te beginnen.

En nu, veertig jaar later, gebeurde het op een regenachtige oktobermiddag dat een lange uitgemergelde man plechtig zijn zaken in Constantinopel afsloot en naar een verlaten stukje van de Bosporus liep, de wolken uiteen zag wijken en in een drijfnat olijfbosje de zon boven Europa zag ondergaan, een man die zich vervolgens ceremonieel ontdeed van de ringen, de met juwelen afgezette sandalen en van de met filigreinwerk gesierde hoofdtooi die deel uitmaakten van zijn laatste vermomming, die in het voorbij stromende water wierp en door het doornige olijfbosje terugklauterde om, nu blootsvoets en enkel gehuld in een gehavende mantel, zelfs zonder de minste bagage, voorgoed te verdwijnen en zijn schreden zuidwaarts te richten naar het Heilige Land en misschien nog verder.

Niemand had enig vermoeden van het verlies, maar Strongbow had Europa veel meer ontnomen dan een geweldig vermogen. Hij had tevens een onvervangbaar visioen buitgemaakt dat uitzicht bood op nieuwe werelden en daar naar speurde, een levenskracht die zich voedde met de rauwkost van begoochelingen.

Het Westen zou er nooit meer een Strongbow op uitsturen. Na hem zouden er delegaties komen en commissies, genieofficieren en kazernes, rondreizende rechtsorganen en toevallig voorbijtrekkende zwervers op kamelen. Die gebeurtenissen lagen nog in het verschiet, maar de grootste aller overwinningen was volbracht, de expeditie die uitsluitend op touw kon worden gezet door één man uit de talloos velen die zijn hart bevolkten.

In zijn rol van hakim droeg hij niet langer kalomel of kinine of rabarberzaadjes bij zich. Nu genas hij enkel nog door middel van hypnose.

Gewoonlijk nam hij achter zijn patiënten plaats zodat hij hun lippen niet kon zien en de woorden kon lezen die zij dachten uit te spreken, en daarmee stelde hij zichzelf in staat gebruik te maken van de kennis van de woestijn om naar hun ware gevoelens te luisteren. Na een tijdje zei hij tegen de man of vrouw zich om te draaien en hem aan te kijken.

Inmiddels was de patiënt al terdege gewend aan een leeg vergezicht en was de plotselinge confrontatie met de gigantische bewegingloze aanwezigheid van de hakim, met name met zijn doordringende blik, verpletterend. Krachtig, peinzend, contemplatief, de grote ogen die zich in die van de patiënt boorden, die onmiddellijk in zijn macht was.

De hakim zei niets in woorden. Met zijn ogen hervormde en herbevolkte hij de kale woestijn met elementen uit het rijke landschap van de geest van zijn patiënt, vond verre zandheuvels, herschikte kostuums en bezocht vergeten hoekjes, keurde de klank van de winden, proefde het water van kleine bronnen.

Zoals het een botanist betaamt, plantte hij zaadjes en kweekte die op tot bloemen. Behoedzaam blies hij de bloemen heen en weer tot hun contouren glinsterden in de zon. Regelmatig mat hij de reikwijdte van de horizonten.

De ogen spraken een laatste keer en de patiënt ontwaakte uit zijn trance. De hakim zei hem over een dag of een week terug te komen en als de astma of het astigmatisme dan nog niet verminderd was, stelde hij voor dat ze nogmaals samen zouden plaatsnemen om naar de woestijn te staren.

Tegelijkertijd maakte de hakim van de gelegenheid gebruik om een persoonlijker kwestie te onderzoeken. Sinds de dag dat hij Jeruzalem had verlaten, had hij nagedacht over dat obscure gesprek in archaïsche talen tussen een mol en een kluizenaar voor de monding van een grot op de Berg Sinaï. En na ampele overwegingen was hij tot de overtuiging gekomen dat er in die piepkleine grot daadwerkelijk een verbijsterende transformatie had plaatsgevonden, en dat de bijbel die als de oudste op aarde werd beschouwd niet meer was dan een vervalsing van ontzagwekkende afmetingen.

Natuurlijk kon hij onmogelijk weten wat er in de echte Sinaïbijbel stond, hij kon slechts naar zijn inhoud gissen. Toch was hij ervan overtuigd dat hij de sleutel tot zijn eigen leven bevatte. Hij kreeg een merkwaardige ingeving en begon zijn patiënten dezelfde vragen te stellen die hij zichzelf al zo lang had gesteld.

Heb je wel eens gehoord over een mysterieus, verloren gegaan boek waarin alle dingen beschreven staan? Een boek dat ontwijkend, ongeregistreerd en onbeschaamd tegenstrijdig oneindigheid suggereert?

Zijn patiënten roerden in de diepten van hun hypnotische trances. Soms duurde het even voor zij antwoord gaven, maar de antwoorden leken steeds weer dezelfde. Zij dachten dat ze wel eens van het boek hadden gehoord. Misschien was hun eruit voorgelezen toen ze nog klein waren.

De hakim vervolgde zijn heilzame werk tot het einde van de dag, wanneer hij in zijn eentje neerzat en zich verwonderde over de eensluidendheid van de antwoorden. Zou het feit dat zoveel mensen wisten van het verloren geraakte boek kunnen betekenen dat ze er allemaal onbewust aan hadden bijgedragen? Dat het zoekgeraakte origineel kon worden teruggevonden door zich te verdiepen in de hypnotische trances van iedereen op aarde?

De hakim wankelde onder het gewicht van deze openbaring. De waarheid was onthutsend, de taak hopeloos. Voor het eerst in zijn leven voelde hij zich machteloos.

Somber dacht hij terug aan de tientallen jaren dat hij onafgebroken in het lichtspoor van de maan door vloedgolven zand had gesjokt op zoek naar de heilige plaats die Pater Yakouba ooit had genoemd. De herinnering aan die bedaarde en beminnelijke dwerg vervulde hem nu met een verschrikkelijke droefenis, want zijn hadj was voorbij en hij wist dat hij zijn heilige plaats niet had gevonden. Waarom had hij gefaald? Waar waren de voetsporen aan de hemel?

Reusachtig en eenzaam in het schemerdonker zeeg de grootste ontdekkingsreiziger van zijn tijd door de knieën en keek traag naar de schaduwen die hem omringden, verloren en wetende dat hij verloren was, daar blijvend tot in het ochtendgloren een jongeman op hem toe kwam lopen.

O, verheven hakim?

Ja, mijn zoon.

Ik ben ziek en lusteloos.

Ja, mijn zoon.

Kunt u me helpen, zoals van u wordt gezegd?

Ja. Ga zitten en keer me je rug toe en richt je ogen op die adelaar in de verte, die zich verheft en omlaag duikt in het eerste licht van de dag en die duizend jaren leeft. Zijn wij in staat zulke paden te volgen? Zou het mogelijk zijn dat zijn vlucht de reis van de Profeet aangeeft, de ware route duidt die een man volgt van de dag van zijn geboorte tot de dag van zijn dood? De wervelingen van de koran nemen vormen aan en laten die vormen weer varen, net als de golven in de woestijn en ja de oase kan klein zijn. Maar toch, we zullen haar vinden.

Op een middag keek een schaapherder toe hoe de hakim zijn geneeskrachtige werk deed op een helling in Jemen en liep, toen hij klaar was, naar hem toe. Hij was een kleine, corpulente man die gewoon was voortdurend te glimlachen en eerder waggelde dan liep. Zo waggelend bereikte hij de helling waar hij van zijn ene op zijn andere been dansend bleef staan.

Salaam aleikum, vereerde hakim. En wie mag u wel wezen?

Aleikum es-salaam, broeder. Een man die de weg is kwijtgeraakt.

Ach, zijn wij niet allen de weg kwijt, doch staat er niet geschreven dat elke mens een eigen bestemming heeft?

Dat is zo, en ook dat geen mens weet in welk land hij zal sterven. Maar vertel eens, wat scheelt u, broeder?

Zo zakelijk, hakim, maar ziet u, het gaat niet om mij. Ik heb alleen de gebruikelijke kwalen die zullen worden genezen als die dag zich aandient. U bent degene over wie ik het wil hebben.

Ik, broeder?

Ja. U hebt iets onder de leden en niemand ziet een vriendelijk man graag lijden.

Zoals u al zei, als die dag zich aandient.

Nee nee, hakim, dat bedoelde ik in het geheel niet. Maar wilt u niet meekomen naar mijn tent voor een kopje koffie? De dag is ten einde en het is tijd om het stof te verlaten. Waarom komt u niet meteen mee? Kom.

De kleine man trok aan de mouw van de hakim en toen de hakim opstond lachte de kleine man luidkeels.

Wat is er?

Wij tweeën, ziet u het niet? Toen u nog zat was ik even groot als u, maar nu ben ik opeens nog maar half zo groot. Wat kunnen we daaraan doen? Moet een hakim altijd zitten terwijl een arme schaapherder altijd staat? Het is een wonder, dat is het.

Wat?

Zijn verscheidenheid, Zijn gaven. Maar kom, broeder, zoals u mij noemt, de dag is voorbij en er is goede koffie te drinken. Ja, kom maar meteen mee. Ik heet Ya'qub, kom.

Hij lachte nogmaals en ze gingen op weg; de grote, magere hakim, waardig ondanks zijn lompen, en de kleine gedrongen herder, vrolijk neuriënd terwijl hij voort huppelde en probeerde zich aan te passen aan de grote stappen van de man die hij wilde voorgaan naar zijn woning.

De hakim drapeerde zijn lompen om zich heen en Ya'qub zette koffie. Nu stond het gezicht van de kleine man ernstig en sprak hij met nadruk.

Ik heb gezien hoe je de zieken geneest met je ogen, hakim, en daar verricht je goed werk mee. Maar wist je niet dat ook jouw ogen gelezen kunnen worden? Dat kunnen ze en vandaag heb ik ze gelezen. Vergis ik me als ik zeg dat je zoveel hebt gereisd dat je alles hebt gezien?

Dat zou kunnen kloppen.

En dat de dingen die je hebt gezien en gedaan je niet langer interesseren?

Dat is juist.

Ja, natuurlijk, want je wordt oud, net als ik. Maar zo oud zijn wij nu ook weer niet, hakim, pas zestig en nog wat, veel stelt het niet voor. En klopt het ook als ik zeg dat je erg rijk bent? In het geheel niet de arme man voor wie je je uitgeeft?

Hoe kom je daarbij, broeder?

Hier bedoel ik, in je hart, omdat je zoveel heb gezien. Is het niet zo dat je een van de rijkste mannen ter wereld bent? Misschien wel de rijkste van allen?

Het zou kunnen.

Nee, nee, helaas voor jou is dat niet het geval. Je verdient het zeker, maar je bent het niet. En toen je eerder verklaarde dat je alles had gezien, toen was ook dat niet waar. Je bent een goed en innemend mens, maar in de tweede helft van je leven ben je door een aandoening getroffen.

Ik word oud, dat is alles.

Nee nee, het is niet je leeftijd, het is iets anders. Weet je het ondanks al je reizen echt niet? Zie je het niet met die scherpe ogen van je, jij die in al het andere zoveel ziet? Tja, als je het zelf niet ziet, zal ik het je moeten vertellen. Het is eenzaamheid, hakim, dat is je ziekte. Je bent helemaal alleen. Heb je nimmer een vrouw bemind en een kind gehad?

Het eerste wel, maar het tweede niet.

Bedoel je dat je een vrouw hebt liefgehad?

Ja.

Maar was dat lang geleden in een ver oord?

Ja.

Maar hoe lang geleden, simpelweg jaren en jaren? Een heel lange tijd?

Als veertig jaar een lange tijd is, dan ja.

En dat verre oord, zou dat vreemd overkomen op een arme schaapherder uit Jemen?

Hij zou het vreemd kunnen vinden, ja.

Bedoel je dat er paleizen en fonteinen en olifanten zijn? Deze en talloze andere wonderen? Dat alles en nog veel meer? Hoe zou zo'n oord kunnen heten?

Perzië.

De kleine man klapte in zijn handen en nu was alle ernst uit zijn gezicht geweken. Hij lachte en verkneukelde zich.

O, ik heb erover gehoord, hakim, wis en waarachtig heb ik gehoord over Perzië met zijn olifanten en fonteinen en paleizen, maar ik heb nog nooit iemand ontmoet die er is geweest. Wil je me er alles over vertellen? En ook over de vrouwen? Voor mannen van onze leeftijd is het een goed ding om herinneringen op te halen aan de liefde, behalve die liefde nog te bezitten gaat er niets boven. Dus vertel me alsjeblieft alles, hakim. Dit is kostelijk nieuws dat je naar mijn heuvel brengt.

Ja ja, fluisterde hij en hij sprong op, scharrelde door de tent, tevergeefs op zoek naar meer koffie om te zetten, botste in zijn haast tegen een lamp op, stootte die omver, lachte om de lamp en botste tegen de tentpalen op, lachte daar weer om, vond eindelijk koffie en ging met groot genoegen zitten en wiebelde lachend en sloeg zijn korte armpjes over elkaar alsof hij het genot al ervoer dat een verhaal over liefde en Perzië hem zou bezorgen.

أَلحج

Het verhaal dat Ya'qub te horen kreeg, was totaal niet wat hij had verwacht. De hakim begon langzaam, bij uitzondering nu eens niet zeker van wat hij moest zeggen, zelfs niet zeker waarom hij deze vreemdeling vertelde van het lieftallige Perzische meisje dat hij ooit, gedurende enkele weken en niet meer, had gekend, voordat ze stierf ten gevolge van een epidemie en ook hij ziek werd en een tijdlang gedeeltelijk blind was en in zijn droefenis de koran uit zijn hoofd had geleerd en een meester-soefi was geworden voordat hij verder reisde om de rituelen van duizend stammen te ontsluieren.

Terwijl Ya'qub luisterde naar deze lange, magere man, drong het tot hem door dat hij, hoe goed en invloedrijk ook, niet zomaar een hakim was, maar een doler die op vele plaatsen vele mannen was geweest, een figuur vermomd in vele gewaden, een waarlijk grootse en veranderlijke geest.

Een djinn?

Ja, een djinn, maar dat was voorheen. Nu was hij een man met een kwaal.

Ya'qub luisterde naar zijn gast en keek naar zijn ogen. Hij knikte toen de hakim was uitgesproken.

Ben je doof?

Ja.

Maakt niet uit. Iedereen kan doof zijn of iets dergelijks en alle mensen zijn het.

Er is maar één persoon naast jou die dat ooit heeft geraden.

En die hoorde het ook, net als ik, en natuurlijk heette hij ook Ya'qub, is het niet?

Ja, maar waarom?

Maar waarom en waarom? herhaalde Ya'qub vrolijk. Hoe had

het anders kunnen zijn? Als dingen zich op een bepaalde manier voordoen dan moeten ze zo zijn. Maar je glimlacht nu, hakim, en waarom is dat? Hoe kan een man die niets heeft gedaan en nergens is geweest je aan het lachen maken? En dat dolen van jou had meer om het lijf dan lukraak dolen, of niet soms? Al die tijd dat je voorgaf een hadj te maken, was je eigenlijk op zoek naar een zoek geraakt boek, hè? Dat verhaal van het Perzische meisje maakte er deel van uit, maar ook een heleboel andere dingen en dat is de reden dat je zoveel grapjes en raadsels en flarden van versjes op zoveel heilige plaatsen hebt opgepikt. Geef het maar toe, omdat je dacht dat die ook deel uitmaakten van het boek.

Versjes, vroeg de hakim. Grapjes en raadsels?

Aha, daar heb ik je te pakken, hè? Luister, dan zal ik jouw verhaal precies navertellen zoals ik het heb gehoord.

De kleine schaapherder liet zijn borst opzwellen en begon te neuriën. Hij wiebelde naar voren en naar achteren, floot, spreidde zijn korte armpjes uit, sloeg zijn handen ineen, dreef 's nachts naakt de Tigris af, stak zwemmend de Rode Zee over, drong door tot Mekka en Medina en bleef wat langer hangen in Safad, liep vierduizend kilometer naar Timboektoe om de andere Ya'qub te ontmoeten, nam op de heenweg en op de terugweg een voetbad in het Tsjaadmeer, marcheerde de Sinaï door, twee zonsondergangen en drie zonsopgangen negerend, berekende de loop van een onbekende komeet in Noord-Arabië, sprak met een glibberige papierleverancier en een ongrijpbare antiekhandelaar, terwijl hij in een gewelfde ruimte in Jeruzalem driehonderd miljoen woorden opschreef, nam bezit van een imperium en stortte een ander in het verderf en reed uiteindelijk op een olifant naar een paleis, ging uiteindelijk naast een fontein in het paleis zitten om uit te rusten, leunde uiteindelijk achterover met een kopje koffie om de oude nieuwe lijnen in de palm van zijn hand te lezen.

Zie je wel, zei Ya'qub. Zo is het toch gegaan? Fragmenten uit een magisch boek dat altijd al geschreven was? Of is het ooit geschreven? Of zal het ooit worden geschreven? Nou, ik weet alles over dat boek, hakim. Wat? Natuurlijk weet ik dat, ik kan niet ouder dan drie of vier jaar zijn geweest toen ik de mensen er voor het eerst over hoorde praten. Maar hakim, de vraag is waarom zouden we ernaar blijven zoeken als we het zelf zouden kunnen schrijven. Of beter nog, het op onze oude dag uitputtend bespreken? Waarom zoeken wat doorleefd kan worden? Zou deze tent wellicht het paleis kunnen zijn waarnaar in de legende wordt verwezen? Weten wij samen inmiddels niet voldoende? Een oude man die nergens is geweest, een oude man die overal is geweest? Met tussen ons al die geschenken en wonderen, geen enkele uitgezonderd? Geef het nu maar toe, hakim, deze heuvelhelling bevalt je, is het niet? Natuurlijk bevalt het je hier en dat is de reden dat je hier zult blijven. Er bestaat vast wel een Arabisch spreekwoord dat hierop betrekking heeft. Wat zou dat kunnen zijn?

De hartstocht van de vreemdeling gaat uit naar zijn volk. Laat de vreemdeling zich huiswaarts spoeden.

Ja ja, prachtig, laat de vreemdeling zich huiswaarts spoeden, daar is geen speld tussen te krijgen. Toch zeg je dat het je meer dan zestig jaar heeft gekost, en dat is de reden dat je glimlacht als je om je heen kijkt en je nieuwe thuis aanschouwt. Tja, dat is slechts één van Zijn raadseltjes, waar zou de wereld zijn zonder een paar raadseltjes en flarden van versjes? Een en al plechtig ceremonieel, niets dan gewichtige drammerigheid. Hoe dan ook, wat moet het een heerlijk gevoel voor je zijn om eindelijk onder je eigen volk te verkeren, om je eindelijk thuis te voelen. Dat moet toch de op een na grootste zegening zijn. Nee, op twee na.

En welke zijn dat, Ya'qub?

De eerste is de vrouw die je liefhebt, de tweede is het kind dat ze je zal schenken. Maar daar hoeven we niet over in te zitten, want binnenkort zul je allebei bezitten.

O ja?

Natuurlijk, het staat in je ogen te lezen, zo duidelijk als wat. Maar nu moet ik even naar mijn dochter om haar te zeggen dat we een gast aan tafel hebben, al dat gepraat over afgelegen oorden heeft me hongerig gemaakt. Wat is het toch heerlijk om aan het einde van de dag iets te vinden dat je verloren waande. Maar kijk eens aan, nu glimlach je niet alleen maar je schatert het zelfs uit. Waarom maak je je vrolijk om een man die nooit ergens is geweest of nooit iets heeft gedaan? Er zal nog voldoende worden gelachen als de mensen ons samen zien wandelen, jij met je hoofd in de wolken en het mijne laag bij de grond. We zullen er samen belachelijk uitzien en ze zullen ons uitlachen, maar daar is niets aan te doen want zo moet het zijn.

Hoe moet het zijn, Ya'qub?

Wat ik zojuist in je ogen zag fonkelen, waarom probeerde je het verborgen te houden? Jouw huwelijk met mijn dochter natuurlijk. En over een jaar of minder een zoon. Maar waarom lach je nu voor een derde keer, o voormalige hakim? Had je zelfs dat niet gelezen in dat verloren boek van je toen ik je vanmiddag vond? Wist je niet dat lang geleden geschreven stond dat deze helling in Jemen ooit jouw thuis zou worden? Dat wat jij zo lang hebt lopen zoeken de vredigheid van juist deze tent is?

# Deel twee

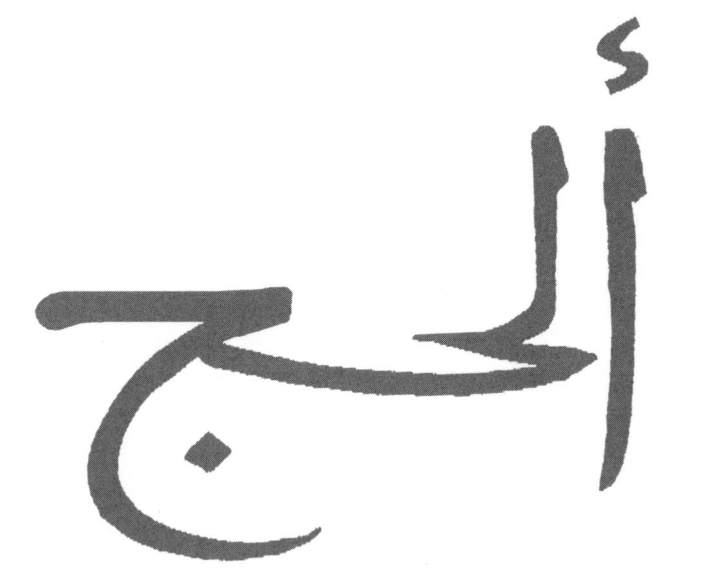

# 8 O'Sullivan Beare

*Wij zelve.*

Zo'n slordige dertig jaar voordat de ooit illustere Generalissimo Wallenstein een vluchteling was geworden in de nevelen van noordelijk Bohemen, werd het kasteel van een Ierse bendeleider die O'Sullivan Beare heette platgebrand en werd zijn volk in County Cork afgeslacht door de Engelsen. Er zat voor hem niets anders op dan zijn land te verlaten en te vluchten, wat hij dan ook deed, van het zuiden naar het noorden van Ierland, met ongeveer duizend van zijn mensen.

De maand was januari en het was zoals gewoonlijk ijzig koud. Legers hadden de achtervolging ingezet en zoals gewoonlijk heerste er een hongersnood in het land. O'Sullivan Beare legde in vijftien gruwelijke dagen driehonderd kilometer af en kwam met slechts vijfendertig overlevenden in het noorden aan. Na die heroische mars werd de clan vermaard in zuidwestelijk Ierland, waar ze afwisselend bekendstonden als de O'Sullivan Foxes, als ze nuchter en gewiekst waren, en als de O'Sullivan Beares als ze dronken waren en amok maakten.

De beer en vos die voor Strongbows zoon de eerste wapens naar de Haganah smokkelde, werd geboren op een van de piepkleine Aran Eilanden die ten westen van het land lagen; een kale, verwaaide buitenpost in de Atlantische Oceaan, die zo arm was dat hem zelfs geen aarde gegund was. Het eiland had nooit meer dan enkele honderden zielen geteld, maar in de loop der eeuwen waren er wel honderd heiligen geboren. Geen enkel gebied in de Christelijke invloedssfeer had ooit zoveel heiligen voortgebracht en algemeen werd aangenomen dat dit kwam omdat het zo'n desolate plek was dat er voor de bevolking niets anders opzat dan zich te laten canoniseren, te emigreren of zich gedurig klem te zuipen.

Of grote gezinnen te stichten, wat ze ook met volle overgave deden. Zeven of acht kinderen was normaal en vijftien of twintig was geen uitzondering, maar Joe's familie spande de kroon omdat hij een – de jongste – was van drieëndertig broers. En dit enorme nest was verwekt door een arme visserman die zelf de zevende zoon van een zevende zoon was, wat betekende dat hij, als hij zich daartoe geroepen voelde, over een onfeilbaar profetisch talent beschikte. Gezien de traditionele verlegenheid van de eilandbewoners was het niet verbazingwekkend dat hij zich daar uitsluitend toe geroepen voelde als hij straalbezopen was, wat precies drie keer per jaar voorkwam, na de kerstmis, na de paasmis en op 14 juni, de feestdag van de beschermheilige van het eiland.

Op die dagen werd er een vat donker bier in de hoek van de kamer geplaatst en alle mannen uit de buurt kwamen langs om te dansen en te zingen en verhalen te vertellen, daar Joe's vader de onbetwiste koning van het eiland was, niet alleen omdat hij de gave bezat maar ook omdat hij drieëndertig zonen had.

Voor de jonge Joe vierde de magie hoogtij op die bijzondere avonden, de fratsen van de kobolden en de jammergeesten en vooral van het kleine volk, de in groepjes opererende plagerige elfen die je zelden zag maar vaak gewaar werd, die tot de knieën reikten en felgroene jakjes en platte rode mutsen en schoenen met gespen droegen en guitig de tijd doodden met feesten en zingen en het onbeschaamd houden van werpwedstrijden op het strand. En dan waren er de verrichtingen van zijn broers overal op aarde, afgewisseld door zijn vaders profetieën, bovennatuurlijke gebeurtenissen in de ogen van een jonge jongen die opgroeide op een mistroostig en regenachtig stukje land in de Atlantische Oceaan, waar de rest van het jaar werd doorgebracht op zee, in een kano van koeienhuid, waar men de koude golven trotseerde om voor het ochtendgloren kilometerslange netten te leggen.

Wonderbaarlijke en bijzondere avonden voor de jonge Joe totdat op die juni-avond in 1914 zich de meest beslissende aller profetieën aandiende.

Die avond had zijn vader gezongen noch gedanst, eigenlijk had hij zelfs geen woord gesproken. In plaats daarvan had hij tot ver na middernacht somber voor zich uit starend bij de haard zitten drinken.

Sommige van zijn vrienden hadden een aanzet tot zingen en dansen gegeven, maar dat was op niets uitgelopen. De hele kamer wachtte tot de koning zou beginnen aan zijn gebruikelijke verhalen over vroegere en toekomstige wonderen, en ze wisten niet wat ze zonder die moesten beginnen. Doch de koning zat daar maar in het turfvuur te staren en zonder een kik te geven pinten donker bier achterover te slaan.

Het was angstaanjagend. Zo hoorde de koning zich op een feestavond niet te gedragen. Uiteindelijk begon men in de kamer tekenen van wanhoop te geven en verbrak de oudste man in het gezelschap de stilte met een vraag.

Joe, zit je soms iets dwars?

Er volgde een langdurige stilte en toen verroerde de koning zich eindelijk. Hij mompelde iets dat niemand kon verstaan.

Wat is er aan de hand, Joe?

Rampspoed. Ik zie rampspoed in het verschiet.

Wat voor rampspoed, Joe?

Oorlog.

Maar het is een voortdurend komen en gaan van oorlogen, Joe. Wat hebben wij arme luitjes daarmee te maken?

Het gezicht van de koning versomberde. Hij porde het vuur op.

Ze komen en gaan als eb en vloed, maar volgens mij geldt het niet voor deze. Weten jullie, over twee weken zal er in een land dat Bosnië heet een aartshertog worden doodgeschoten en dat zullen ze als voorwendsel gebruiken om een grote oorlog te ontketenen. Hoe groot? Tien miljoen doden en twintig miljoen verminkten, maar daar gaat het mij niet om. Waar het mij om gaat is dat zeventien van mijn zonen in die oorlog zullen strijden en sneuvelen, één in elk kloteleger dat aan die klote-oorlog deelneemt.

De stilte werd drukkender. De koning nam een grote slok bier en iedereen maakte van die gelegenheid gebruik om hetzelfde te doen. De koning staarde in zijn kroes en alle mannen in de kamer volgden zijn voorbeeld.

Verschrikkelijk, fluisterde een stem.

Verschrikkelijk? zei de koning. Nee hoor, het zijn volwassen kerels en ze kunnen doen wat ze willen. Maar wat door mijn oude hart snijdt, is het feit dat geen van die zeventien zonen van mij strijdend voor Ierland zal sterven. Ze zullen zich dapper weren, ze zullen tevens hun leven geven voor zeventien landen en geen van die landen zal het mijne zijn. Ik stuur ze eropuit, zoals het hoort, het is hun leven. Maar het is ook ons volk dat zich inzet voor iedereen behalve voor onze eigen zaak. Schenk de kroezen vol. We moeten drinken, want ik heb hier iets over te zeggen.

De mannen in de kamer deden snel wat hun opgedragen was. Somber stelden ze zich in een rij bij het vat op en vulden hun kroezen en keerden terug naar hun plaatsen. De kroes van de koning werd volgeschonken en weer in zijn knokige hand gedrukt.

Hij zat met neergeslagen ogen bij het turfvuur. Als hij een slok nam, namen zij een slok, als hij zijn keel schraapte, schraapten zij hun keel. Profeteren was een gave waar je geen haast achter kon zetten. Een man die op het punt stond zeventien zonen te verliezen die zouden strijden in zeventien buitenlandse legers had het volste recht zijn gedachten in alle rust te bepalen. Toch ontsnapte opnieuw een vraag aan iemands lippen.

Waar moet dat heen, Joe?

Een slok. Slokgeluiden overal in de kamer. De koning schraapte zijn keel, zij deden hetzelfde. Het moment was aangebroken.

Waar moet dat heen? Ik zal je zeggen waar dat heen moet. Over twee jaar breekt er een Paasoproer uit, de natie zal in verzet komen en bij die opstand zal een zoon van mij betrokken zijn, één zoon die voor Ierland zal vechten, niet meer dan een knaap weliswaar, maar hij zal van de partij zijn. Dat is dus de volledige waarheid op deze veertiende juni van 1914. Ik heb in mijn tijd drieëndertig zonen op de wereld gezet en mijn naam heb ik bewaard voor de laatste van hen en wat er gebeuren moet zal gebeuren en die jongen zal doen wat hem te doen staat en ik weet wat dat inhoudt, en daarna zal hij zijn weg vervolgen en Koning van Jeruzalem worden.

Die laatste woorden deden iedereen in de kamer opschrikken. Zelfs het hoofd van de koning schoot verrast achteruit.

Onthoud je van godslastering, maande een stem.

Zo was het ook helemaal niet bedoeld. Ik weet niet waarom ik dat zei. En wie ben jij trouwens, riep hij plotseling uit om zijn verwarring te verhullen, terwijl hij tussen de schouders van zijn vrienden die in de kamer waren samengedrongen door keek.

Iedereen draaide zich om. Ze hadden de kleine donkere jongen niet opgemerkt die, zoals altijd in stomme verbazing over de orakelachtige uitspraken van zijn vader, achter in een hoekje van de kamer zat weggedoken. Nu alle ogen op hem gericht waren, was hij bang om te spreken, maar nu de ogen van zijn vader op hem gericht waren was zijn angst om niet te spreken nog groter.

Joseph, zei hij op fluistertoon.

Joseph wat nog meer?

Joseph Enda Columbkille Kieran Kevin Brendan O'Sullivan Beare.

Heiligen van dit eiland, antwoordde zijn vader, en zo luidt ook mijn naam, die ik voor jou heb bewaard opdat jij, zoals ik ooit heb gedaan, over twee jaar, tijdens de opstand, voor Ierland kunt vechten. Je hoeft het niet bij die heiligen te zweren, jongen, maar we zullen een dronk op je uitbrengen om wat ons te wachten staat, zoveel kunnen we wel doen. En moge het boze oog zich van je afwenden en moge het kleine volk je bijstaan, en zoals je moeder me heeft geleerd te zeggen: als je geen daalder hebt is een stuiver voldoende en God zegen je als je geen stuiver hebt.

Ernstig hieven de mannen in de kamer hun kroezen en leegden ze. In de hoek stond de jonge Joe, veertien jaar oud, kaarsrecht en doodsbang.

Op tweede paasdag in 1916 brak, zoals voorspeld, de opstand uit en slaagden de Ierse revolutionairen erin het postkantoor van Dublin een aantal dagen bezet te houden. Een van de weinigen die uit het postkantoor wisten te ontsnappen was de jonge Joe, die vervolgens driehonderd kilometer zuidwaarts naar de bergen van County Cork liep en daarmee de route van zijn illustere voorouder in omgekeerde richting aflegde.

Waar moet dat heen, vroeg hij zich onder het lopen af. Een man die in z'n eentje vecht moet zijn vijand op een afstand houden, dus leerde hij zijn geweer van grote afstand te gebruiken.

Het geweer zelf was een curieus antiek geval, een aangepast Amerikaans cavaleriemusketon uit 1851 dat voor het laatst was gebruikt door tsaristische dragonders in de Krimoorlog. Maar Joe kwam er al snel achter dat het musketon met zijn korte, dikke loop, zijn zware lade en enorme kogels met uitzonderlijke nauwkeurigheid kon worden gehanteerd als je het afvuurde als een houwitser en meer omhoog dan op het doelwit zelf richtte, zodat de kogels een hoge boog beschreven en vanboven insloegen.

De daaropvolgende drie jaar oefende Joe met zijn musketon in de bergen om de ballistiek van een houwitser onder de knie te krijgen, waarbij hij er wel voor zorgde dat men hem alleen van een afstand te zien kreeg. Hij verplaatste zich 's nachts en sliep nooit tweemaal op dezelfde plek, en was als een spookverschijning in een felgroen jak en schoenen met gespen en met een platte rode muts op, die de boeren van Cork, met hun onaantastbare geloof in kobolden en jammergeesten en in groepjes opererende elfen, onder elkaar al snel betitelden als de grootste van het kleine volk.

Toen moest hij ook 's nachts op jacht gaan naar voedsel en dat droeg bij aan de legende. 's Ochtends vond een boer dan een stoel in een van de buitengebouwen die was verschoven en miste hij een stuk of vijf aardappelen.

Hij is hier vannacht geweest, vertelde de boer zijn buren dan fluisterend, en natuurlijk hoefde niemand eraan te worden herinnerd wie hij was. De buren knikten dan ernstig en herinnerden zich wellicht de zachte donderslag in de verte die ze bij zonsopgang hadden gehoord.

In 1919 brak de guerrillaoorlog uit en zonden de Engelsen later de Black & Tans, die plunderend en brandschattend en angst en verderf zaaiend het platteland afschuimden. Totdat hij zich manifesteerde en de angst in het zuiden van Ierland plotseling oversloeg naar de andere kant.

Het patroon was altijd hetzelfde. Een bende Black & Tans galoppeerde over een landweg en een eenzame boer rende door zijn velden in een poging de kogels te ontwijken. Heel in de verte klonk een zachte donderslag. En nog een en nog een. Twee of drie Black & Tans tuimelden op de grond, elk met een kogelgat boven in zijn hoofd.

De ene dag in het westen van Cork, de volgende in het oosten van Cork. De derde dag bij een vissersplaatsje. De vierde dag ergens ver in het binnenland.

En de kogels sloegen altijd recht vanboven in, alsof ze vanuit de lucht waren afgevuurd. Plotsklaps zagen de Black & Tans zich geconfronteerd met goddelijke interventie of op z'n minst met een divisie ongrijpbare scherpschutters, uitgerust met een nieuw geheim wapen. Ze weigerden hun barakken te verlaten en hij leek gewonnen te hebben.

الحج

Maar de privé-oorlog van de grootste van het kleine volkje kon niet eeuwig duren. Toen ballistisch onderzoek uitwees dat de vijand slechts één behendige man met een aangepast antiek Amerikaans cavaleriemusketon was, begonnen de Black & Tans met hernieuwde wraakzucht het platteland te plunderen. En de verklikkers klikten en Joe's schuilplaatsen in de bergen verdwenen.

Weg waren het felgroene jak en de platte rode muts en de schoenen met gespen, weg waren de geruststellende zachte donderslagen in de verte, weg was de mysterieuze figuur die door het zuiden van Ierland trok, weg was zelfs het antieke cavaleriemusketon, dat nu begraven lag tussen de puinhopen van een verlaten kerkhof, net als de heel vage hoop dat hij ooit zou kunnen terugkeren om het weer op te nemen.

Het was opnieuw tweede paasdag, op de dag af vier jaar na het begin van de opstand, en de jonge Joe zat op een open plekje in een achterbuurt van de stad Cork zijn laatste dag in Ierland door te brengen. Zijn broek zat vol met gaten, zijn blote voeten zaten onder de blaren en wat voor zijn hemd moest doorgaan was een warwinkel van lompen die door een touw bijeen werden gehouden. Zeemeeuwen krijsten boven zijn hoofd. Hij keek met knipperende ogen omhoog en bedroefd tuurde hij toen weer in het turfvuur op het kleine eiland in de Atlantische Oceaan waar zijn vader zat, omringd door de groep arme vissers.

Jezus, fluisterde hij, ik vind het ellendig om jullie te moeten teleurstellen maar ik moet er nu mee kappen. Ik kan niet blijven vluchten en me schuilhouden en om mij worden er mensen neergeknuppeld en ik kan ze niet helpen, ik maak het alleen maar erger. Weet je wat ze tegenwoordig zeggen? Ze zeggen dat hij ervandoor is en ze hebben gelijk. Voor hen besta ik niet meer.

De kamer vol mannen hief plechtig het glas op hem.

Ik weet het, fluisterde hij, jezus, ik weet het maar al te goed en ik zou alles doen om jullie niet teleur te hoeven stellen, en ik zou zeker blijven als ik het gevoel had dat ik enig goed kon doen, maar dat kan ik niet. Ik heb het geprobeerd en het lukte een poosje, maar dat poosje is voorbij en wat ik jullie zonet heb verteld, jezus, zo is het echt. Ik heb afgedaan, ze hebben me in de tang, hij is weg.

Hij hief zijn hand op bij wijze van afscheid en strompelde van de open plek weg over een brug en kroop door een kolenopslagplaats een kelder in. Daar vertelde een bejaarde voerman hem dat het plan voor zijn ontsnapping gereed was en hij voegde eraan toe dat de Black & Tans iemand aan de westkust hadden gemarteld en erachter waren gekomen dat hun oude vijand met het musketon zich in Cork bevond. Ze zouden de volgende dag in groten getale arriveren, de stad verzegelen en de zoektocht beginnen.

De Black & Tans arriveerden lang voor het middaguur, maar toch nog te laat. Die ochtend vroeg had een klein vrachtschip zee gekozen, met een lading whisky en aardappelen voor het Engelse garnizoen in Palestina. Daarnaast vervoerde het vrachtschip een twaalftal nonnen die op pelgrimstocht gingen naar het Heilige Land.

De reis die de nonnen op het punt stonden te maken was uitzonderlijk, want zij waren clarissen die gewoonlijk nooit toestemming zouden hebben gekregen hun klooster, laat staan het land, te verlaten. De reden van hun reis was een verzoek voor een pelgrimage gedaan door een moeder-overste van een veel minder strenge orde die aan het einde van de achttiende eeuw, voordat de clarissen er hun intrek in namen, het klooster had beheerd. Maar de Napoleontische oorlogen hadden roet in het eten gegooid en nadien was het klooster in andere handen overgegaan.

Wat er gedurende de negentiende eeuw precies met het verzoek was gebeurd bleef onduidelijk. In ieder geval kwam het aan het einde van de Grote Oorlog boven water, toen de archieven van het Vaticaan werden gereorganiseerd, en zodoende bereikte honderdvijfentwintig jaar later plotseling een decreet het klooster dat de moeder-overste opdracht gaf met elf van haar nonnen de pelgrimstocht te ondernemen.

De moeder-overste was verbijsterd. Ze schreef haar bisschop, die al even verbijsterd was, doch louter kon antwoorden dat aan een opdracht van de Heilige Stoel onverwijld gehoor diende te worden gegeven. Hoewel het onbegrijpelijk was, zou de Heilige Vader heus wel zijn redenen hebben om de clarissen deze vreselijke tocht te laten maken.

De nonnen werden gekozen op basis van hun leeftijd die varieerde tussen de zeventig en de negentig. Allen waren ongewoon lang met uitzondering van één non die klein en donker was en op haar bovenlip de stoppels had van wat wel eens een pas afgeschoren snor zou kunnen zijn.

Het was de clarissen verboden te spreken en de formaliteiten op de kade werden afgehandeld door de bisschop, waarbij de nonnen aan hun rozenkransen frutselden en om elkaar heen drentelden wat het zelfs moeilijk maakte hen te tellen. Maar hun opwinding over een bezoek aan het Heilige Land na één en een kwart eeuw te hebben gewacht, leek de Engelse havenautoriteiten daar een redelijke verklaring voor, dus werden hun papieren snel in orde bevonden en verdwenen zij snel in een vlaag van fladderende zwarte habijten aan boord van het vrachtschip.

De nonnen lieten zich niet meer zien totdat het vrachtschip aanmeerde in Jaffa. Toen volgde de stoffige reis door de heuvels. De rijtuigen naderden de Nieuwe Poort en werden spoedig omringd door de gebruikelijke verzameling dieven, mastiekverkopers en pelgrims die spuugden en vloekten en baden toen ze zich door de nauwe steegjes van handel en euforie wrongen. Vlak buiten de poort zagen ze hoe een kleine donkere man in een verfomfaaide Arabische mantel en met een Arabisch hoofddeksel op zich aan een van de treeplanken vastklampte en met uitgestrekte hand om een aalmoes bedelde.

Maar de bij de poort dienstdoende politieagent gaf de bedelaar met zijn knuppel snel een stevige mep op zijn kop, waarmee hij het aantal clarissen weer reduceerde tot exact een dozijn en tegelijkertijd de grootste van het kleine volk languit tegen de keien van Jeruzalem mepte.

Joe zat, nog steeds uitgedost als een Arabische bedelaar, op zijn hurken bij de ingang van de franciscaner enclave in de Oude Stad en als er een priester voorbijkwam brabbelde hij iets vaags in het Gaelic, ervan uitgaande dat een priester uit elk ander land dan Ierland zou denken dat hij een verhaspeld Arabisch dialect sprak.

Hij bracht een dag door bij de hoofdingang en de volgende dagen voor de deur van de wijnkelder en de olijfoliepers. Toen hij tegen het vallen van de avond uitgehongerd was, sleepte hij zich naar de ingang van de bakkerij.

Er kwam die volgende ochtend niemand door de deur naar buiten. Korte tijd later stond de zon hoog aan de hemel. Overmand door de hitte, gleed hij omlaag de goot in. Ergens in de middag droomde hij dat de deur openging.

Wij zelve, zei hij fluisterend in het Gaelic tot het slijk, daarmee de naam van de Ierse revolutionaire partij herhalend. In zijn droom viel er een schaduw over hem heen.

Wat hoor ik nu? zei een zachte stem, eveneens in het Gaelic.

Liefde, de vergevende hand die de overwinning schenkt, fluisterde Joe, de legende van de O'Sullivan Beare-clan herhalend.

Wel heb ik jou daar? Hoor jij daar dan bij, knul? Maar wat scheelt je dat je zo uitgedost in een Jeruzalemse goot ligt? Ga gauw mee naar binnen voordat er een politieagent aan komt.

De oude priester trok hem de steeg uit en de koele diepte van de bakkerij in. Hij deed de deur op slot, overgoot Joe met water, stopte brood in zijn mond en keek toe hoe hij at. Toen Joe tot spreken in staat was, vertelde hij zijn verhaal en de priester knikte heftig met zijn hoofd bij elke nieuwe wending in het relaas.

Was je vader lid van de Fenians? vroeg hij na afloop.

Dat was hij inderdaad, pater.

Nou, dat was ik ook, maar de Kerk dwong me eruit te stappen. Onder de zeven mannen in mijn cel bevonden zich zes O'Sullivan Beares die Joseph heetten. Misschien was je vader een van hen. Beschikte hij over bijzondere eigenschappen die hem van de anderen onderscheidden?

Hij had een voorspellende gave.

O die, die heb ik inderdaad gekend. Hij beweerde regelmatig dat hij twintig of dertig zonen zou krijgen en ik heb hem gemaand tevreden te zijn met wat God hem zou schenken. Tevreden zal ik zeker zijn, zei hij, de kwestie is gewoon dat ik het al weet. Tja dat was zeventig jaar terug allemaal leuk en aardig, maar wat moeten we nu beginnen? Hier zit je dan, een voormalig schrikbeeld van de Black & Tans, gezocht wegens patriottisme en andere snode misdaden, op Engels terrein en zonder papieren. Laat onze mooie moedertaal varen en herhaal wat ik zeg. Ja ik ben in werkelijkheid een Engelsman maar ik ben geboren met slecht functionerende stembanden en meervoudige spraakgebreken.

Joe zei het hem na.

Afschuwelijk, zei de priester. Daar trapt echt geen Arabier in.

Wij zelve? fluisterde Joe hoopvol.

Ditmaal niet, daar red je het gewoon niet mee. We moeten wat hulp zien te vinden als we willen dat jij niet wordt opgepakt. Blijf daar zitten terwijl ik de oven opstook. Ik ben hier al zestig jaar bakker en ik kan het beste nadenken als ik met de oven in de weer ben, dus jij blijft zitten terwijl ik bak.

De oude priester begon het deeg te kneden en broden te bakken die allerlei grillige vormen kregen. Het een was duidelijk een kruis, een ander had ruwweg de vorm van Ierland. Een derde kon als voorstelling van de muren van de oude stad bedoeld zijn, maar een vierde was een onherkenbare ovaal die vanboven een beetje afgeplat en aan het uiteinde wat hoekiger was. Het duurde niet lang of de hoeken van de bakkerij lagen vol met stapels broden.

Wat is dat brood? vroeg Joe.

Welk?

Dat in de hoek daar.

De Krim, natuurlijk.

De priester keerde zich weer om naar de oven, maar opeens wervelde zijn soutane rond en ranselden zijn sandalen de stenen vloer. Hij maakte een dansje.

Maar dat is het antwoord, knul, waarom heb ik daar niet eerder aan gedacht? Jij bent de reden dat ik die tijd in het leger heb verspild, de zoon van de oude Joe is niet voor niets op de vlucht.

De priester hervatte, badend in het zweet, zijn dans voor de open ovendeur. Dat heb ik weer, dacht Joe, en dat op zijn zestigste maar liefst. Hij doet het al zo lang dat zijn hersens ervan zijn gaan smelten. De goot uit maar nog net zo diep in de nesten.

Welk leger bedoelt u, pater?

Hare Majesteits eigen leger, wat dacht je dan. Voor je neus huppelt een voormalig officier van de lichte cavalerie met diverse medailles van de geallieerden om nog maar te zwijgen van het Victoria Kruis van haar zelve.

Hij sprong heen en weer en smeet dan weer een brood in de oven en plukte er dan weer een uit. Hopeloos, dacht Joe, totaal geschift. Na zestig jaar zo bezig te zijn geweest zou iedere hersenpan in een brood zijn veranderd.

Het Victoria Kruis zegt u?

Wis en waarachtig, knul. Voordat ik mijn roeping vond, was ik zo stom om dienst te nemen in het leger en hup daar werden we naar de Krim afgevoerd, waar een verwarde dienaar van God bevel gaf tot een suïcidale charge. Mijn paard viel en brak zijn been en ik kon ze te voet niet bijhouden, met als gevolg dat ik uiteindelijk een van de weinige overlevenden bleek. Jazeker, knul, dat was in het jaar 1854 en het Engelse volk was des duivels. Het leger moest wat helden zien op te duikelen die nog in leven waren en daar was ik en ik werd overladen met onderscheidingen.

Joe schoof een beetje heen en weer op zijn zitplaats. Zijn billen deden pijn. Misschien was die charge een ramp, maar hier zitten was ook geen pretje. De oude priester danste door de kamer en wierp een lint over zijn hoofd. Joe keek zwijgend naar het kruis.

Voor het paasoproer had hij er ooit zo een gezien om de hals van een Engelse officier.

Dat is 'm en zo is het, jonge Joe, je bent een officiële held van Hare Majesteits Strijdkrachten en een van de weinige overlevenden van de Charge van de Lichte Brigade. Weet je, twee jaar na die krankzinnige blamage in de Krim vond Hare Regerende Doorluchtigheid dat ze God en zichzelf moest eren door een nieuwe en hoogste onderscheiding voor Britse heldenmoed op het slagveld in het leven te roepen en die naar zichzelf te noemen, en dat is dit Victoria Kruis dat je nu om je nek draagt. Haar raadgevers waren het daar uiteraard roerend mee eens en stelden voor dat het eerste VK ooit naar de meest gedecoreerde man moest gaan die op dat moment in het leger actief was. Wie is dat? vroeg Victoria R. Dat kunnen we zo van de appellijst aflezen, zeiden de raadgevers, en toen ze het controleerden bleek het geen ander te zijn dan de illustere held die nauwelijks twee jaar tevoren was overladen met Sardinische en Turkse en Franse medailles, onze bloedeigen MacMael n mBo die zich op de Krim zo dapper had geweerd. MacMael watte? vroeg de koningin, die haar imperiale plichten plotseling even beu was.

De oude priester glimlachte.

Doet er niet toe. Ze herstelde zich snel en ze slaagden erin de laatste nuchtere Ier op de eilanden op te sporen om haar te leren hoe ze die naam moest uitspreken en de ceremonie werd gehouden en daar stond ik, de eerste ontvanger van het vermaarde Victoria Kruis. Afijn, enkele jaren later vestigden een paar eerzame lieden in Jeruzalem een toevluchtsoord voor oudgedienden, dat het Tehuis voor Helden uit de Krimoorlog wordt genoemd. Omdat er, zoals je je kunt voorstellen, inmiddels niet veel van die veteranen, heldhaftig of anderszins, meer rondlopen, is er hier ruimte in overvloed. Eigenlijk heb je het pand goeddeels helemaal voor jezelf. Je hebt een redelijk uitzicht op een deel van de Oude Stad en het brood is uitstekend, ik bak het zelf. Dus, knul, ik geef je gewoon mijn oude documenten en dat is dat.

Dat is wat, dacht Joe. Waren de hersens van die oude priester nou gesmolten of niet? Hij was twintig en de franciscaan moest op z'n minst vijfentachtig zijn.

Zal het evidente leeftijdsverschil geen problemen opleveren?

Niet hier, niet in Jeruzalem, antwoordde de oude priester jolig. Hier is jong en oud ongeveer hetzelfde. Onze Heilige Stad, ieders Heilige Stad, is een vreemde plaats zoals je wel zult merken, niet bepaald een alledaagse aangelegenheid.

Wij zelve, zei Joe.

Precies, en alleen wij drietjes weten van de foef, jij, ik en God. En het was me de foef wel, om die arme clarissen te gebruiken.

Wat bedoelt u, pater?

Die reis. Die afschuwelijke reis die de clarissen hierheen moesten ondernemen waarbij ze door allerlei vreemde wezens werden gezien en alle mogelijke geuren moesten opsnuiven. Dat is toch geen dagelijkse kost voor hen, wel? Dat is niet waarvoor ze zich hadden aangemeld, wat jij? Nee, regelrechte goddelijke interventie, dat was het.

Wat?

O, je droeg je felgroene jakje en je schoenen met gespen en je had je rode muts waarschijnlijk schalks schuin op je test staan en je snelde zo goed en zo kwaad als het ging voorwaarts, maar Hij wist dat er narigheid op komst was en Hij zei tegen Zichzelf, die knul moet Ierland uit en hoe flikt hij 'm dat?

Ach, natuurlijk nam Hij een kijkje in de archieven van het Vaticaan, waar Hij immers altijd Zijn historische akkefietjes afhandelt en warempel daar vindt Hij zomaar pardoes een oud verzoek van een stel nonnen die een pelgrimstocht naar het Heilige Land willen maken. Wel heb ik jou daar, zegt Hij tegen Zichzelf, precies wat we nodig hebben. Wie zal ooit vermoeden dat de schrik van de Black & Tans vermomd als een clarisse het land uit zal vluchten terwijl iedereen weet dat clarissen niet eens hun klooster mogen verlaten? Wie zou ooit zoiets zelfs maar kunnen bedenken? Dus nadat Hij Zich een tijdje heeft zitten verkneukelen, zorgt Hij dat het verzoekschrift wordt gevonden en goedgekeurd en na honderdvijfentwintig jaar doen de doodsbange clarissen wat hun is opgedragen en ben jij gered.

Pater, daar had ik helemaal geen idee van.

Dat wil ik best geloven, maar zo is het gegaan, zei de oude priester, die naar de hoeken van de bakkerij danste, een brood in elk van de vier vormen pakte en die vervolgens opstapelde in de schoot van de vluchteling.

# 9 Hadji Haroen

ألحج

*Ze hadden gewoonweg niet de tijd om een man die duizend jaar voor Christus was geboren te geloven. Zeker niet als het een man betrof wiens geest gonsde van feiten waar nog nooit iemand van had gehoord.*

Op een middag nadat hij zijn intrek had genomen in het Tehuis voor Helden uit de Krimoorlog, slenterde O'Sullivan Beare door het Moslimkwartier waar hij op een gegeven moment aan het einde van een steeg een kale muur voor zich zag. Vlak bij hem stond een gerimpelde oude Arabier wat verloren in een portiek. De Arabier droeg een verschoten gele mantel en een roestige helm die met groene linten op zijn plaats werd gehouden. Zich er niet van bewust dat er iemand in zijn nabijheid was, sjorde de oude man zijn mantel omhoog en piste met een zwak straaltje de steeg in.

O'Sullivan Beare sprong weg. De benen van de man leken te sprietig om hem te kunnen dragen. De zware helm schommelde als hij zich bewoog en schoof tegen zijn neus. Nadat hij zijn mantel weer had laten zakken, zuchtte hij, zette zijn helm recht en staarde opnieuw bedroefd voor zich uit.

Precies zoals de bakpriester had gezegd, dacht Joe. Hij had groot gelijk waar het Jeruzalem betrof en hier is alweer iemand die het spoor bijster is. Hij deed een stap achteruit en salueerde.

Neem me niet kwalijk, meneer, kunt u mij vertellen uit welke veldtocht die helm stamt?

De oude man stond perplex. Hij bewoog en het aangetaste metaal liet een regen van roest in zijn ogen neerdalen. Hij veegde de tranen uit zijn ogen en de helm helde weer naar één kant over.

Wat bedoel je?

De helm. Uit welke veldtocht is hij?

Uit de Eerste Kruistocht.

Jezus, dat moet me er eentje geweest zijn.

De oude Arabier boog zijn hoofd alsof hij een klap verwachtte. Hij huilde stilletjes.

Hoon en beschimping, molest en vernedering, ik heb nooit anders verwacht.

O nee, meneer, ik bedoelde het niet beledigend.

De ogen dwaalden in de richting van O'Sullivan Beare, de stem klonk nu van minder veraf.

Wat? Wil je beweren dat je me gelooft als ik zeg dat ik in de kruistochten heb gevochten?

Er is geen enkele reden om u niet te geloven.

O nee? Maar al lange tijd gelooft niemand meer wat ik zeg.

Het spijt me dat te horen, meneer.

Al meer dan tweeduizend jaar niet meer.

Dat spijt me ontzettend, meneer.

En ik vocht niet aan de kant van de kruisridders, dat moet ik erbij zeggen. Ik verdedigde mijn stad tegen de indringer.

Ik weet hoe dat geweest moet zijn.

Dus stond ik natuurlijk aan de verliezende kant. Wie Jeruzalem verdedigt staat altijd aan de verliezende kant.

Hoe dat geweest moet zijn weet ik ook. Een vreselijke positie om zich in te bevinden, meneer.

De oude Arabier probeerde hem wat beter te bekijken.

Zeg eens, waarom blijf jij me met meneer aanspreken? In geen eeuwen heeft iemand me enig respect betoond.

Omdat u een edelman bent en het nu eenmaal zo hoort.

De Arabier deed een poging om zijn rug enigszins te rechten en dat lukte hem enkele ogenblikken ondanks de jicht die hem fnuikte. Op zijn gezicht stond verbazing, verwarring en een zweem van trots te lezen.

Dat was minstens zo lang geleden als het bewind van Ashurnasirpal. Hoe heb je dat geraden?

Ik zag het aan uw ogen, meneer.

Is het er nog steeds?

Zo duidelijk als de laatste muezzin.

De Arabier leek nog verbaasder en ook een beetje beschaamd.

Noem mij geen meneer, ik heet Hadji Haroen. Maar vertel me alsjeblieft eens, waarom geloof jij wat ik zeg in plaats van me een aframmeling te verkopen als ik het zeg?

Hoe zou ik anders kunnen? Herken je dit uniform?

Nee, uniformen zijn nooit mijn sterke punt geweest.

Nou, dit is een authentieke Engelse wapenrok uit 1854, en ik ben pas twintig jaar maar toch al een held uit die oorlog, kijk hier mijn onderscheidingen maar eens. En deze bijzondere hier is mij persoonlijk verleend door Victoria R hoewel ik pas één jaar oud was toen ze stierf. Zo is dat en hier zitten we nu in het Jeruzalem van 1920, ik terug van de Krim en jij terug van de kruistochten, en omdat we dus allebei oorlogsveteranen zijn, leek me dat een goede reden om je eens op te zoeken.

De Arabier bestudeerde het Victoria Kruis. Hij glimlachte.

Jij bent Prester John, hè? Ik was ervan overtuigd dat je vroeg of laat naar Jeruzalem zou komen en ik heb op je gewacht. Kom alsjeblieft binnen, dan kunnen we praten.

Hij verdween door de deuropening. Heel even bleef Joe aarzelend in de steeg dralen, maar de zon was heet en zijn uniform zwaar, dus volgde hij de man. Het eerste dat hij zag was iets wat sterk leek op een bronzen zonnewijzer en in een nis in de muur stond, een groot sierlijk gegoten voorwerp. Daarmee verbonden hing aan het plafond een serie klokjes.

Uit Bagdad, zei Hadji Haroen, toen hij zag dat Joe naar de zonnewijzer keek. Het vijfde Abbasidische Kalifaat. Ik was antiekhandelaar voordat ik mij wijdde aan de verdediging van de Heilige Stad en alles verloor wat ik bezat.

Aha.

Het was ooit een draagbare zonnewijzer.

Aha.

Monsterlijk zwaar, maar dat leek hem niet te deren. Hij droeg hem op zijn heup.

Zo zo. En wie mag dat geweest zijn?

Ik kan me zijn naam niet herinneren. Op een middag huurde hij mijn achterkamer om wat schrijfarbeid te verrichten en hij gaf me dat ding als blijk van erkentelijkheid.

Huurde hij die kamer voor maar één middag?

Ik geloof dat het daartoe beperkt bleef, maar toch heeft hij heel wat werk weten te verzetten. Toen heeft hij al zijn paperassen bijeengepakt en die met een kamelenkaravaan naar Jaffa gestuurd waar een schip lag te wachten om ze naar Venetië te vervoeren.

En waarom ook niet, zou ik zeggen. Bij lekker weer is Venetië een heel voor de hand liggende bestemming voor een kamelenkaravaan.

Opeens begonnen de klokjes te slaan. Ze klingelden vierentwintig keer, bleven heel even stil, klingelden nogmaals vierentwintig keer en toen nog een keer. Joe friemelde zenuwachtig aan zijn Victoria Kruis.

Jezus, dat horen ze nu niet te doen.

Wat?

Zomaar drie dagen laten wegtikken.

Waarom niet?

Dat hoort gewoon niet, tijd is tijd.

Dat is tijd inderdaad, zei Hadji Haroen luchtig. Maar de zon beschijnt de zonnewijzer niet altijd, soms is het bewolkt en dan moet de wijzer de verloren tijd goedmaken.

Hadji Haroen liep door de ruimte en nam plaats op een versleten kappersstoel. Vlak bij de deur bevond zich een kleine vruchtenpers met daarnaast een rottende granaatappel. Naast de kappersstoel stond een rek met daarin een fles troebel water, een kom om in te spugen, een oude tandenborstel met geplette haartjes en een lege tube Tsjechische tandpasta. Hij plukte aan de vermolmde stoel terwijl hij somber om zich heen keek.

Ik ging op precies het verkeerde moment de tandenborstelbusiness in. Slechts zeer weinig mensen vinden hun weg naar het einde van deze steeg en daarbij komt dat de tandenpoetserij sinds de oorlog niet meer hetzelfde is. Voor de oorlog viel er nog wel wat in te verdienen, de Turkse soldaten hadden ontzettend slechte gebitten. Maar sinds zij zijn vertrokken en de Engelsen zijn gekomen is het hopeloos. Hun gebitten zijn zeker zo slecht, maar zij willen hun tanden niet door een Arabier laten poetsen.

Verdomde imperialisten.

Ze willen ook niet dat ze in het openbaar worden gepoetst. De Turken vonden dat nooit een bezwaar, maar de Engelsen zien dat anders.

Verdomde huichelaars.

Er klonk gejoel op uit de steeg. Hadji Haroen drukte zijn helm omlaag en zette zich schrap. Een ogenblik later stormde een bende krijsende mannen en vrouwen de winkel in en rende klauwend in de lucht heen en weer. De Arabier staarde, in een poging zijn waardigheid te behouden, strak over hun hoofden en binnen enkele seconden hadden de plunderaars elk verplaatsbaar voorwerp in de kamer gegrepen en waren zij de deur uit gesneld. Weg waren de granaatappel en de vruchtenpers en de kappersstoel met toebehoren, zelfs de lege tube Tsjechische tandpasta was verdwenen. Hadji Haroen kreunde zachtjes en deinsde lijkbleek en vermagerd en halfdood van de honger achteruit tegen de muur.

Jezus, wat was dat voor een zootje ongeregeld?

De Arabier huiverde. Met moeite maakte hij in berusting een wegwuivend gebaar met zijn hand.

Winstbeluste elementen uit de burgerij, je kunt ze maar het beste negeren. Af en toe komen ze me beroven. Ze zijn op jacht naar spullen die ze kunnen verkopen.

Het is een verdomd schandaal.

Er zijn ergere dingen. Moet je dit zien.

Hij deed zijn mond open. De meeste van zijn tanden waren verdwenen en de paar die hij nog in zijn mond had waren vlak bij het tandvlees afgebroken.

Stenen. Die gooien ze naar me toe.

Het is een verdomde schande.

En deze littekens van hun nagels. Ze hebben heel scherpe nagels.

Verdomd beroerde toestand.

Alles goed en wel, maar ik denk dat we bepaalde problemen moeten aanvaarden als je van het kastje naar de muur wordt gestuurd. Alle vrouwen met wie ik ooit ben getrouwd waren rampzalig.

Dat zeg je nu wel. Maar waarom ben je dan met ze getrouwd?

Dat is een goede vraag, maar natuurlijk hadden ze het ook niet gemakkelijk. Dat weet je toch ook wel?

O'Sullivan Beare knikte en liep naar de achterkamer van het winkeltje. Na de overval door de bende winstbeluste inwoners van Jeruzalem waren daar nog maar twee voorwerpen overgebleven, allebei veel te zwaar om te vervoeren. Hij bekeek ze nadenkend.

Een antieke Turkse brandkast van ongeveer een meter twintig hoog, smal, in de vorm van een archiefkast of een afgesloten schildwachthuisje.

Een enorme stenen scarabee van een meter twintig lang, met een sluwe grijns in zijn platte facie gegrift.

Dat weet je toch, hè?

Er was zoveel roest in Hadji Haroens ogen gevallen dat de tranen over zijn wangen biggelden.

Ik bedoel natuurlijk dat zij het ook niet gemakkelijk hadden. Neem nou mijn vrouw die van Bulgaars-Griekse afkomst was. De Grieken daar waren ontwikkeld en moesten ook als geldschieters fungeren omdat er geen banken waren. De Bulgaren konden alleen met een kruisje ondertekenen, dus kwamen ze zo nu en dan langs en moordden alle Grieken uit om hun schulden teniet te doen en zichzelf een hart onder de riem te steken. De familie van mijn vrouw ontsnapte aan de slachting van 1910 en toen ze ten slotte in Jeruzalem arriveerden waren ze berooid, dus je kunt het haar niet kwalijk nemen dat ze al mijn borden en kopjes en schalen meenam toen ze me verliet.

Joe bestudeerde de ijzeren brandkast nauwkeuriger. Waarom was hij zo hoog en zo smal?

Een van mijn andere vrouwen was geboren in de verlaten stad Golconda die vroeger vermaard was om haar diamanthandel, maar die sinds de zeventiende eeuw uitgestorven is en dat is ook al geen plezierige herinnering om mee rond te lopen, om uit een verlaten stad te komen, bedoel ik. Het is dus geen wonder dat ze de garantie van een paar meubeltjes en tapijten wilde en dus mijn hele woning leeghaalde toen ze vertrok. Dat zie jij toch ook wel in, of niet soms?

Joe klopte op de antieke brandkast. De gedempte echo's vielen totaal uit de toon bij de omvang van de brandkast. Hadji Haroen bleef maar langs de kale muren drentelen.

Weer een andere vrouw was de dochter van een twaalfde-eeuwse Perzische dichter wiens lied handelde over een pelgrimage die een zwerm vogels maakte op zoek naar hun koning. Aangezien ze daarbij over water moesten stierven de meeste vogels, en toen de overlevende eindelijk het paleis voorbij de zeven zeeën bereikten, ontdekten ze dat ieder van hen eigenlijk de koning was. Dus met een vader die zo tegen de dingen aankijkt is het niet verbazingwekkend dat ze al mijn vazen en lantaarns meenam. Logisch dat ze zichzelf wilde omringen met bloemen en licht.

Joe ging op zijn knieën zitten en klopte harder op de brandkast. De nagalm was buitenissig. Diepe holle echo's denderden door de kamer. Er was hier iets gaande waar hij geen hoogte van kon krijgen.

Waarom draag jij een gele mantel?

Het was een felgele mantel toen hij nieuw was, maar dat was zevenhonderd jaar geleden en sindsdien is hij verschoten.

Dat kan ik me voorstellen, Maar waarom geel?

Daar moet een reden voor zijn geweest, hoewel ik me die op dit moment even niet kan herinneren. Jij wel?

Joe schudde zijn hoofd. Hij had nog steeds tijd nodig om na te denken.

Waar is dat snoer in de hoek voor?

Vroeger had ik elektrisch licht, maar er was een hond die altijd achter mijn rug naar binnen glipte en in het snoer beet. Hij genoot van de schokken. Uiteindelijk zat hij zo vol gaten dat ik gedwongen was me weer met kaarsen te behelpen. Wist je dat ik een komeet heb ontdekt waar nog nooit iemand van heeft gehoord?

Wist ik dat? Nee, dat wist ik niet. Vertel op.

Nou, ik wist dat hij moest bestaan op grond van bepaalde gebeurtenissen in de levens van Mozes en Nebukadnezar en Christus en Mohammed. Ik wist dat er een verklaring moest zijn voor al die merkwaardige dingen die zich aan de hemel aftekenden, dus pakte ik mijn exemplaar van *Duizend-en-éénnacht* en slaagde erin hem naar aanleiding van bepaalde voorvallen te dateren.

Goed, heel knap gedaan. En wat was de omlooptijd van jouw komeet dan?

Zeshonderdenzestien jaar. Hij is sinds ik in Jeruzalem woon vijf keer overgekomen, hoewel ik daar de eerste vier keer geen erg in had en ik nog steeds niet weet wat er in 1228 gebeurde dat zo belangrijk was. Weet jij het?

Nee, maar ik heb de annalen van dat jaar niet aandachtig bestudeerd.

Ik ook niet, voor zover ik me kan herinneren. Hoe dan ook, de laatste keer dat ik hem zag was in de woestijn toen ik op mijn jaarlijkse hadj was. Ik ontmoette een derwisj op een plek waar geen mens hoorde te zijn en in het vreemde licht dat de staart van de komeet verspreidde, leek hij wel twee meter dertig lang. Hij haalt trucjes met je uit, die komeet.

Kometentrucjes, mompelde Joe, terwijl hij luidruchtig doorging met het aftasten van de brandkast. Nu wist hij het zeker. De echo's kwamen van diep onder de grond.

Hij liet de brandkast met rust en liep naar een andere hoek van de achterkamer om de enorme stenen scarabee te onderzoeken. Waarom glimlachte hij op zo'n sluwe manier? Hij bonkte op de brede neus. En sloeg een lange roffel op zijn rug.

Ja, hierover was ook geen twijfel mogelijk. De indrukwekkende stenen kever was hol. Hij ging erop zitten, met de platte neus tussen zijn benen en begon met zijn vuisten ritmisch op de neus te stompen.

Hadji Haroen was tegenover een kale muur stil blijven staan om tegenover een niet-bestaande spiegel zijn helm recht te zetten. Hij schrok op van het lawaai en hij keek de steeg in.

Wat is dat daarbuiten?

Dat is niet buiten, dat is binnen. Ik zit op de scarabee. Hij is hol, hè?

O, is het de scarabee maar. Ja, dat klopt.

Zit er ergens een verborgen klink?

In de neusgaten. Een combinatie van veersloten, heel ingenieus. Gemaakt om mee te smokkelen.

Wat?

Mummies en beenderen. De Romeinen hadden strenge gezondheidsvoorschriften en stonden niet toe dat dode lichamen van de ene naar de andere provincie werden getransporteerd. Maar de Egyptische handelaren hier hadden er een lieve cent voor over als hun mummies na hun dood hier naartoe werden gesmokkeld en de Joodse handelaren in Alexandrië betaalden ook goed als hun stoffelijke overschotten hierheen terug werden gebracht. Er was een Armeniër die een aardig fortuintje heeft verdiend aan die handel. Ik moet dat ding van hem hebben gekocht toen hij met pensioen ging.

Heb je hem zelf wel eens gebruikt?

Niet om te smokkelen maar wel voor iets anders. Maar waarvoor ook weer?

Hadji Haroen nam afstand van de kale muur en staarde naar het afbrokkelende pleisterwerk.

Ik herinner me vaag dat ik er dutjes in deed. Zou dat kunnen? Waarom zou ik dat hebben gedaan? Het zijn de jaren. Mijn geheugen begint het te begeven, alle jaren schuiven in elkaar. Wanneer deed ik die dutjes toch maar weer, onder de Mamelukken? Toen had ik de vallende ziekte, ik denk tenminste dat dat toen was, en dat zou een reden kunnen zijn geweest om in de scarabee te kruipen en me daarin te nestelen. Hoewel, nee, het moet eerder zijn geweest. Ik meen me ook te herinneren dat ik mijn hoofd heb gestoten en daardoor een poosje boven de nekstreek verlamd ben geweest? Onder de kruisvaarders?

Zijn stem was doortrokken van twijfel, toen glimlachte hij plotseling.

Ja hoor, dat was het precies. Die ridders liepen altijd maar met hun wapenrusting kletterend rond, dus gebruikte ik de scarabee om mijn siësta's te houden. Het was de enige stille plek die ik kon vinden.

Doodstil, zei Joe, terwijl hij van de scarabee afstapte en opnieuw naar de mysterieuze brandkast liep om die nogmaals te onderzoeken.

Roerige dagen, zei Hadji Haroen, wiens geheugen plotseling weer was opgefrist door de gedachte aan kruisvaarders die met hun zwaarden tegen de keien ramden.

Roerig maar niet het beroerdst. Toen de Assyriërs de stad innamen, sloegen ze ringen door de lippen van de overlevenden en leidden ze weg als slaven, allemaal, behalve de leiders wier ogen werden uitgestoken en die tussen de verlaten puinhopen werden achtergelaten om te verhongeren.

De Romeinen dachten dat de inwoners van de stad juwelen doorslikten, dus sneden ze hun magen open en reten hun darmen uiteen, maar ze vonden niets dan leer. De hongersnood was tijdens het beleg zo vreselijk dat we onze eigen sandalen hadden opgegeten.

De kruisvaarders doodden er ongeveer honderdduizend en de Romeinen bijna vijfhonderdduizend. De Babyloniërs waren minder moordlustig dan de Assyriërs maar staken meer ogen uit. De Ptolemeeërs en de Seleuciërs moordden ook op kleinere schaal, evenals de Byzantijnen, de Mamelukken en de Turken, en beperkten zich over het algemeen tot religieuze leiders en intellectuelen. Uiteraard werden de mensen gedwongen om, afhankelijk van wie als overwinnaar uit de bus kwam, de kerken om te bouwen tot moskeeën en de synagogen te vernietigen, of de moskeeën om te bouwen tot kerken en de synagogen te vernietigen. Wat kwam er toen? O ja, toen kwam mijn laatste vrouw.

Joe trommelde hard op de brandkast. De aanzwellende echo's deden de muren van de verlaten winkel trillen.

Zij was degene die alles meenam wat ik nog overhad, mijn boeken. Haar leven was een fiasco, weet je, en omdat zij van Arabische afkomst was, was de enig mogelijke verklaring dat iemand haar had verraden. Er moest een verrader in huis zijn en wie was er naast haar verder nog in huis?

Hadji Haroen zuchtte en zette zijn helm recht, die met een nieuwe regen van roest weer naar voren zakte. De tranen biggelden opnieuw over zijn wangen.

Maar je mag niet vergeten dat ik toentertijd nog sokken droeg en dat die sokken altijd nat waren omdat mijn voeten altijd nat waren en natte voeten zijn niet aangenaam in bed. En dat heeft zij een tijdlang geaccepteerd, dat kan ik niet ontkennen.

Waar komt dit op uit? vroeg Joe op gedempte toon.

Dat ik altijd natte voeten had?

Nee, die schacht onder de brandkast. Het is een bodemloze brandkast, hè?

Nou, niet echt. Diep maar niet bodemloos.

Hoe diep?

Hier op deze plek zo'n zeventien meter.

En is er een ladder?

Ja.

Waar leidt die naartoe?

Naar een tunnel die naar de spelonken leidt.

Hoe diep zijn de spelonken?

Vele tientallen meters? Vele honderden meters?

Joe floot zachtjes. Hij ging naast de brandkast op de grond zitten en drukte zijn oor tegen de ijzeren deur. Ver weg hoorde hij een windje ruisen. Hadji Haroen knoopte de groene linten onder zijn kin opnieuw vast.

Wat bevindt zich daarbeneden?

Jeruzalem. De Oude Stad, bedoel ik.

Joe richtte zijn blik op de steeg buiten. Een magere kat sloop met een of ander soort koord in zijn bek langs de voordeur van de winkel.

Is dat daarbuiten dan niet Jeruzalem? De Oude Stad, bedoel ik?

Een ervan.

En daarbeneden?

De andere Oude Steden.

O'Sullivan Beare floot heel zachtjes.

Hoe kan dat nou?

Ach, Jeruzalem is voortdurend verwoest, nietwaar. Ik bedoel, het is honderden keren min of meer met de grond gelijk gemaakt en minstens twaalf keer totaal verwoest, dat wil zeggen twaalf keer sinds Nebukadnezar, waar wij van af weten en voordien nog eens twaalf keer waar wij geen weet van hebben. En omdat de stad boven op een berg ligt heeft nooit iemand de moeite genomen de ruïnes op te ruimen alvorens zij weer werd opgebouwd, dus werd de berg steeds hoger. Begrijp je wel?

Ik begrijp het. En wat is daaronder, waar de ladder heen voert?

Wat er altijd is geweest. Een dozijn Oude Steden, twee dozijn Oude Steden.

Nog steeds met sommige van haar kunstschatten en monumenten intact?

Sommige. Men heeft de neiging dingen die begraven zijn over het hoofd te zien en na verloop van tijd volkomen te vergeten. Weet je, gedurende mijn lange leven heb ik meegemaakt hoe een heleboel dingen werden vergeten, de deuken in mijn helm bijvoorbeeld. Kan iemand zich nog herinneren hoe ik die deuken heb opgelopen?

De verschrompelde Arabier ijsbeerde doelloos door de kamer.

Jezus, dacht Joe. Hadji Haroens ladder. We dalen af.

# الحج

Daar Hadji Haroen geboren en getogen was in de stad die altijd bevolkt was geweest door veroveraars of pelgrims, lag het heel erg voor de hand dat hij het grootste deel van zijn leven had doorgebracht in de dienstverlenende sector. In het tijdperk der Hebreeërs was hij zijn carrière begonnen met het fokken van kalveren en later van lammeren. Onder de Assyriërs was hij steenhouwer, gespecialiseerd in gevleugelde leeuwen. Hij was hovenier onder de Babyloniërs en tentenmaker onder de Perzen.

Toen de Grieken aan de macht waren, dreef hij een kruideniersswinkeltje dat dag en nacht open was en toen de Makkabeeën het bewind voerden goot hij kaarsen. Tijdens de Romeinse overheersing was hij kelner.

Voor de Byzantijnen schilderde hij iconen, voor de Arabieren naaide hij kussens, voor de Egyptenaren werkte hij nogmaals als steenhouwer, maar ditmaal met de nadruk op vierkante blokken. Hij werkte als masseur die reumatische aandoeningen behandelde tijdens de bezettingen door de kruisvaarders, besloeg paarden voor de Mamelukken en voorzag de Ottomaanse Turken van hasj en geiten. Aanvankelijk had hij ook af en toe gewerkt als tovenaar en toekomstvoorspeller en op het minder veeleisende gebied van de algemene geneeskunde.

Om in de tovenarij een succes te worden, had hij zijn hoofd kaalgeschoren en zijn kwalificaties met een graveernaald op zijn schedel laten tatoeëren zodat hij in tijden van nood kon vragen of men zijn hoofd wilde kaalscheren en hij zo zijn authenticiteit kon aantonen.

Als toekomstvoorspeller droeg hij geen halsband en liet hij zich niet aan een touw van de ene klant naar de volgende leiden zoals de gewoonte was, maar gaf hij er in plaats daarvan de voorkeur aan op de bazaar te zitten en voorbijgangers ongevraagde waarschuwingen naar het hoofd te slingeren.

Op geneeskundig gebied werkte hij uitsluitend met het pasteiachtige aftreksel van een plant met stervormige bloemen die bekendstond als jeruzalemmertje, een soort nachtschade. Die mengsels bereidde hij door ze fijn te stampen op de smerige straatkeien in de omgeving van de Damascus Poort, waar regelmatig kon worden gezien hoe hij op handen en knieën een soort dansje uitvoerde om de voeten van de voorbijgangers te ontwijken.

Hij maakte ook gebruik van een geneeskrachtiger sap van de verwelkte bladeren van de wolfskers, een effectief verdovend middel dat ook heftig braken veroorzaakte. Omdat Hadji Haroen genoodzaakt was meermalen per dag zijn eigen remedie te gebruiken, was hij meestentijds verzwakt. Om zijn braaksel enige substantie te geven, consumeerde hij grote kommen tot brij gekookte artisjokken.

In die periode beschikte hij nog over het vermogen elke man in zijn eigen taal aan te spreken, ook al kende hij die taal zelf niet, wat een groot voordeel was in Jeruzalem. Zo verwierf hij zich algauw de reputatie in staat te zijn een Japanse mispel of een ezel of zelfs de onbegrijpelijke kreten van marskramers te veranderen in onthutsende voorboden van grootse gebeurtenissen.

In de loop van de tijd had hij bekendgestaan onder vele namen die hij zich nu niet meer kon herinneren, maar na zijn eerste hadj in de achtste eeuw had hij voor altijd de naam Aäron aangenomen, of Haroen, zoals de Arabieren het uitspraken, ter ere van Haroen ar-Rasjied die zo'n prominente rol speelde in zijn boven alle favoriete vertellingen uit *Duizend-en-één-nacht*. Het was ook na zijn eerste hadj dat hij zich had gewijd aan de verdediging van Jeruzalem en haar vroegere en toekomstige bewoners tegen alle vijanden. Maar ondanks al zijn goede bedoelingen moest hij toegeven dat nog steeds niet goed duidelijk was wat hij daarmee had bereikt.

Misschien komt dat, zo zei hij, omdat een dergelijke taak zowel immens als eeuwigdurend is. Begrijp je wat ik bedoel?

Niet helemaal, antwoordde Joe duizelig. Zou je iets duidelijker kunnen zijn?

Hadji Haroen leek in verlegenheid gebracht.

Ik betwijfel het, maar ik zal het proberen. Waarover?

Ach, ik weet niet precies. Hoe zit het met de tijd dat je geneeskunde praktizeerde. Dat is een eerzaam beroep, waarom heb je het opgegeven?

Ik moest wel. De markt voor wolfskers stortte pardoes in.

Hoe kwam dat?

Iemand verspreidde een gerucht dat die handel wegvaagde. Kijk, het spul werd voornamelijk gekocht door vrouwen die de pupillen van hun ogen wilden vergroten zodat ze er verleidelijker uitzagen. Op een dag kwam een jongeman wiens vrouw een cliënte van me was naar me toe om me in vertrouwen te nemen. Ze waren pas korte tijd getrouwd en het scheen dat zij hem niet in haar mond wilde nemen. Ze vond het onnatuurlijk of onhygiënisch of allebei. Dus verschafte ik hem raad.

Welke raad voor zo'n probleem?

Ik zei hem dat hij tegen haar moest zeggen dat het volkomen natuurlijk en hygiënisch was en dat het bovendien het beste middel op aarde was voor onmiddellijke vergroting van de pupillen van de ogen. Voor een optimaal resultaat moest ze om de paar uur een dosis tot zich nemen. Het was slechts een leugentje om bestwil om hun huwelijk een steuntje in de rug te geven, begrijp je, of misschien was het wel helemaal geen leugentje. Misschien werkt het wel, wie weet. Weet jij het?

Ik moet toegeven dat ik het niet weet. Wat gebeurde er vervolgens?

Nou, hij zei het tegen haar en zij vroeg mij, als haar huisarts, of het waar was en ik beaamde het, en daarna liep haar echtgenoot zo gelukzalig uitgeput rond dat zijn vrienden zich begonnen af te vragen wat er gaande was en hem om opheldering vroegen.

En toen?

En hij vertelde het hun, en zij vertelden het hun vrienden, en in een mum van tijd liepen alle mannen in Jeruzalem er gelukzalig uitgeput bij en kon ik mijn wolfskers aan de straatstenen niet meer kwijt, omdat de vrouwen te veel van dat andere goedje innamen.

Dus het gerucht dat jouw handeltje ruïneerde was van jou zelf afkomstig?

Hadji Haroen schuifelde beschaamd met zijn voeten.
Daar heeft het alle schijn van.
Niet bepaald de aangewezen manier om jezelf stevig in het zadel te houden, is het wel?
Nee, dat zal best, maar je kunt het ook van een andere kant bekijken. Heb ik niet een heleboel huwelijken gelukkiger gemaakt?
Toegegeven, dat heb je vast en zeker. En, wat nog meer?
Wat nog meer wat?
Waar kun je nog meer wat duidelijker over zijn?
Eens even kijken. Wist je dat de bedoeïenen als ze honger hebben de ader van een paard opensnijden, een paar slokjes drinken en de ader vervolgens weer sluiten? Dat heb ik tijdens een hadj geleerd.
Dat wist ik niet. En als ze geen paard bezitten?
Dan laten ze een kameel braken en drinken dat op.
Aha. Dan zal ik maar niet vragen wat ze doen als ze ook geen kameel bezitten.
En dat bedoeïenenmeisjes kluitjes klavertjes in hun neus stoppen? Dat zij het wit van hun ogen blauw verven? Dat de heuvels rond de Khyber van vulkanische oorsprong zijn? Dat heb ik allemaal tijdens steeds weer een andere hadj geleerd.
Aha. Waar is dat?
Een hadj? Bedoel je waar die heen leidt?
Nee, ik bedoel die plek die door heuvels wordt omringd en zo.
O, dat is in de buurt van de grote waterscheiding van de wadi's in het noorden van Arabië.
Mooi zo. Wat nog meer?
Tja, ik heb ooit een Armeense antiekhandelaar een partij perkament geleverd die vijftienhonderd jaar oud was.
Daar had je zeker toevallig nog een voorraadje van liggen?
Klopt. In de spelonken. In een graf daarbeneden. Ik weet niet waarom. Weet jij het?
Overwoog je vijftienhonderd jaar geleden wellicht je memoires te schrijven en had je voor alle zekerheid een voorraadje onder de grond gestopt?

Het is mogelijk, alles is mogelijk. Hoe dan ook, hij zat er heel erg om verlegen. Maar weet je, hij was eigenlijk helemaal geen antiekhandelaar.

Echt niet?

Nee, in het geheel niet. Hij bracht al zijn tijd door met het zich eigen maken van de schrijfkunst, hij leerde met twee handen schrijven, ik ging wel eens een praatje met hem maken. En hij was eigenlijk ook geen Armeniër. We spraken Aramees met elkaar.

Wat is dat?

De taal die tweeduizend jaar geleden in Jeruzalem werd gesproken. En nu ik erover nadenk is dat waarschijnlijk de laatste keer dat ik die sindsdien heb gesproken.

En dat was ook heel verstandig van je, om van die gelegenheid gebruik te maken, bedoel ik. Waarschijnlijk is de kans dat je een niet-Armeniër tegen het lijf loopt die met beide handen schrijft en Aramees spreekt vrij klein, zelfs in Jeruzalem.

Hadji Haroen bewoog zich. Hij fronste zijn voorhoofd.

Dat is waar. Weet je dat ik hem zeven jaar later pas weer heb teruggezien, toen hij op een ochtend, eruitziend als een geestverschijning, mijn winkeltje binnenkuierde. Je hebt nog nooit een man gezien die zo onder het stof zat. Zijn neus was verdwenen en een van zijn oren viel er haast af en hij had een bundeltje onder zijn arm.

Denk je dat het leven in de woestijn hem zwaar was gevallen?

Je zou het wel zeggen. Hij zei iets over een verblijf in de Sinaï en gesprekken met een blinde mol daar, maar het was allemaal nogal verwarrend, ik kon er geen touw aan vastknopen. Hij was verdwaald, de arme drommel, hij kon in Jeruzalem niet eens de weg vinden. Hij smeekte me hem naar het Armeense Kwartier te brengen, naar een kelderkrot waar hij placht te wonen, dus dat heb ik gedaan.

Uitstekend. En welke gebeurtenis deed zich daar voor?

Geen enkele eigenlijk. Hij begon in de kelderruimte te graven tot hij op een meter diepte of zo op een ongebruikte cisterne stuitte. Hij legde de bundel die hij mee had gedragen in de holte en gooide de kuil dicht. Waarom zou hij dat hebben gedaan? Weet jij het?

Op het ogenblik niet, maar ik kom voortdurend op nieuwe ideeën.

Hij wist niet dat ik er nog was, weet je, het was net alsof hij alle greep op de werkelijkheid kwijt was. Hij stond aan één stuk door te mompelen en wreef met zijn handen over zijn ogen alsof hij iets weg probeerde te vegen.

Mompelen, geen greep meer op de werkelijkheid, zeg je. Nou, dat is ook een goeie. Heb je nog meer op je lever?

Alleen dat ik twee ontdekkingen heb gedaan toen ik nog een kind was.

Slechts twee, zeg je?

De eerste had met ballen te maken.

Speelballen?

Nou nee, met mijn eigen ballen.

O, dat is wat anders.

Ja. Toen ik nog een klein ventje was dacht ik altijd dat die bedoeld waren om pis in op te slaan. Als je ernaar keek leek dat een alleszins redelijke verklaring, maar toen ik wat ouder werd, bleek dat in het geheel niet het geval.

Dat is zo, daar zijn ze niet voor. Wat was je tweede en laatste ontdekking?

Dat vrouwen en zelfs keizers moesten poepen net als ik. Ongeveer één keer per dag, met dezelfde knallen en scheten.

Een merkwaardige ingeving.

Ja. Zeer merkwaardig. Het duurde minstens een jaar voor ik aan dat idee was gewend en je weet hoe lang een jaar kan duren als je een kind bent. Lijkt het dan vaak niet eeuwen te duren?

Eeuwen, dat is zo. Vaak.

Weet je hoe ik tot die twee ontdekkingen ben gekomen?

Niet precies, om eerlijk te zijn.

Nou, dat kwam door een blinde verhalenverteller die langs de kant van de weg verhalen zat voor te dragen en een imbeciel die opschreef wat hij verkondigde. Het waren verhalen voor volwassenen en ik had eigenlijk niet mogen luisteren maar ik deed het toch. Ik was toen nog heel jong.

Ik begrijp het.

Ja, voegde Hadji Haroen er op matte toon aan toe. Maar waren wij niet allemaal ooit jong en onschuldig?

ألحج

Verreweg de meest kenmerkende invloed op Hadji Haroens jongensjaren was zijn moedervlek, een indrukwekkend fenomeen dat lange tijd onzichtbaar was geweest en zich nu alleen bij zeldzame gelegenheden openbaarde.

Deze moedervlek had een grillige, verschoten paarse tint en begon boven zijn linkeroog, spreidde zich uit rond zijn neus, schoot langs zijn nek omlaag en wervelde over zijn hele lichaam, met tussenpozen stokkend en opnieuw beginnend, dan weer onduidelijk, dan weer nadrukkelijk, de ene keer met brutale uithalen, de andere keer vloeiend over zijn lendenen en langs het ene of het andere been omlaag dwarrelend om in de buurt van een enkel te verdwijnen als een soort kaart van een fabelland uit de oudheid, wellicht Atlantis of het onbekende rijk van de Chaldeeërs of het bekende maar voortdurend verschuivende rijk van de Mediërs.

Toen het paarse patroon nog grotendeels zichtbaar was, waren er lieden die er een globale stratengids van Ur in zagen van voor de tijd dat de stad door de eerste zondvloed werd overspoeld. Anderen zagen het duidelijk als een overzicht van de belangrijkste militaire versterkingen in de valleien tussen de Eufraat en de Tigris, terwijl weer anderen beweerden dat het een accurate schets van de oasen in de Sinaï was.

In ieder geval zorgde die moedervlek ervoor dat Hadji Haroen al vroeg in zijn carrière de aandacht op zich vestigde. Ten tijde van de eerste Jesaja was hij een bekende figuur in Jeruzalem, die beurtelings door mannen van alle rassen en geloven werd gerespecteerd of gevreesd.

Maar tijdens de Perzische overheersing trad een verandering op. Zowel door de autochtonen als door de buitenlanders werd hij niet langer als volkomen betrouwbaar beschouwd, en toen Alexander op zijn weg naar India een tussenstop maakte, werd Hadji Haroen al gezien als een rare snuiter, ondanks het feit dat hij veel langer in de stad had gewoond dan ieder ander. Bepaalde louche waarzeggers vroegen hem nog wel heimelijk om advies, maar zelfs zij dienden rekening te houden met de publieke opinie en liepen hem op straat straal voorbij.

Toen het verval eenmaal inzette ging het snel bergafwaarts. Hadji Haroens zelfvertrouwen nam gestaag af. Hij raakte zijn improvisatievermogen en daarmee zijn stoutmoedige voordrachten kwijt. Lang voor de Romeinse tijd nam al niemand hem meer serieus. Maar toen had hij al te veel volkeren zien komen en gaan en te veel tijdperken zien opkomen en ondergaan. Hij had de verwarrende gewoonte alle gebeurtenissen op één hoop te vegen alsof ze gisteren hadden plaatsgevonden, en als vreemdelingen de fout begingen naar hem te luisteren, dan stuurde hij ze naar alle kanten tegelijk het bos in en veranderde de werkelijkheid voor hun ogen even snel als de contouren van het paarse landschap dat zich over zijn tengere lichaam uitstrekte.

Daarom vond er, ongeveer ten tijde van Christus, een totale verduistering plaats van Hadji Haroens geloofwaardigheid. De burgers van Jeruzalem stapelden voortdurend nieuwe muren en poorten en tempels en kerken en moskeeën op de bouwvallen van het verleden en overdekten het oude puin met nieuwe bazaars en tuinen en pleinen en voegden voortdurend nieuwe bouwwerken toe.

Ze hadden het druk en gewoonweg niet de tijd om een man die duizend jaar voor Christus was geboren te geloven. Zeker niet als het een man betrof wiens geest gonsde van feiten waar nog nooit iemand van had gehoord.

# 10 De Scarabee

الحج

*Een Egyptische stenen kever en een grote geheime scarabee volgepropt met de eerste wapens voor het toekomstige Joodse ondergrondse leger.*

In 1920, bijna drieduizend jaar later, was de jonge O'Sullivan Beare nog lang niet gereed om met pensioen te gaan. Zodra hij zijn intrek had genomen in het Tehuis voor Helden uit de Krimoorlog begon hij plannen uit te broeden, manieren te zoeken om aan geld te komen en in diverse Arabische koffiehuizen te laten doorschemeren dat hij waar het illegale praktijken betrof gepokt en gemazeld was. Het duurde niet lang voordat een man van onduidelijke nationaliteit hem benaderde.

Wapensmokkel? Hij knikte. Hij beschreef zijn vier jaar durende vlucht door het zuiden van Ierland en de man leek onder de indruk. Van waar naar waar? Van Constantinopel hier naartoe. Voor wie? De Haganah. Wat is dat? Het toekomstige Joodse ondergrondse leger. Tegen wie zal het de strijd aanbinden, de Engelsen? Zo nodig. Mooi, verdomde Engelsen.

Je zult de eer hebben hun de eerste wapens te leveren, voegde de man eraan toe. Als je voldoende dokt, dacht Joe.

Geld. Hij dacht terug aan Hadji Haroens verloren schatkaart, waarvan hij zeker wist dat hij bestond. De oude Arabier had er alleen terloops melding van gemaakt en hem het verhaal van mijn leven genoemd, maar Joe's belangstelling was te zeer gewekt om het daarbij te laten zitten.

Heb je het ergens opgeschreven, had hij Hadji Haroen gevraagd.

De oude Arabier had maaiende bewegingen met zijn armen gemaakt. Hij kon zich niet herinneren of hij dat gedaan had of niet, maar Joe maakte eruit op dat hij het wel degelijk had gedaan en het later was kwijtgeraakt of ergens had opgeborgen en vergeten was waar, deze ware of geheime geschiedenis van de kostbaarheden die hij had ontdekt in de spelonken onder Jeruzalem, in de Oude Steden die hij daar had verkend en vervolgens in zijn gedachten had verhaspeld met verhalen uit *Duizend-en-één-nacht* en de andere fantasieën die hem beheersten; een gedetailleerde gids tot het onmetelijke fortuin dat in de loop der millennia door veroveraars en fanatieke gelovigen naar Jeruzalem was gebracht.

Hij had er Hadji Haroen over uitgehoord.

Heb je echt geen idee wat je ermee kunt hebben gedaan?

Waarmee?

Met het verhaal van je leven.

Hadji Haroen had zijn schouders opgehaald en zijn handen ineen geslagen. Hij wilde zijn nieuwe vriend bijzonder graag een plezier doen door zich dit of onverschillig wat te herinneren, maar hij was er domweg niet toe in staat. Zijn geheugen liet hem, zoals hij zei, in de steek en de jaren vloeiden in elkaar over en terwijl hij met zijn armen in het rond maaide moest hij bedroefd toegeven dat hij het gewoon niet zeker meer wist, dat hij het niet kon zeggen, dat het verleden te verwarrend was.

Kon hij hem dat vergeven? Waren hij en Prester John nog steeds vrienden?

Dat waren ze, antwoordde Joe, niets kon daar verandering in brengen. Maar de schatkaart was nooit uit zijn gedachten verdwenen en nu vroeg hij zich af of hij erover zou beginnen tegen zijn nieuwe opdrachtgever die heel wat van Jeruzalem leek af te weten. Waarom zou hij niet een gokje wagen? Behoedzaam, zonder geestdrift, vroeg hij de man of hij ooit had gehoord over een document dat geacht werd drieduizend jaar geschiedenis van Jeruzalem te bevatten, geschreven door een gek en waardeloos, dat niet al te lang geleden zoek was geraakt.

De man keek hem nieuwsgierig aan. Doelde hij op de mythe over een oorspronkelijke Sinaï-bijbel? Een authentiek exemplaar dat volkomen verschilde van de vervalsing die later door de tsaar was gekocht?

De tsaar. Zelfs de tsaar had er achteraan gezeten. Die was er zo op gebrand geweest de kaart in handen te krijgen dat hij zich zelfs met vervalsingen liet afschepen.

Dat bedoel ik. Wat beweert men dat ermee is gebeurd?

Men beweert dat het begraven is. Maar niemand heeft het ooit gezien en het is natuurlijk allemaal lariekoek, het hersenspinsel van een gestoorde geest.

Gestoord zeker, lariekoek uiteraard, begraven ongetwijfeld. Hadji Haroen ontsloot op een avond zijn antieke brandkast, zette een voet op de bovenste sport van de ladder en daalde heimelijk achttien meter af door een tunnel voor een lange eenzame nacht in de spelonken.

Wat beweert men dat er precies in stond?

De man glimlachte. Dat is het hem nu juist. Naar verluidt staat alles erin.

Alles. Perzische paleizen en Babylonische tiara's, voorraden van de kruisvaarders, oorlogsbuit van de Mamelukken en goud van de Seleuciërs. Een kaart zo waardevol dat de tsaar zijn rijk ervoor in ruil had willen geven.

Wanneer beweert men dat hij is begraven?

Ergens in de vorige eeuw.

Ja, dat zou kunnen kloppen, Hadji Haroen had ze toen waarschijnlijk nog allemaal op een rijtje. Hij zou hem geschreven hebben en hem hebben verstopt en vervolgens zijn vergeten waar hij hem had verstopt toen hij werd aangegrepen door het besef van zijn heilige missie. Hij zag de oude man langs de muren van zijn lege winkel strompelen en in de hoeken staren. Missie waarheen? Naar de maan. Verblijfplaats? Maanziekte. Beroep? Maniak.

Jezus, dat was Hadji Haroen ten voeten uit. Verkenner van geheime spelonken en ontdekker van twee dozijn Oude Steden, kaartenmaker der eeuwen, voormalige koning van Jeruzalem, die nu niets anders meer deed dan naar kale muren staren en verstrooid zijn helm rechtzetten, die een regen van roest losliet die zijn ogen deed tranen en het beeld van de persoon die hij in een niet-bestaande spiegel hoopte te zien vertroebelde.

De man aan de andere kant van de tafel sprak over de routes naar Constantinopel. Paden, wegen, straten, Engelse grensposten en wachtposten, bergpassen die 's nachts moesten worden overgestoken. Joe stak zijn hand op.

Zeg eens, hebben we het hier niet over de eerste wapens die naar de Haganah worden gesmokkeld? Wat vervoer je bij zo'n gelegenheid gemiddeld met een kar met dubbele bodem? Vijgen als dekmantel? Ik heb een beter idee. Ik weet toevallig dat er een reusachtige scarabee bestaat die vanbinnen hol is zodat er een heleboel in kan. Een scarabee, zei ik. Een Egyptische scarabee.

De man staarde hem aan. Joe dempte zijn stem.

Stel je voor. Vanuit het hart van het vijandelijke kamp kruipt een gigantische kever langzaam door een oud verdord thuisland dat ooit weer vruchtbaar moet worden. Een gestaag oprukkende scarabee, een Egyptische scarabee, zo geduldig en hard als steen omdat hij van steen is. Een scarabee zo oud als de piramiden, zo vastberaden als de mensen die nu aan die piramiden zullen ontsnappen, een enorme stenen scarabee die de berghellingen beklimt om uiteindelijk in het eerste licht van een nieuwe dag Jeruzalem te bereiken; een Egyptische stenen kever en een grote geheime scarabee, volgepropt met de eerste wapens voor het toekomstige Joodse ondergrondse leger.

O'Sullivan Beare leunde achterover en glimlachte, vermoedend dat deze man Stern misschien wel bereid zou zijn diep in de buidel te tasten.

Hij had de papieren van de bakpriester en de instructies van Stern, nu moest hij alleen nog Hadji Haroen zien over te halen mee te reizen, want dat hij afstand zou doen van de scarabee was ondenkbaar. Vanochtend, zei hij, hoorde ik iemand praten over een zekere Sindbad. Wie is hij eigenlijk? Een plaatselijke koopman?

Hadji Haroen hield abrupt op met ijsberen langs de muren.

Een plaatselijke koopman? Wil je beweren dat je nooit van Sindbads geweldige avonturen hebt gehoord?

Nee. Wat waren dat dan?

Hadji Haroen zuchtte diep en begon vol vuur aan een onstuimig verslag. Twintig minuten later sloegen de klokjes van de zonnewijzer, wat maakte dat hij even pauzeerde.

Middernacht hoewel het zonnetje schijnt, zei Joe. Wanneer ben jij voor het laatst op zee geweest?

Hadji Haroens handen bleven midden in de lucht zweven.

Wat?

Op zee.

Wie?

Jijzelf.

Ik?

Ja.

Hadji Haroen boog beschaamd het hoofd.

Maar ik ben nog nooit op zee geweest. Ik heb Jeruzalem nog nooit verlaten, behalve om mijn jaarlijkse hadj te maken.

Dat is me ook wat moois. Sindbad heeft al die dingen gedaan en jij bent nog geen enkel keertje op zee geweest?

Hadji Haroen sloeg, overstelpt door de meelijwekkende mislukking die zijn leven was, zijn handen voor zijn gezicht. Zijn handen beefden, zijn stem trilde.

Het is waar. Hoe zal ik dat ooit kunnen goedmaken?

Nou, door een zeereis te maken, natuurlijk. We volgen vastberaden in het kielzog van Sindbad.

Dat is onmogelijk. Ik kan mijn kostbaarheden niet onbeheerd achterlaten.

Dat hoeft niet. Niemand kan er met de brandkast vandoor, daarvoor is hij veel te zwaar of steekt hij veel te diep in de grond of allebei. Je helm kun je op je hoofd houden, Sindbad droeg er zelf waarschijnlijk ook een. En de scarabee nemen we met ons mee.

Echt waar? Zou een scheepskapitein dat goedvinden?

We zeggen hem gewoon dat het vracht is. We zeggen dat we in de antiekhandel zitten en dat we hem naar Constantinopel brengen om hem in te ruilen tegen een aantal lichtere stukken. Hij zal het wel begrijpen. Wie wil er nou zo'n zwaar ding bezitten? En als we terugkomen, zeggen we dat we er geen goede prijs voor konden bedingen en is alles in kannen en kruiken en niemand zal iets vermoeden. Wat vind je ervan?

Hadji Haroen glimlachte dromerig.

Vastberaden in het kielzog van Sindbad? Na al die jaren?

Dezelfde middag dat de zeereis werd voorgesteld, merkte Hadji Haroen dat er iets was dat hem verbijsterde. Opeens was zijn nieuwe vriend begonnen zijn verleden een bijbel te noemen. Om preciezer te zijn, hij noemde het de Sinaï-bijbel.

Wat wilde hij daarmee zeggen? Waarom was zijn verleden in de ogen van zijn vriend een bijbel en wat had die met de Sinaï te maken? Werd hij gezien als de spirituele metgezel en broeder in de woestijn van Mozes omdat hij Aäron heette?

Hij verdiepte zich zo goed mogelijk in de kwestie, maar kwam steeds weer bij Mozes uit. Na veertig jaar zwerven had Mozes iets bereikt, en hoewel hijzelf vijfenzeventig keer zo lang had rondgezworven, had hij nog steeds niets bereikt. Wellicht in de nabije toekomst? Had zijn vriend vertrouwen in het uiteindelijke succes van zijn missie? Bedoelde hij dat te zeggen?

Hadji Haroen gluurde verlegen naar het afbrokkelende pleisterwerk in zijn niet-bestaande spiegel. Hij zette zijn helm recht.

Was het blasfemisch? Zou hij deze nieuwe gegevens moeten accepteren zoals hij in de loop der eeuwen zoveel ogenschijnlijk onbegrijpelijke waarheden had geaccepteerd?

Deemoedig besloot hij dat het zijn plicht was. Zijn vriend was vasthoudend en hij kon bepaalde feiten toch moeilijk negeren alleen omdat ze onwaarschijnlijk leken. In feiten moest worden geloofd. Hoewel hij het tot op dat moment nooit had vermoed was hij, Hadji Haroen, de geheime auteur van de Sinaï-bijbel.

En toen hij dat eenmaal had aanvaard, paste het moeiteloos in zijn achtergrond. Nog diezelfde avond noemde hij de Sinaï-bijbel zijn dagboek, een verslag van zijn avonturen, opgetekend tijdens een winter in Jeruzalem in een eerder tijdperk in zijn leven.

Bedoel je met eerder tijdperk de vorige eeuw, vroeg O'Sullivan Beare.

Hadji Haroen glimlachte, hij knikte. Hij kon zich niet goed herinneren waarom hij had opgeschreven wat hij had opgeschreven, maar waarschijnlijk had hij het gedaan om de tijd te doden en de ijzige luchtstromen in de spelonken waar hij toentertijd waarschijnlijk leefde te vergeten.

Waarom is dat waarschijnlijk? vroeg O'Sullivan Beare.

Hadji Haroen weifelde even en schoot toen in de lach.

Omdat de spelonken zolang ik me kan herinneren mijn winterverblijf zijn geweest.

Meen je dat? Je geeft dus toe dat de Sinaï-bijbel uitsluitend handelt over wat je in de spelonken hebt aangetroffen?

O ja, nou en of, antwoordde de oude man gewichtig. Wist je niet dat dat al langere tijd mijn jaarlijkse patroon is? Door de heuvels van Judea dolen, genietend van het zonnetje in de zomer, terug naar mijn winkeltje in de Oude Stad voor de verkwikkende, heldere lucht in de herfst, naar de spelonken van het verleden om daarin de winter door te brengen en een hadj in de lente? Ik houd me al millennia aan dat schema en waarom zou ik niet? Wat zou er bevredigender kunnen zijn?

Op de ochtend dat ze zouden vertrekken, zag O'Sullivan Beare, toen hij bezig was de brandkast af te sluiten, een klein stukje papier in een spleetje aan de achterkant zitten. Hij trok het eruit en gaf het aan Hadji Haroen.

Een geheugensteuntje dat je, voor de komst van de kruisvaarders, voor jezelf hebt geschreven?

Het is niet van mij. Het is een brief in het Frans.

Kun jij hem lezen?

Natuurlijk.

Nou, aan wie is hij dan gericht?

Aan een zekere Strongbow.

Verdomde fabelfiguur, mompelde O'Sullivan Beare, die in het Tehuis voor Helden uit de Krimoorlog verhalen had gehoord over de negentiende-eeuwse ontdekkingsreiziger. Heeft nooit echt bestaan. Uitgesloten. Zo maf is zelfs een Engelsman nooit geweest. Wat staat erin?

Hij is geschreven om deze Strongbow te bedanken voor een cadeautje dat hij, ter ere van een bijzondere gelegenheid, dwars door de woestijn naar hem heeft toegestuurd.

Wat was dat cadeautje?

Een pijp Calvados.

Al die moeite voor één borrel?

Nee, een pijp, een soort inhoudsmaat als ik me niet vergis. Bijna zeshonderd liter. Zeg zo'n zevenhonderd flessen.

En waarom ook niet, maak er maar wat van. Wat was die bijzondere gelegenheid?

De geboorte van zijn negenhonderdste kind.

Asjemenou. Wiens negenhonderdste kind?

Van de man die de brief heeft geschreven.

Met welke naam heeft hij ondertekend?

Pater Yakouba.

O, ik snap het, een priester. Waar schrijft hij vandaan?

Timboektoe.

Wat?

Dat is het enige wat erop staat, afgezien van het nummer van de brief. Ze moeten een uitvoerige correspondentie hebben gevoerd.

Waarom denk je dat?

Omdat dit nummer vierduizend-en-nog-wat is. Het handschrift is daar vervaagd.

Jezus nog aan toe, dat zat er dik in. Een priester die negenhonderd kinderen verwekt. Zevenhonderd liter Calvados die naar Timboektoe wordt vervoerd. Vierduizend brieven heen en terug. Welke datum staat erop?

Midzomernacht, 1840.

Wat voerde jij toen uit?

Hadji Haroen keek hem niet-begrijpend aan.

Laat maar zitten. Je sjouwde in ieder geval niet door de Sahara tot je hersens waren gesmolten. Kom mee, daar heb je de kar voor de scarabee.

Sindbads uur was aangebroken. In Jaffa gingen ze aan boord van een Griekse kaïk en de koers naar het zuiden van Turkije werd bepaald. Hadji Haroen was van begin af aan zeeziek en kon het benedendeks niet uithouden vanwege de machinedampen en aan dek was hij niet in staat zich staande te houden omdat hij te zeer door het braken was verzwakt. Hij was bang dat de golven hem van boord zouden spoelen en uiteindelijk moest O'Sullivan Beare hem naast de scarabee aan het dolboord vastbinden om te voorkomen dat hij zou omtuimelen en zichzelf zou bezeren.

De Ier ging schrijlings op de scarabee zitten, greep de leidsels vast alsof het teugels waren en reed achterwaarts naar Constantinopel. De boot helde gevaarlijk over. Elke keer als er een nieuwe golf over de boeg spoelde, klemde Hadji Haroen zijn kaken op elkaar en kneep zijn ogen dicht. De golven kletterden omlaag, hij kromp ineen en er spoot een stroom water uit zijn mond.

Hoeveel? schreeuwde O'Sullivan Beare.

Hoeveel wat? kreunde Hadji Haroen.

Zoals ik zei, hoeveel anderen weten van het bestaan van de Sinaï-bijbel af?

De boeg van de boot zonk buiten het zicht, en tegen de hemel doemde een muur van water op. Hadji Haroen drukte zich in doodsangst tegen het dolboord aan. De zee spoelde bulderend over hem heen en de boot begon te klimmen.

Wat zei je?

Twee of drie.

Meer niet?

Op elk gegeven moment, maar we hebben het natuurlijk wel over drieduizend jaar van zulke momenten.

Jezus.

Hadji Haroen gilde. Majestueus verhief zich een nieuwe golf. Hadji Haroen wendde zijn hoofd af.

Hoeveel zijn dat er allemaal bij elkaar?

Twaalf?

Slechts twaalf?

Of daaromtrent.

Maar dat is helemaal niets.

Ik weet dat het helemaal niets is. Zou het aantal iets te maken hebben met de maan of de stammen van Israël?

Weet je zeker dat het er twaalf of daaromtrent zijn?

Hadji Haroen wilde zich dapper tonen. Als hij in Jeruzalem op vaste grond had gestaan, zou hij tenminste zijn rug een beetje hebben gerecht en zijn helm naar achteren hebben geschoven en zijn blik hebben gericht op de koepels en toren en minaretten van zijn geliefde stad. Maar hier was hij hulpeloos.

Ja, fluisterde hij bevend en beschaamd. Toen probeerde hij nogmaals het hoopvolle gevoel terug te vinden dat hij had toen hij een beroep had gedaan op en zich op één lijn had gesteld met de twaalf stammen en de maan.

Er is een oud spreekwoord dat zegt dat er maar veertig mensen op aarde zijn en dat wij er tijdens ons leven maar twaalf van ontmoeten. Zou dat een verklaring kunnen zijn?

O'Sullivan Beare knikte ernstig alsof hij die informatie zorgvuldig woog. Het zou de maan en de maanziekte verklaren maar niet veel meer.

Ik heb dat vaker gehoord, schreeuwde hij, maar gaat dat ook

op voor een leven zo lang als het jouwe? Ik bedoel, hoe kunnen zo weinig mensen je hebben gekend als je drieduizend jaar hebt geleefd?

Niet helemaal drieduizend jaar, fluisterde Hadji Haroen. Ik heb nog zestien jaar te gaan voor het zover is.

Oké, nog niet helemaal drieduizend. Maar wie zijn die mensen? Emirs en patriarchen? Hoofdrabbijnen? Kerkvorsten? Dat soort mensen?

O nee, fluisterde Hadji Haroen.

Nou, wie dan wel?

Herinner je je nog de man in de kerk die heen en weer loopt boven aan de trap die omlaag leidt naar de crypte?

In de Heilige Grafkerk bedoel je? De vent die nooit ophoudt? Die altijd in zichzelf loopt te mompelen? De man die dat volgens jou al tweeduizend jaar lang doet?

Ja, die bedoel ik. Nou, hij gelooft me. Hij sloeg me in ieder geval niet toen ik hem erover vertelde.

Hield hij op met ijsberen?

Nee.

Hield hij op met binnensmonds mompelen?

Nee.

Keek hij je zelfs maar aan?

Hadji Haroen zuchtte. Nee.

Oké, wie nog meer?

Er is wel eens een schoenlapper geweest. Ik heb hem in zijn werkhoekje opgezocht en hem erover verteld en hij heeft me ook niet geslagen.

Waar was dat?

Ergens in de Oude Stad.

Waar?

Ik kan het me niet goed herinneren.

Wanneer?

Ik weet het niet meer.

Wie nog meer?

Ik kan zo gauw niemand meer bedenken, maar misschien schiet me nog wel iemand te binnen.

Mooi zo, dacht de Ier, totaal geen kapers op de kust dus. De kaart ligt klaar om te worden weggekaapt.

In jezusnaam, is dat de waarheid? schreeuwde hij.

O God, de waarheid, kreunde Hadji Haroen toen de boot omlaag dook, terwijl een monsterlijke golf hemelwaarts sprong en hij zijn hoofd omdraaide om de meedogenloze mep op zijn andere wang te incasseren.

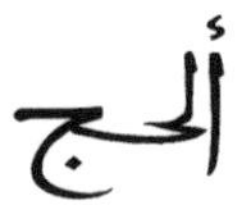

Op de dag dat ze in Constantinopel afmeerden, werd de buik van de stenen scarabee volgepropt met gedemonteerde Tsjechische geweren. De terugreis was al even ruig en tegen de tijd dat ze arriveerden, had Hadji Haroen drie weken lang geen hap gegeten. In Jaffa werd de zware scarabee van de boot op een kar geladen. Er was maar weinig verkeer op de kade en de Engelse douanebeambte leek om een praatje verlegen.

Konden jullie hem nergens slijten?

Er werd niet genoeg voor geboden, maar de volgende keer lukt het vast.

De beambte keek naar Hadji Haroen, naar de roestige helm die steeds weer naar voren schoof. De oude man liep rondjes, hij wilde het laatste stadium van de reis zo snel mogelijk achter de rug hebben.

Wie is hij? vroeg de beambte op gedempte toon. Ik bedoel, wie dénkt hij dat hij is?

Hij denkt het niet, hij weet het. Hij is de laatste Koning van Jeruzalem.

De wat?

Je hebt me best verstaan.

En die scarabee is van hem?

Ja.

Hoe komt hij eraan?

Van de vorige koning.

En wanneer was dat?

In de twaalfde eeuw, schat ik. Data zijn niet zijn sterke punt, uniformen evenmin.

De beambte lachte en pakte zijn pen op.

Naam?

MacMael n mBo, bakpriester.

Vaste woon- of verblijfplaats, meneer Priester?

Het Tehuis voor Helden uit de Krimoorlog, Jeruzalem.

Nationaliteit?

Krimmer.

Reisstatus?

Gepensioneerde oorlogsheld.

Huidige beroep?

Bewaarder van de koninklijke scarabee, tweede klasse.

De douanebeambte glimlachte maar O'Sullivans gezicht bleef ernstig. Het kostte hem moeite Hadji Haroen die elk moment van de kade leek te willen stappen in bedwang te houden.

Verwacht je nog een promotie in de nabije toekomst?

Waarschijnlijk binnen tien jaar.

Prima. Draai die oude man nu nog even mijn kant op zodat ik hem een paar vragen kan stellen.

Dat zou ik maar uit mijn hoofd laten, als je gezond wilt blijven.

De douanebeambte schoot in de lach.

Naam? Woonplaats? Beroep?

Hadji Haroen mompelde zijn naam, en herhaalde toen het woord Jeruzalem een keer of vier.

Wat is dat? Uw beroep?

Jeruzalem? zei Hadji Haroen.

Is dat een beroep?

Voor hem wel.

Luister, laat hem dan gewoon maar iets vertellen wat hij ooit in zijn leven heeft gedaan, kan me niet schelen wat, als ik maar iets heb om op dit formulier te zetten.

Goed dan, vertel het hem dan maar, zei Joe.

Dat zal ik zeker, antwoordde Hadji Haroen. Ik heb ooit de Sinaï-bijbel geschreven.

De wat?

De bijbel. Daar hebt u vast wel eens van gehoord.

Potjandorie, dat is me wat moois. En wat, mijn vriend, mag de Sinaï-bijbel dan wel zijn?

De oorspronkelijke bijbel, fluisterde Joe. Ik bedoel dat het de oudste is die ze ooit hebben gevonden, zij het dat hij nu weer is zoekgeraakt. Men kan hem nergens meer vinden.

De douanebeambte vloekte.

Wie heeft hem zoekgemaakt?

Deze Arabier hier die Aäron heet. De man die hem heeft geschreven.

Maak dat jullie als de sodemieter van mijn kade af komen, schreeuwde de beambte.

O'Sullivan Beare knikte vriendelijk. Hij boog zich naar voren en rechtte zijn rug weer. Hadji Haroen kreeg een piepende hoestbui. Duwend en trekkend reden ze de zwaarbeladen kar met zijn geheime lading wapens de kade af, zetten er halverwege flink vaart achter en moesten draven om de kar bij te houden toen de reusachtige scarabee kletterend het Heilige Land in reed.

De volgende dag ploeterden ze in een mistbank tegen de hellingen op in de richting van Jeruzalem. Ze zwoegden zwijgend naast de kar, Joe zette de ezel tot spoed aan en Hadji Haroen strompelde erachteraan. Aan het einde van de middag deed Hadji Haroen voor het eerst zijn mond open.

Het is mijn laatste reis.

Waarom denk je dat?

In drie weken geen hap door mijn keel gekregen. Ik ben ziek.

En Sindbad dan en al die reizen die hij heeft gemaakt? Die kun je toch niet zomaar vergeten en het bijltje erbij neergooien?

Nee, dat is zo. Het is waar dat wij veel dienen te dragen en moeten blijven pogen.

Zijn kin zakte op zijn borst, waardoor de helm tegen zijn neus ramde. Er hadden zich donkere wolken boven hen samengepakt en zoals gewoonlijk traanden zijn ogen waardoor hij moeite had het pad voor hem te zien. Hij was al verscheidene uren regelmatig van het rechte pad afgeweken en was gestruikeld over stenen en struikgewas. Zijn handen zaten onder de sneden en schrammen, hij liep mank vanwege een bezeerde knie aan het ene en een verstuikte enkel aan het andere been. Bloed druppelde uit een rafelige jaap in zijn wang.

De koude wind ranselde hen. Joe sjokte met gebogen hoofd voort. Opeens klonk er een luide klap. De ezel bleef stilstaan en Joe liep terug het pad af om te zien wat er was gebeurd.

Hadji Haroen lag uitgestrekt op de grond met zijn gezicht naast een grote smalle zwerfkei. Hij was er blindelings overheen gelopen, aan elke kant een voet, of liever, hij zou eroverheen zijn gelopen als de kei niet tot borsthoogte had gereikt. De kei was tegen zijn kruis geramd en had spieren doen scheuren en botten doen kraken. Hij had zijn evenwicht verloren en was op zijn hoofd gevallen en had bij het neerkomen een been verdraaid. Alleen zijn helm, nu met een nieuwe deuk in het midden, had voorkomen dat zijn schedel verbrijzeld was.

Joe draaide hem om. Eén been leek gebroken en zijn hele bekken was gedrenkt in bloed. Hij kreunde en bleef stil liggen.

Dit is het dan, ik kan niet meer, je kunt net zo goed zonder mij verder gaan.

Je been?

Verlamd, geen beweging in te krijgen, ik kan me niet verroeren, mijn ingewanden zijn uiteengereten. Eeuwenlang heb ik mijn best gedaan, geprobeerd door te gaan, maar nu is het voorbij, ik ben uitgeteld en ik ben me ervan bewust. Ik ben te oud en te moe, niets dan een erbarmelijke baal beproevingen, niets dan kwalen en nog eens kwalen, nee, ik zal me nooit meer kunnen bewegen. O, ik weet dat ik dacht dat jij me zou kunnen helpen en dat heb je ook gedaan maar nu kan geen hulp meer baten, ik ben aan het eind van mijn Latijn. Aan alles komt een einde, hoe bedroevend dat ook is. Dus ontferm je over het koninkrijk, Prester

John, het is van jou, en ontferm je over de scarabee en de brandkast en de zonnewijzer, ook die zijn van jou. Weet je, vroeger dacht ik dat ik geen berouw zou hebben als het einde kwam, maar nu weet ik dat ik niet kan tippen aan Sindbad en al die anderen over wie ik droomde, ik kan niet eens in hun schaduw staan. Ooit heb ik gedacht dat ik iets kon bewerkstelligen maar het is nooit iets geworden. Die schoenlapper en die man boven aan de trap die zich niet eens van mijn aanwezigheid bewust is, zij zijn de enigen die naar me luisteren, daar heb je gelijk in. Anderen slaan me alleen maar, dat hebben ze altijd gedaan. Ze tuigen me af omdat ik dom ben. Ze noemen me een idioot en ik weet dat ik dat ben. Niets dan een oude idioot die nooit iets heeft bereikt, nooit iets tot stand heeft gebracht, niets niemendal.

Kap daarmee, zei Joe. Houd daar onmiddellijk mee op. De stad is van jou afhankelijk, zij heeft standgehouden dankzij jou. Waar zou zij zijn als jij haar niet verdedigt? Wie zou haar herbouwen? Hoe zou zij steeds hoger kunnen oprijzen? Wat zou er van de spelonken worden?

Hadji Haroen huilde stilletjes.

Nee, ik wil al die dingen graag denken, maar ze zijn niet waar. Mijn vrouwen hadden waarschijnlijk toch gelijk, weet je, ik had genoegen moeten nemen met een leven als dat van anderen. Ik had het goed, er was meer dan genoeg te eten en ik had het nooit koud, en sindsdien heb ik niets anders gedaan dan honger lijden en huiveren en nimmer slapen, nooit een beetje rust omdat mijn tandvlees zo vreselijk pijn doet als ik ga liggen. En ze hebben me gewaarschuwd, dat kan ik niet ontkennen. Doe niet zo idioot, zeiden ze. Waarom zou je alles opgeven voor een hopeloze missie? Wil je voortdurend kou lijden? Wil je honger lijden? Je bent niet goed wijs.

Hadji Haroens ineengekrompen gestalte leek nauwelijks nog leven in zich te hebben. Hij lag op de stenen grond, hapte moeizaam naar adem en zijn gezicht was besmeurd met bloed. Bloed en roest vulden zijn ogen. De plas bloed onder zijn middel verspreidde zich. Het gebroken been lag in een vreemde hoek opzij van hem.

Joe knielde naast hem en pakte de handen van de oude man, die zo koud waren dat het hem beangstigde. Hij had een onregelmatige pols die zwakker werd.

Het kon niet waar zijn. Legde de oude krijger echt het loodje?

Hij voelde een plotselinge warmte op zijn schouders. Hij keek omhoog. De hemel had zich geopend en een hevige wind joeg de wolken terug achter de heuvels. Recht boven hen, badend in het zonlicht, lag Jeruzalem.

Kijk, riep hij.

Hadji Haroens lippen bewogen. Er klonk gerochel achter in zijn keel.

Het heeft geen zin, ik kan niets zien. Ik heb mijn best gedaan, ik heb gefaald, het is voorbij.

Nee, kijk.

Hij nam Hadji Haroen in zijn armen en veegde het bloed en de roest uit zijn ogen. Het hoofd van de oude man viel achterover. Zijn adem stokte.

Jeruzalem.

Ja.

Daar is ze.

Ja.

Hadji Haroen worstelde zich los uit zijn omarming. Hij richtte zich op zijn knieën op en plantte één voet op de grond. Hij greep de kei en trok zich eraan omhoog, zonder zijn blik ook maar één moment af te wenden van het droombeeld boven hem. Wild slingerend maakte hij zich los van de zwerfkei, gleed uit en viel bijna, maar slaagde erin om overeind te blijven en door te lopen, halfnaakt op zijn kromme spillebeentjes, struikelend en hoestend en spugend, snaterend en strompelend, lachend en bloed verliezend, zonder zich nog zorgen te maken of hij op het pad liep of niet en uitzinnig met zijn armen zwaaiend, schreeuwde hij:

Ik kom eraan, wacht, ik kom eraan.

# 11 Maud

أَلحج

*Nogmaals een droom en*
*een plek om te dromen.*

De deprimerende eerste herinneringen konden maar beter in vergetelheid begraven blijven, waar ze al veertig jaar lagen.

Een boerderij in Pennsylvania, waar ze tegen het einde van de eeuw was geboren, haar pokerspelende vader die zijn vrouw en kind in de steek liet en naar het westen was afgereisd voor ze hem kende. Haar moeder die het nog een paar jaar volhield en vervolgens in wanhoop een dosis Parijs groen slikte en toen dat niet hielp naar de schuur liep en zich verhing.

Maud die, hongerig en van mening dat het tijd was voor het avondeten, haar moeder riep en op verkenning uitging en een beetje huppelend de open schuurdeur binnenging.

Een stijf, strakgespannen touw. Een stijf strak hangend lichaam in de schaduw.

Schreeuwend en rennend, te jong om alles te begrijpen dat met een stapje terug door een deuropening te niet kon worden gedaan. Rennend en schreeuwend: Waarom hebben ze mij verlaten?

Het droefgeestige mijnstadje waar haar zwijgende grootmoeder in haar eentje woonde, een oude Cheyenne-vrouw wier echtgenoot die een moordenaar was geweest, was verstoten. De oude Indiaanse vrouw die dagen achtereen geen woord zei, haar effen en emotieloze gezicht achter de toog van het kleine café dat ze dreef; een donker, smerig oord waar de kleine Maud om tien uur 's ochtends bier tapte en naar de angstige, geblakerde gezichten van de mijnwerkers keek die op fluistertoon spraken over de zoveelste gebroken liftkabel en de verminkte lijken honderd meter onder de grond, en wiskunde leerde door op te tellen wat de uitgeputte mijnwerkers dronken.

Een verfoeilijke wereld en ze was bang. De mensen lieten je in de steek, waarom? Wat had ze gedaan? Iedereen ging altijd weer weg en er was niemand die je kon vertrouwen, dus droomde ze. Alleen thuis trok ze haar kleren uit en danste ze voor een spiegel, dromend, want alleen dromen waren veilig en mooi.

Al het andere was viezigheid en kolengruis en bungelende touwen, oude vrouwen die nooit een mond opendeden en moordenaars die nooit terugkeerden en hologige, afgetobde gezichten, wanhopige fluisteringen en de gruwel van deuren en voetstappen.

Ze deed haar uiterste best om te ontsnappen, om de beste schaatsenrijdster ter wereld te worden, daar draaide alles om in haar jeugd. Het helderwitte ijs fonkelde als ze eroverheen schoot op het schitterende harde oppervlak van haar droom, een onbeweeglijk stil oppervlak en toch zo dun boven de wervelende golven van leven die steeds dieper en dieper kronkelden in duisternis en een niets ziende wereld van verwrongen wezens die nooit in de dromen van jonge meisjes voorkwam.

Ze won wedstrijden en meer wedstrijden en toen ze nog maar zestien was werd ze uitverkoren om zich te voegen bij het toekomstige Amerikaanse Olympische team dat een demonstratietournee door Europa ging maken. Het jaar was 1906 en de eerste voorstelling was in het vakantieoord Bled alwaar zij een man ontmoette die naar de merkwaardige naam Catherina luisterde en waar het allemaal begon.

Een vreemde naam voor een vreemde man, een rijke Albanees die aan het hoofd stond van een van de meest vooraanstaande families van Albanië, wiens moedertalen Tosk en Gheg waren en die in een zeventiende-eeuws kasteel woonde.

Tosk en Gheg, een kasteel in een mysterieus land. Binnen een week was ze met Catherina Wallenstein op weg naar Albanië om zijn gemalin te worden.

Bijna onmiddellijk ontdekte ze dat ze zwanger was en op datzelfde moment liet Catherina haar volkomen links liggen. Hij was steeds vaker van huis op wat hij jachtpartijtjes noemde. Aan het einde van haar zwangerschap vernam Maud de gruwelijke waarheid over die strooptochten uit de mond van een oude vrouw die Sophia heette en die een merkwaardige macht over het kasteel had, een vrouw die om onnaspeurbare redenen door iedereen Sophia de Zwijgster werd genoemd.

Haar raadselachtige positie in het kasteel was onverklaarbaar. Zo nu en dan kreeg Maud de indruk dat ze wellicht ooit een intieme relatie had gehad met Catherina's dode vader, maar toch liet zij ook doorschemeren dat ze niet meer dan een nederige dienstmeid was, een poetsvrouw die in de stallen werkte. In ieder geval was ze in het kasteel geboren en had ze haar hele leven daar doorgebracht, en nu leek zij degene die werkelijk de touwtjes in handen had, terwijl Catherina weinig meer was dan een vreemdeling die kwam en ging. De oude vrouw negeerde hem straal en hij behandelde haar op dezelfde manier en het ging zelfs zover dat ze geen woord met elkaar wisselden. Voor beiden leek het alsof de ander niet bestond.

Toch was ze heel voorkomend jegens Maud en praatte ze vaak met haar, vooral over Catherina's vader, die krankzinnig gestorven was. De oude vrouw was geobsedeerd door zijn nagedachtenis en zodra ze het over hem had werd ze zelf ook een beetje waanzinnig. Haar stem was zacht en kinderlijk met een boeren ontzag voor bijgeloof en ze diste ongerijmde verhalen op over de laatste der Skanderbeg Wallensteins, bijna alsof hij nog in leven was, hoewel ze uit verhalen van andere bedienden had opgemaakt dat hij minstens dertig jaar geleden moest zijn overleden, lang voordat zij zelf op het kasteel te werk waren gesteld. Over Catherina's moeder, die klaarblijkelijk in het kraambed was gestorven, repte Sophia de Zwijgster met geen woord.

En zodra ze iets opmerkte over de geboorte van Catherina, raakte de oude vrouw pardoes buiten zichzelf van woede. Ze balde haar vuisten, begon woest te mompelen en braakte de monsterlijke drogbeelden van een gestoorde geest uit.

Een boosaardig kind, siste ze. Aanvankelijk doodde hij alleen maar wilde dieren. Hij ving de vrouwtjes in de bergen en reet ze open om de ongeboren vrucht te braden. Maar later trok hij, vermomd als geestelijke, de bergen in, net zoals hij tegenwoordig doet, om op verdwaalde jongens te jagen. Als hij er eentje vindt, ontvoert hij hem, bindt hem vast en misbruikt hem keer op keer en steekt hem met een mes tot de jongen bijna dood is. Dan hakt hij zijn hoofd af en eet zijn mond op. Kun je je zoiets voorstellen? De boeren vermoeden dat hij het is, maar ze kunnen er niets tegen beginnen omdat hij een Wallenstein is. Het enige dat zij ertegen kunnen doen is zorgen dat ze hun zoontjes geen moment uit het oog verliezen, maar dat maakt geen verschil want er zwerven altijd wel zigeuners door de bergen die nieuwe slachtoffers opleveren voor zijn zinnelijke lusten, nieuwe offers voor zijn rituelen.

En zo raaskalde ze maar door in haar bodemloze haat jegens Catherina totdat Maud uiteindelijk haar deur op slot moest doen en moest weigeren haar te zien.

أَلحج

Enkele weken voordat Maud zou bevallen, brak Sophia op een nacht in haar kamer in. Maud had de oude vrouw nog nooit zo buiten zichzelf gezien. Ze schreeuwde dat ze moest ophoepelen, maar Sophia greep haar bij haar arm en trok haar met bovennatuurlijke kracht naar de deur.

Vannacht zul je het allemaal zelf zien, siste ze, terwijl ze haar de gang door sleurde naar Catherina's kamer en een in een bureau verborgen hendel overhaalde. In het geheime compartiment bevond zich een dik boek met een beige omslag.

Zijn leven, zei ze, gebonden in mensenhuid. Voel maar.

Vol afschuw trok Maud haar hand terug, maar Sophia had haar nog steeds stevig vast. Ze sleurde haar door de gang naar de achterzijde van het kasteel en tilde in het duister een piepklein luik op. Ze keken neer op een kleine vensterloze binnenplaats die Maud nog nooit eerder had gezien en daar in het maanlicht zat Catherina, naakt en vooruit stotend op zijn hurken, met de schoften van een ram tussen zijn benen en zijn sterke handen rond de nek van het dier geklemd.

Om die precies op het moment suprême te breken, siste Sophia. Geloof je me nu?

Sophia had een kar klaarstaan en Maud vertrok onmiddellijk. Tegen twaalven de volgende dag begonnen de barensweeën. Catherina, die met veertig ruiters de achtervolging had ingezet, vond de boerderij waar ze lag en moordde alle bewoners uit, waarna hij een deel van zijn gevolg opdracht gaf zijn pasgeboren zoon terug te brengen naar het kasteel. Zijn linker ooglid hing neer zoals dat bij vroegere generaties Wallenstein gebruikelijk was en hij zei geen woord tegen Maud. Het enige dat hij wilde was zo snel mogelijk terugkeren naar het kasteel om Sophia te vermoorden voordat ze kans zag te ontsnappen.

Maar toen bleek dat Sophia helemaal niet geprobeerd had te ontsnappen. Ze wachtte hem op en stond stram voor een raam van de oude torenkamer waar haar minnaar bijna honderd jaar geleden voor het eerst had geleerd Bach's Mis in B Mineur te spelen. Toen Catherina het kasteel naderde, kreeg hij haar in de gaten. Ze keek hem woedend aan, sloeg langzaam een kruis en op hetzelfde moment kwam er een einde aan zijn razende galop. Zijn paard steigerde, hij kreeg een toeval en werd tegen de grond geworpen.

Zijn mannen zetten hem rechtop tegen een boomstam. Zijn armen schokten krampachtig, hij schuimbekte en zijn knieën knikten in elkaar snel opvolgende stuipen tegen zijn borst. Het bloed druppelde uit zijn mond en de aderen in zijn gezicht begonnen open te barsten.

Binnen enkele seconden was het voorbij en lag het eens zo krachtige lichaam van Catherina Wallenstein dood op de grond, ogenschijnlijk niet geveld door een primitieve woedeaanval, maar eerder ten prooi gevallen aan de fatale gevolgen van een omvangrijke en ongeneeslijke aandoening die hem al jarenlang had ondermijnd, met een koorts die deed denken aan paratyfus, een tussen mensen niet overdraagbare ziekte die hem had getroffen aan het begin van de puberteit toen hij voor het eerst een zeldzame en grotendeels uitgeroeide bergvariant van Albanese mond- en klauwzeer opliep.

Intussen strompelde Maud, verdwaasd, ziek en zonder er iets van te begrijpen, naar Griekenland met de twee geschenken die Sophia de Zwijgster haar had meegegeven: een buidel met Wallenstein-goudstukken en het geheim van de Sinaï-bijbel.

أالحج

In Athene vond ze uiteindelijk emplooi als gouvernante en kreeg kennis aan een bezoeker afkomstig van Kreta, een vurige nationalist en soldaat wiens vader een van de leiders in de Griekse onafhankelijkheidsoorlog was geweest. Hoewel hij in een welgestelde Griekse gemeenschap in Smyrna was opgegroeid, was Yanni op zijn zestiende van huis weggelopen om mee te doen aan de Kretenzische opstand tegen Turkije in 1896.

Hij had de grote, krachtige torso en de diepblauwe ogen die kenmerkend zijn voor het afgelegen berggebied in het zuidwesten van Kreta waar hij en zijn vader waren geboren, een verlaten enclave van schaapherders die, naar men beweerde, directe afstammelingen waren van de Doriërs, wier onherbergzame regio berucht was vanwege de bloederige wijze waarop vetes werden beslecht en vanwege de extreme onafhankelijkheid van zijn bevolking, die zo onwrikbaar was dat de Turken hen er tijdens hun tweehonderd jaar durende bezetting nooit helemaal onder hebben gekregen.

Yanni was trots op zijn afkomst en liep altijd in de klederdracht van zijn geboortestreek in de bergen; hoge zwarte laarzen, een zwarte rijbroek en een zwarte doek om zijn hoofd en achter zijn broekriem een lang pistool met een witte kolf en een mes met een wit heft met aan de onderzijde het Minoïsche symbool, de stierhorens, een woeste en drieste aanblik in de stille straten van Athene, waar hij eruitzag als een Barbarijse boekanier uit een ander tijdsgewricht, de ogen waakzaam, de tred gehaast, de mond zo vastberaden dat mensen vaak met een boog om hem heen liepen.

Toch had hij ook een andere, kwetsbaardere kant als hij bij Maud was. Dan viel de krachtfiguur die zijn mond vol had over wapens en eer ten prooi aan stemmingen die hem zo onbeholpen maakten dat zijn spontane en tedere gevoelens in hun eenvoud bijna kinderlijk leken. Opeens was hij totaal uit het lood geslagen, zocht hij tevergeefs naar woorden en sloeg hij ten slotte handenwringend zijn enorme ogen neer.

Het was vleiend maar ze liet hem niet langer onnodig lijden. Mijn adelaar, noemde ze hem en ze vroeg hem haar te vertellen over de bergen op Kreta en dan verdween zijn verlegenheid als sneeuw voor de zon en zweefde hij omhoog op de heldhaftige woorden die hadden gemaakt dat zijn volk steeds opnieuw uit zijn schuilplaats in de bergen te voorschijn was gekomen om gedurende de gehele negentiende eeuw de ene revolutie na de andere op Kreta te ontketenen, en om de tien jaar was het weer de vrijheid of de dood, zodra een generatie jongemannen weer oud genoeg was om te vechten en te worden afgeslacht.

Na een verkering die een jaar duurde kwam zijn vriend naar haar toe met Yanni's officiële huwelijksaanzoek, waarbij hij verklaarde dat hij, gezien het feit dat zij uit Amerika kwam, waar dat gebruik niet bestond, geen bruidsschat verwachtte. Maud glimlachte toen de man ernstig de diepten van Yanni's liefde benadrukte door erop te wijzen dat voor een man van zijn stand en reputatie zelfs een bruidsschat van tweehonderd gezonde olijfbomen op Kreta niet buitensporig zou zijn geweest.

ألحج

Na hun huwelijk nam hij haar mee naar Smyrna om haar voor te stellen aan zijn halfbroer, destijds een man van tegen de zestig, bijna dertig jaar ouder dan hijzelf.

Hij lijkt in het geheel niet op mij, zei hij met een glimlach, maar familie is belangrijk in Griekenland dus dat doet er niet toe. En hij is een vriendelijk man die geen kwaad in de zin heeft, je zult hem vast aardig vinden.

Maud vond hem onmiddellijk aardig en was gefascineerd door de vreemdheid van alles als ze samen theedronken in de tuin van zijn prachtige villa die uitkeek over de Egeïsche Zee, waar Yanni eerbiedig in zijn vervaarlijke uitmonstering knikte en zijn best deed het tere theekopje niet in zijn knuisten te vermorzelen en zijn wereldse halfbroer Sivi, onberispelijk in een van zijn elegante kamerjassen die hij altijd tot zonsondergang leek te dragen, loom pasteitjes doorgaf en uitweidde over de opera die hij die avond zou gaan zien of het laatste roddeltje uit Smyrna's geacheveerde internationale society vertelde.

Toen ze terugkeerden naar Athene, verliet Yanni haar bijna onmiddellijk weer om dienst te nemen in het Griekse leger dat verdedigingswerken voorbereidde in het noorden. Tijdens haar zwangerschap kwam hij een paar keer terug, maar in 1912, toen hun dochter werd geboren, was hij in Macedonië om tegen de Turken te vechten, en een jaar later, toen de baby stierf, was hij weer weg om de Bulgaren te bestrijden. Maud probeerde niet verbitterd te zijn, maar diep in haar hart voelde zij wel degelijk wrevel.

Na de Balkanoorlog kwam de strijd aan het Salonikafront en in 1916 kreeg ze een telegram waarin stond dat Yanni ten gevolge van een malaria-epidemie om het leven was gekomen. Maud huilde bittere tranen, maar het leek ook alsof ze van het begin af aan meestentijds alleen was geweest; een jonge vrouw in een vreemd land wier kinderdromen voor heel korte tijd waren uitgekomen om na haar eerste paar maanden met Yanni weer te vervliegen, en toch was ze nog niet bereid zichzelf toe te geven dat ze voor de zoveelste keer door iemand die zij liefhad in de steek was gelaten.

Sivi kwam haar opzoeken en ondersteunde haar financieel. Hij bood aan haar terugreis naar Amerika te betalen als ze dat wilde, maar ze zei dat ze daar nog niet klaar voor was, dat ze alleen wilde zijn om te studeren, talen dacht ze, zodat ze haar brood zou kunnen verdienen als vertaalster. De daaropvolgende jaren correspondeerden ze met elkaar en ze ontmoette hem diverse keren in Athene en Smyrna en genoot altijd van die bezoekjes hoewel ze zich bleef afvragen hoe twee broers zozeer van elkaar konden verschillen.

Hij was altijd zo ontoegankelijk, zei ze, soms heb ik het gevoel dat ik hem eigenlijk nooit heb gekend.

O, je hebt hem wel degelijk gekend, hoor, zei Sivi. Wat je zag was wat hij was, mannen uit de bergen staan heel ongecompliceerd tegenover hun vrijheid en dood.

En wat die grote verschillen tussen ons betreft, voegde hij er schalks aan toe, een van ons was klaarblijkelijk een anachronisme. Yanni in zijn uitmonstering als achttiende-eeuwse struikrover of ik met mijn voorkeuren die verder terugvoeren in het verleden, laten we zeggen duizenden jaren terug.

Ze ontmoette verschillende mannen die haar weinig deden en ging 's zomers naar de eilanden. Twee jaar na het einde van de oorlog werd ze dertig en toen besloot ze dat de tijd rijp was, ze was klaar om te vertrekken maar waarheen? Ver mocht het niet zijn, ze had maar weinig geld gespaard.

Ze bestudeerde een landkaart van het Oostelijke Middellandse-Zeegebied en zette haar vinger erop. Ze lachte. Natuurlijk. Waar anders dan in die ongeëvenaarde smeltkroes van bazaars en rassen en religies boven de woestijnen en woestenijen, die al zo lang het toevluchtsoord was voor verdoolde, verworpen en zoekende mensen; nogmaals een droom en een plek om te dromen.

Dus ging Maud op weg naar Jeruzalem.

# 12 Akaba

*Laten we het meteen nog eens doen.*

Op een middag, toen ze langzaam de steile trap van de crypte onder de Heilige Grafkerk op liep, dook er plotseling een gestalte op uit de schaduwen en begon op fluistertoon tegen haar te spreken. Hij was een kleine, donkere man met een dunne baard en vlammende ogen maar daar had ze nauwelijks erg in. Wat haar boeide was zijn stem.

Onder de stad, daar ben ik net geweest en dat is waar ik net vandaan kom, daarbeneden heb ik oorden verkend die millennia lang verloren waren, ik heb Salomo's mijnen gezien en Romeinse circussen en kruisvaarderskapellen en de cognac is achthonderd jaar oud en de lansen zijn tweeduizend jaar oud en de uitgehouwen stenen zijn drieduizend jaar oud, wil je dat wel geloven.

Verder terug door het verleden snelde de omfloerste Ierse stem, door spelonken en door gangen, wervelend langs pronkstoeten en prachtvertoningen en de talloze triomfen en verwoestingen van Jeruzalem in de loop der eeuwen om eindelijk, na drie dagen en twee nachten zo verbaasd over wat hij had gezien toevallig op deze plek op te duiken, dat hij het allemaal wel moest beschrijven aan de eerste de beste persoon die hij tegen het lijf liep.

En jij bent de eerste persoon, fluisterde de zachte Ierse stem, en mag ik weten hoe jij heet?

Maar Maud zei niets, ze wilde de betovering tussen twee vreemden die plotseling in de heilige grafkelder bijeen waren gebracht niet verbreken. In plaats daarvan glimlachte ze, ging zwijgend op haar knieën zitten en nam hem in haar mond, hem na afloop duizelig tegen de stenen in de schaduw leunend achterlatend.

Ze talmde nog een dag of twee in de betovering voordat ze terugkeerde en natuurlijk stond hij haar daar op te wachten. En boven aan de trap die naar de grafkelder voerde, liep weer diezelfde man in het duister te ijsberen en zich in zichzelf gekeerd te kwijten van de plichten van zijn onpeilbare roeping. Net als de eerste keer sloegen ze geen acht op hem en uiteraard sloeg hij op niemand acht.

Maud leidde hem van de kerk naar de immense en stille promenade naast de Rotskoepel en daar, in de schaduw van een ceder, raakte ze de kraag van zijn opgelapte en gerafelde uniform aan en sprak ze voor de eerste maal met hem.

Wat is dit in 's hemelsnaam?

Officier lichte cavalerie, Hare Majesteits expeditieleger in de Krim, 1854. Gerafeld want oud, opgelapt vanwege een val tijdens een roemruchte zelfmoordcharge.

En hoe komt het dat je die charge hebt overleefd?

Daar zijn twee redenen voor. Dankzij Gods zegeningen en tevens omdat mijn vader had gezegd dat er nog andere dingen voor mij in het verschiet lagen. Zie je deze onderscheidingen en met name dit kruis? Die bewijzen dat ik een erkende held uit het midden van de negentiende eeuw ben, toen ik in mijn dwaasheid de zaak van het Britse Imperium op niet geringe en levensgevaarlijke wijze diende.

Maud pakte het kruis vast en lachte.

En hoe oud ben je dan nu?

Twintig, nog maar net. Hoewel ik me veel ouder voel, zelfs zo oud als mijn vader. Hij was een visser en een arme drommel net als ik.

En al die dingen die je me laatst hebt verteld zijn waar?

Jezus en of die waar zijn, allemaal en elk voor zich, geen uitgezonderd en zo waar als ik hier sta. Waar tot op het bot. Ik kan het weten. Mijn vader had de gave.

Welke gave?

Hij kon in de toekomst kijken als in het verleden, kon zien hoe het zou zijn. Hij was de zevende zoon van een zevende zoon en in mijn land impliceert dat dat je de gave hebt.

Maud lachte opnieuw.

En wat zag jouw vader dan in de toekomst dat het jou mogelijk maakte de zelfmoordcharge te overleven?

Vechten voor Ierland zag hij, niet in een roeiboot oversteken naar Florida zoals de goede St. Brendaan zo'n slordige dertienhonderd jaar geleden zo verstandig was te doen. Dat is ook een van mijn namen, weet je. Ik kom van een eiland vol heiligen en ik had ten behoeve van de Kerk best naar Florida willen roeien, want het klimaat schijnt daar voortreffelijk te zijn, maar dat was niet voor mij weggelegd. Wat wel voor mij was weggelegd was vechten in de heuvels van Cork, rondsjouwen met een monsterlijk oud vuurwapen, een omgebouwd musketon was het, Amerikaans legermodel 1851, kaliber negenenzestig, schiet als een houwitser om afstand te kunnen houden, maar na een tijdje moest ik ontsnappen, dus stond God me toe me aan te sluiten bij een nonnenorde die bekendstaat als de clarissen, tijdelijk uiteraard, want een aantal van die clarissen ging op een pelgrimstocht naar het Heilige Land die aan het einde van de achttiende eeuw was aangevraagd, maar God had gewacht met Zijn permissie tot het ogenblik daar was, en zo raakte ik bij toeval als non in Jeruzalem verzeild maar ik ben geen non meer. Nu ben ik een gepensioneerde veteraan en woon ik in het Tehuis voor Helden uit de Krimoorlog, want de bakpriester besloot me met zijn Victoria

Kruis te onderscheiden wegens algehele heldenmoed want het brood begon zijn hersens aan te tasten, wat na zestig jaar achter de oven dezelfde vier modellen brood te hebben gebakken niet meer dan logisch is, en als het lijkt alsof ik wartaal uitsla en dit nogal verwarrend klinkt, dan komt dat alleen omdat ik in het gezelschap heb verkeerd van een merkwaardige Arabier, een tamelijk hoogbejaarde tovenaar, een buitengewone oude man, die zo buitengewoon oud is dat hij die invloed op je heeft. Neem me niet kwalijk, we beginnen opnieuw. Vraag maar raak.

Maud pakte zijn hand en glimlachte.

Wat zou je vader zien als hij nu hier was?

De woestijn zonder twijfel, We moeten ons distantiëren van dit gewauwel over Jeruzalem met al haar dolende fanatici van allerlei soort. Heb je dat type gezien dat boven aan de trap van de grafkelder loopt te ijsberen?

Ja.

Nou, dat doet hij al tweeduizend jaar, tweeduizend jaar loopt hij zonder ophouden te ijsberen en te mompelen. Hoe zouden wij ooit maar een beetje helder kunnen denken in een oord waar zulke dingen plaatsvinden?

Wie heeft je dat verteld?

Over die man boven aan de trap? Dat heb ik van mijn vriend de tovenaar. En hij weet dat omdat hij hem al die tijd heeft gadegeslagen. Rond het begin van elke nieuwe eeuw gaat hij even langs om poolshoogte te nemen en te zien of er iets in de algemene toestand is veranderd, maar dat is nooit het geval. Maar wat vind je ervan, zullen we samen de woestijn in trekken? Ikzelf ben er nog nooit geweest, maar de oude Arabier zegt dat het een fantastische plek is om je ziel te verrijken. Hij maakt de afgelopen duizend jaar of zo een jaarlijkse hadj en hij beweert dat het in het voorjaar met niets te vergelijken is, met wilde bloemen en van die dingen. Moeten wij daar niet heen?

Ja, lieveling, het moet een schitterend oord zijn en ik vind dat we moeten gaan.

الحج

Vanuit Akaba reden ze zuidwaarts langs de kust van de Sinaï totdat ze bij een kleine oase aankwamen waar ze hun tent opsloegen. In de heuvels bewonderden ze de kleuren van de woestijn in het maanlicht, ze zwommen rond het middaguur in de sprankelende baai en lagen op het hete zandstrand, ze sliepen elke avond in elkanders armen in en ontwaakten bij zonsopgang, ze lachten en aten vijgen en granaatappelen en toastten op de nieuwe zon met arak, fluisterden Laten we het meteen nog eens doen en draaiden en zonken weg in de kwartieren van de maan.

Op hun laatste avond zaten ze op een rots aan het water, keken ze naar de stille ondergaande zon en dronken beurtelings van de arak, terwijl achter hen de Sinaï in vlammen opging en het laatste licht wegzonk achter de kale heuvels waar de duisternis uit Arabië kwam opzetten. Het geruis van de golven en de strelingen van de wind, de in vuur en vlam staande woestijn en de gloed van de arak in hun bloed, de hemel die langzaam zwart werd en onvermijdelijk aan de overkant van de baai een andere en verre wereld.

Toen stond hij op en smeet de lege fles ver over het water.

Ze hielden hun adem in en wachtten een minuut voordat ze daar ergens ver in de nacht een zachte plons hoorden, of misschien verbeeldden ze het zich alleen maar.

# 13 Jericho

الحج

*Onderdak en vrij als vogeltjes.*

Joe was in de wolken toen hij hoorde dat ze een kindje zouden krijgen. Hij zong en danste al zijn vaders liedjes en dansjes en wilde per se nog diezelfde middag trouwen, net zoals hij voorheen per se met haar naar Akaba wilde.

Vandaag is het te warm, september is vroeg genoeg. Deze hitte is vreselijk.

Vreselijk is zij en monsterlijk en verschrikkelijk en gewoon puur slecht. Beweeg je nu maar niet, je kunt je beter niet bewegen, blijf daar maar lekker zitten en waaier jezelf wat koelte toe terwijl ik een kopje thee zet. Vreselijk, ja.

Weet je, Joe, ik begin steeds meer van Jeruzalem te houden.

Het is een gekkenhuis, hè, met geen andere plaats te vergelijken, precies wat de bakpriester heeft gezegd. Toen hij me zijn veteranenpapieren overhandigde, keek ik hem aan en zei: Jij bent vijfentachtig en ik ben twintig en hoe moet dat met het evidente leeftijdsverschil? Hij lachte, heus waar. Dat levert in een stad als deze geen problemen op, zei hij. Evidente dingen hebben weinig betekenis in onze Heilige Stad, in ieders Heilige Stad, dat zei hij. Een ogenblikje, alsjeblieft.

Ik herinner me in Piraeus ooit een man te hebben gezien die sprekend op jou leek hoewel hij ouder was.

Een zeeman?

Ja.

Hoeveel ouder?

Een jaar of vijftien, twintig?

Zeventien om precies te zijn. Dat was broeder Eamon die op weg om zich bij het Roemeense leger aan te sluiten is gedrost. Hij is vechtend tegen die verdomde Roemenen gesneuveld, kun je nagaan. Vader heeft me er alles over verteld voordat het gebeurde. Jij hebt hem in 1915 gezien. In april.

Dat weet ik niet precies meer.

Toen moet het geweest zijn. Geen van mijn broers heeft ooit na zijn vertrek naar huis geschreven, maar vader wist toch wel wat ze uitspookten. Een profeet kun je niet voor het lapje houden, wat jij. Hier is een stevig bakkie. Rust maar lekker uit want we zijn onderdak en zo vrij als vogeltjes.

Maud lachte en de zomer ging voorbij in hun bescheiden appartement in Jeruzalem. September brak aan en opnieuw vond ze een voorwendsel om hun huwelijk uit te stellen. Joe bleef regelmatig reisjes naar Constantinopel maken, maar elke keer als hij terugkeerde merkte hij veranderingen op in haar stemming. Ze was in zichzelf gekeerd en prikkelbaar. Maar dat is aan haar toestand te wijten, dacht hij, dat komt zo vaak voor, daar is niets onnatuurlijks aan.

Met de winter in aantocht besloot hij dat hun kamers te tochtig en koud voor haar waren om zich behaaglijk te voelen. De warme zon van de Jordaanvallei zou beter voor haar zijn. Hij vond een klein huis in een van de buitenwijken van Jericho en huurde het; een leuk huis op een stukje eigen grond, omringd door bloemen, prieeltjes en citroenbomen. Trots nam hij haar mee ernaartoe en wist niet wat hem overkwam toen ze het voor het eerst zag. Er kon zelfs geen glimlachje af.

Maar je vindt het toch wel leuk, Maudie?

Nee.

Niet?

Ik vind het walgelijk. Het lijkt net een poppenhuis voor kinderen.

Joe kon geen woord uitbrengen, hij wist niet hoe hij het had. Hij snelde naar binnen en deed alsof hij dingen ordende omdat hij haar niet in de ogen durfde te kijken. Waar was ze mee bezig, wat zat haar toch dwars?

Toen hij weer buiten kwam, zat ze op een bankje onder een boom en staarde wezenloos naar de grond.

Ik ga even naar de markt, ben zo terug. Heb je nog iets bijzonders nodig?

Ze schudde haar hoofd een beetje maar keek niet op. Joe haastte zich het hekje door en het pad af en zette het op een lopen om niet te hoeven denken.

Jezus, Jozef en Maria, wat is er loos? Gezegende moeder Gods wat heeft dit te betekenen? Zeg me alstublieft wat ik heb misdaan en ik doe alles om het goed te maken. Jezus, onverschillig wat.

De toestand in Jericho verslechterde met de dag. Maud was overdag meestentijds van huis en zat dan aan de oever van de rivier. Alles wat hij deed leek haar nu te ergeren, maar wat haar het kwaadst maakte waren zijn reizen naar Constantinopel.

Ik weet het, Maud, maar ik moet wel, dat begrijp jij toch ook wel. Het is ons inkomen, er is voor mij geen andere manier om ons te onderhouden.

Je bent een misdadiger.

Ik weet dat mijn werk je niet aanstaat, maar op het ogenblik is er niets anders voor handen dus ik zal er genoegen mee moeten nemen.

Liever geen geld dan dat soort geld. Vuurwapens zijn om mensen te verwonden en te doden, nergens anders voor. Jij bent een moordenaar.

Wat zeg je nou toch?

In Ierland heb je mensen doodgeschoten. Heb je soms geen mensen doodgeschoten?

Dat was wat anders, dat waren de Black & Tans. Je heb geen idee wat voor verschrikkelijke dingen die deden. We waren toen in oorlog en onze kant bestond uitsluitend uit vrouwen en kinderen en arme boeren die hun gewassen probeerden te verbouwen.

Moordenaar.

Jezus, zeg dat toch niet, Maud, het klinkt verschrikkelijk en het is gewoon niet waar.

Zou je nooit meer iemand doden?

Nee.

Leugenaar.

Het andere dat haar razend maakte was zijn fascinatie voor de Sinaï-bijbel. Toen hij haar er in Akaba over had verteld, had ze zich een bult gelachen. Hadji Haroen die zijn memoires schreef en die vervolgens kwijtraakte? Drieduizend jaar geheime geschiedenis van Jeruzalem die ergens lag te wachten tot zij werd gevonden? Schatkaarten van alle twee dozijn Oude Steden? De oude man die ervan overtuigd was dat hij werkelijk de oorspronkelijke bijbel had geschreven?

Het was schitterend, ze had ervan genoten. Joe's verbeeldingsvolle versie van het manuscript was geweldig en ze had niets gezegd over de laatste der Skanderbeg Wallensteins en zijn vervalsing. Maar dat was toen ze nog in Akaba waren. Nu reageerde ze totaal anders.

Droom je er nog steeds van die stomme schatkaart van je te vinden?

Het is geen droom, Maud. Ooit zal ik haar vinden.

Nee, dat zul je niet, dat zul je nooit want wat jij zoekt bestaat helemaal niet. Wat bestaat is chaos gezien door de ogen van een blindeman en de geest van een imbeciel.

Je zult het zien, Maud, Hadji Haroen zal me helpen zoeken en op een goede dag zal ik haar vinden.

Op een goede dag. Je zou jezelf eens moeten zien in dat belachelijke uniform waar je twee keer in kunt. Nou, waarom neem je niet meteen de kuierlatten als je er zo over denkt. Ze zullen in de Krim wel zitten te popelen tot jij naar ze toe komt en de oorlog voor hen wint.

Voor hij vertrok bracht hij haar aan de oever van de rivier een cadeautje en dat gooide ze in het water. Ze krijste hem toe dat hij moest opdonderen, dat ze van hem walgde, dat ze hem nooit meer wilde zien. Toen hij twee weken later terugkeerde keurde ze hem geen blik waardig. Ze weigerde met hem te praten. Wat hij ook zei, ze negeerde hem straal.

's Avonds zat hij alleen in de tuin achter het huisje te drinken tot hij in slaap viel, te drinken tot de tijd rijp was voor een volgende reis voor Stern, zonder er ook maar iets van te begrijpen, zonder te kunnen weten dat Mauds angst opnieuw door iemand van wie ze hield alleen te worden gelaten zo wanhopig was dat ze in plaats daarvan nog liever hem verliet.

Toen zijn zoon aan het einde van de winter het levenslicht zag was hij van huis, ver weg in Constantinopel om nog meer wapens te smokkelen voor Stern en Sterns idealen. Hij moest naar de vroedvrouw om te ontdekken dat het een jongetje was. Maud had niet eens een briefje achtergelaten.

Joe ging op de grond zitten en huilde. Sinds hun maand samen aan de oevers van de Baai van Akaba was er minder dan een jaar verstreken.

Ooit, beloofde hij zichzelf, ooit zál ik hem vinden.

# Deel drie

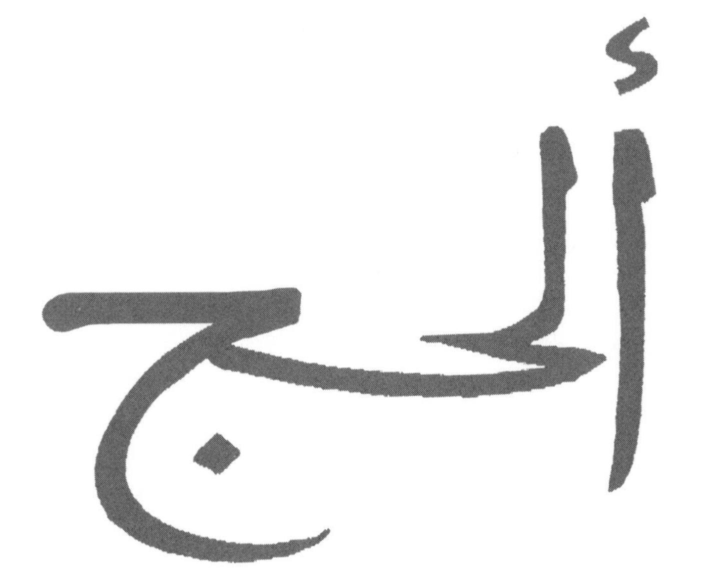

# 14 Stern

ألحج

*Zuilen en fonteinen en waterwegen,*
*een plek waar drieduizend jaar geleden en*
*een eeuwigheid mirre groeide.*

De tent in Jemen waar hij was geboren stond niet ver van de ruïnes van Marib, de oude hoofdstad van het koninkrijk Sheba dat ooit apen en goud, pauwen, zilver en ivoor via de Wierookroute naar Akaba had gestuurd van waaruit die verder noordwaarts naar de hoogten van Jeruzalem konden worden vervoerd. Als jongetje speelde hij op de puinhopen van de Maantempel in Marib tussen de vroegere zuilen en fonteinen en waterwegen waar mirre groeide.

Op een ochtend trof hij niets dan zand aan waar de tempel had gestaan. Hij snelde door de heuvels terug naar hun tent.

Hij is weg, fluisterde hij ademloos tegen zijn reusachtig lange vader en zijn kleine corpulente grootvader die zoals gewoonlijk heen en weer wandelden en voortdurend discussieerden terwijl ze deden alsof ze de schapen in de gaten hielden, de ene een voormalige Engelse aristocraat die bedoeïenenhakim was geworden en de grootste natuurvorser van zijn tijd was geweest, en de andere een ongeletterde Jemenitische Jood en schaapherder die de heuvel waarop hij was geboren nog nooit had verlaten.

De tempel is weg, herhaalde de jongen. Waar is hij heen?

Weg, vroeg zijn boven hem uittorenende vader.

Waarheen, vroeg zijn kleine, corpulente grootvader.

Een mysterie, mompelde de een. En niet alleen weg, maar waarom?

En niet alleen waarheen, voegde de ander eraan toe, maar wanneer?

Nu, op dit moment, antwoordde het jongetje. Precies waar hij had moeten staan. Hij is in één nacht verdwenen.

De twee oude mannen schudden nadenkend hun hoofden. De zon stond al hoog genoeg aan de hemel om te worden gevoeld, dus zochten zij de beschutting op van een amandelboom om het probleem nader te beschouwen. Terwijl ze hem om beurten vragen stelden, hupte de jongen van de ene voet op de andere.

We moeten dit mysterie zien op te lossen. Wat is er in plaats van de tempel?

Zand. Niets.

Aha, niets dan zand, dat is voorwaar heel mysterieus. Heb je daar overnacht?

Nee.

Was je er toen de zon opkwam?

Nee.

Aha. Zou het dan alleen nu gebeuren?

Ze keken hem allebei aan. Hij was nauwelijks vier jaar oud en de vraag bracht hem in verwarring.

Wat moeten we nu? vroeg hij.

Zijn vader trok zijn grootvader aan zijn mouw.

Is er echt een Maantempel, Ya'qub?

Nou en of die er is. Ja ja, ik heb hem al gezien zolang ik me kan herinneren.

Maar vandaag niet? vroeg zijn vader.

Nee, vandaag niet, maar ik zal hem wel weer zien, antwoordde zijn grootvader.

Wanneer? Over een week, Ya'qub? Over twee maanden?

Zo ongeveer, zou ik zeggen, o voormalige hakim. Ja, zonder twijfel.

En gisteren?

Nee?

Zes maanden geleden?

Ja en nee. Maar in ieder geval een van die keren, dat staat als een huis.

Maar wat betekenen al die gisterens en volgende weken van jou, Ya'qub? Dat over twee maanden en zes maanden geleden? Die vreemde manier waarop je over de tijd praat? Zo ongeveer, zeg je, en je haalt dagen en data uit het verleden en de toekomst door elkaar alsof het allemaal één pot nat is.

Zijn vader glimlachte. Zijn grootvader lachte en drukte de kleine onthutste jongen tegen zijn borst.

Meen je dat? Je hebt warempel nog gelijk ook. Het komt waarschijnlijk eenvoudigweg omdat de Maantempel er altijd voor mij is, omdat ik hem ken als mijn broekzak, precies zoals ik hem vroeger heb gezien en weer zal terugzien. En dat het zand hem nu bij tijd en wijle bedekt, ach, zand doet er niet toe. We wonen in de woestijn en zand komt en gaat gewoon.

Zijn vader wendde zich tot hem.

Ken jij alle details net zo goed als je grootvader dat doet?

Ja, zei de jongen fluisterend.

En zie je hem zelfs nu in je verbeelding helemaal voor je?

Ja.

Zijn vader knikte ernstig, zijn grootvader glimlachte voldaan.

Dan moet het zo zijn als je grootvader zegt. Boven het zand of eronder doet niet ter zake. Net zoals voor hem is ook voor jou de tempel altijd aanwezig.

De jongen dacht dat hij het begreep en ging over op een andere vraag.

Ja, maar als hij er altijd is, hoe lang is hij er dan altijd geweest? Wie heeft hem gebouwd?

Zijn grootvader deed alsof hij diep nadacht. Opnieuw sloeg hij zijn armen om de jongen heen.

Dat is verleden tijd, zei hij, en van dat soort dingen weet ik niets af, hoe zou ik ook kunnen? Maar gelukkig voor ons is jouw vader een ontwikkeld man die overal is geweest en alle kennis van de wereld heeft vergaard, dus hij heeft waarschijnlijk de inscripties op de zuilen gelezen en kan die vragen nauwkeurig beantwoorden. Nou, o voormalige hakim? Wie heeft de Maantempel in Marib gebouwd en hoe lang geleden zou je zeggen? Precies duizend jaar geleden en een eeuwigheid? Tweeduizend jaar en een eeuwigheid?

Ditmaal was het Ya'qubs beurt om aan zijn vaders mouw te trekken en zijn vaders beurt om te glimlachen.

Dat volk werd de Sabanen genoemd, zei hij, en zij hebben hem drieduizend jaar en een eeuwigheid geleden gebouwd.

De kleine jongen hapte naar adem bij dit ongrijpbare getal.

Vader, wilt u me leren de inscripties op de zuilen te lezen?

Ja, maar eerst moet Ya'qub ons vertellen wanneer ze weer zullen opduiken. Hij moet ons vertellen hoe het zit met het zand.

Wilt u dat doen, grootvader?

Ja ja, natuurlijk. Zodra de wind weer eens opsteekt gaan we er samen op uit, snuiven de lucht op en zullen zien of de wierook voor de zoveelste maal terugkeert naar de Maantempel in Marib.

De kleine corpulente man snoof, hij lachte. Zijn vader ging hen ernstig en waardig voor naar de tent waar water werd opgezet voor een kopje koffie. En die avond zat de jongen, zoals zo vaak, tot heel laat bij het vuur en sukkelde af en toe een tijdje in slaap zonder ooit zeker te weten of de wonderbaarlijke woorden die de twee oude mannen onophoudelijk in het halfduister wisselden afkomstig waren uit de zohar of uit *Duizend-en-één-nacht*, of wellicht geschreven stonden op de stenen van de Maantempel waar hij speelde, de mysterieuze mirre van zijn jeugd, verdwijnende zuilen en fonteinen en waterwegen die op een dag vast en zeker zouden terugkeren als vlagen van een kerende wind; een bedwelmende geur die je nooit vergat, ongeacht hoe diep de strengen wierook begraven lagen onder het zand, die nacht en drieduizend jaar en een eeuwigheid geleden, terwijl zijn vader sprak van de tijd in de Maantempel na zijn tientallen jaren van omzwervingen, of die nacht en het gisteren en de volgende week en een eeuwigheid, terwijl zijn grootvader een beschrijving gaf van de verre heuvel voorbij het oude Marib die altijd zijn thuis was geweest.

# أَلحج

Hij werd ook door zijn moeder met lessen overladen als ze samen in het flauwe koele licht van de dageraad wandelden en wilde kruiden voor hun salades plukten. Soms maakte zij vreemde geluiden en staarde ze minutenlang met een hand in haar zij en met een vermoeide uitdrukking op haar gezicht die hij niet begreep naar de grond.

Wat kon ze hem, een jongetje van pas vier, vertellen? Haar dagen waren geteld, dat was alles, elk dag drukte het gewicht zwaarder op haar. Als ze stilstond om een sprietje gras te plukken, trok het haar omlaag en als ze zich weer oprichtte moest ze haar ogen stijf dichtknijpen om de pijn te bedwingen. De zegen van een kind had gewoon meer van haar gevergd dan haar lichaam kon geven. Maar hij was jong en op een dag, toen ze op de helling stond te wankelen, vroeg hij haar ernaar.

Wat scheelt eraan, moeder?

De herinnering aan dat ogenblik zou hem altijd bijblijven. De stijve vingers, de verwrongen gelaatsuitdrukking, de vermoeide holle ogen. Ze zeeg neer op haar knieën en verborg haar gezicht in haar handen. Ze huilde.

Waar doet het pijn?

Ze pakte zijn hand en legde die op haar hart.

Waar? Ik voel helemaal niets.

Hier is beter, zei ze, en ze drukte een van zijn kleine vingertjes op een ader in haar pols.

Dat is uw bloed. Zit de pijn daarin?

Nee, in mijn hart waar jij het niet kon voelen.

Maar vader kan u vast wel genezen. Vader is een geweldige hakim geweest. Hij kan iedereen beter maken.

Nee. De reden dat jij het niet kon voelen, is dat we soms pijn voelen die alleen aan ons en aan niemand anders toebehoort.

Toen barstte hij in snikken uit en ze boog zich op haar knieën naar voren en kuste zijn ogen.

Niet doen. Het is goed zo.

Maar dat is het niet. En vader kan het beter maken, ik weet het zeker.

Nee, mijn zoon.

Maar dat is niet eerlijk.

O ja, dat is het wel, nieuw leven in ruil voor oud is altijd eerlijk.

Wiens leven? Wat bedoel je?

Wiens leven doet er niet toe. Wat er wel toe doet, is dat als er ooit een tijd komt dat je een speciale pijn voelt die helemaal alleen van jou is, je die zelf moet dragen want andere mensen hebben ook hun eigen pijn.

Niet iedereen.

Ja, ik ben bang van wel.

Grootvader niet. Hij lacht altijd.

Dat lijkt maar zo. Maar daaronder gaat iets anders schuil.

Wat dan?

Je grootmoeder. Ze is lang geleden doodgegaan en hij mist haar nog elke dag.

Nou, maar vader lijdt beslist geen pijn.

Ja, zelfs hij. Nu heeft hij een plek om te rusten, maar vele jaren lang was dat niet het geval. En vlak voordat hij naar ons uithoekje van de wereld kwam en je grootvader hem alleen in het stof aantrof en mee naar ons huis nam, was er een vreselijke tijd waarin hij verdwaald was.

Het jongetje schudde halsstarrig zijn hoofd.

Maar dat is niet waar, vader is nooit verdwaald geweest. Hij is van Timboektoe naar de Hindu Kush gelopen en de Tigris afgedreven naar Bagdad en hij heeft twee dagen en drie nachten door de Sinaï gelopen zonder zelfs maar te merken dat hij niets te eten of te drinken had gehad. Niemand heeft ooit de dingen gedaan die hij heeft gedaan.

Dat kan best zo wezen maar ik bedoelde niet dat hij in de woestijn verdwaald was. Hier was hij verdwaald, in zijn hart, waar mijn pijn nu is.

Het jongetje sloeg zijn ogen neer. Hij had altijd alles aangenomen wat zijn moeder zei, maar het leek hem uitgesloten dat zijn glimlachende grootvader echt vanbinnen bedroefd kon zijn. En het was nog moeilijker voorstelbaar dat zijn vader zich ooit verloren had gevoeld.

En daarom, zei ze, moeten we jouw vader niets zeggen over mijn pijn want hij heeft zijn eigen lasten uit het verleden. Hij is hierheen gekomen om rust te vinden, hij heeft ons gelukkig gemaakt en verdient hetzelfde van ons.

Ze legde haar handen op zijn schouders.

Dat moet je me beloven.

Hij huilde opnieuw. Ik beloof het, zei hij, maar ik wil ook helpen. Is er niets dat ik kan doen?

Ach, misschien zul jij op een goede dag ons thuis weten te vinden. Je vader heeft een thuis gevonden bij ons, maar je grootvader en ik horen eigenlijk nergens thuis.

Waarom is dat?

Omdat we Joden zijn.

Waar is ons thuis dan?

Ik weet het niet, maar misschien zul je het ooit voor ons vinden.

Dat zal ik doen. Dat beloof ik.

Ze glimlachte.

Kom, we moeten nodig onze kruiden plukken voor het avondeten. Die twee mannen van ons praten en praten maar zonder ophouden en zullen wel honger hebben na alweer een hele dag de hemelse problemen te hebben opgelost.

أَلحج

Toen hij naar Caïro ging om de Islam te bestuderen, maakte hij gebruik van een van zijn vaders Arabische namen. Toen hij naar Safad ging om de kabbala te bestuderen gebruikte hij de Joodse naam van zijn grootvader. Dus toen de tijd aanbrak voor zijn westerse scholing, vroeg hij welke naam hij het beste kon gebruiken.

Een westerse naam, zei zijn vader.

Maar welke? vroeg hij aan zijn grootvader. De twee oude mannen pakten zijn koffiekopje en bestudeerden het. Ik zie heel wat Joodse en Arabische namen, zei Ya'qub, maar ik kan er geen westerse in ontdekken, wellicht omdat ik niet weet wat een westerse naam is. Wat zie jij, o voormalige hakim?

Zijn vader hief het kleine kopje boven hun hoofden en tuurde over de rand. Stern, verkondigde hij na een ogenblik. Ja, zo duidelijk als wat.

Dat klinkt te kort, zei Ya'qub, hoort daar niet nog wat bij? Moet er geen ibn of een ben achter?

Nee, dat is alles, zei zijn vader.

Heel vreemd, heel zonderling. Wat betekent het?

Resoluut, onverzettelijk.

Onverzettelijk?

Wanneer geconfronteerd met wat je niet kunt vermijden of uit de weg kunt gaan.

Aha, dat klinkt beter, zei Ya'qub. Er is geen enkele reden om de wonderen van het leven uit de weg te gaan.

Opeens sloeg hij zijn armen over elkaar en schommelde hij heen en weer. Hij gaf zijn kleinzoon een knipoog.

Maar zeg eens, o voormalige hakim, hoor ik daar niet een echo van jouw persoonlijkheid in het koffiekopje van je zoon?

Onmogelijk, antwoordde de oude ontdekkingsreiziger met een glimlach. Koffiedroesem is koffiedroesem. Die spreekt voor zichzelf.

Ya'qub lachte uitgelaten. Ja ja, daar zeg je me wat, hoe zou het anders kunnen zijn. Nou, mijn jongen, dat is dan dat. En waar ga je nu heen?

Naar Bologna. Parijs.

Wat? Ongehoorde oorden. Welke jaartelling hebben ze daar? Hoe noemen ze het daar?

Negentienhonderdennegen.

Ya'qub gaf zijn vader een por.

Is het waar wat de jongen zegt?

Natuurlijk.

Ya'qub snoof, hij lachte.

Natuurlijk zeg je tegen een oude man die nog nooit ergens is geweest, maar dat maakt geen enkel verschil, weet je. Deze heuvels zullen er nog steeds zijn als de jongen terugkomt, alleen het zand zal anders zijn. Eigenlijk zul je ze nooit verlaten. Zo is het toch of niet soms?

Misschien, zei Stern met een glimlach.

Jullie tweeën, mopperde Ya'qub, jullie denken dat jullie mij in het ootje kunnen nemen, maar dat zal jullie niet lukken. Ik weet welk jaar het is, mij hoeven ze niets wijs te maken. Nog een kopje koffie, o voormalige hakim? We kunnen God danken dat jouw zoon halverwege tussen ons in staat en wat van mijn goede herdersbloed in zijn aderen heeft zodat hij, niet zoals jij, zestig jaar als djinn hoeft te leven voordat hij een man wordt.

De avond voor zijn vertrek nam zijn vader hem mee op een wandeling in de schemering. Aanvankelijk te opgewonden om te beseffen dat zijn vader hem iets wilde vertellen, praatte hij aan één stuk door over de nieuwe eeuw en de nieuwe wereld die hij zou brengen, hoe hij popelde om naar Europa te vertrekken en aan het werk te tijgen, om te beginnen, zoveel mogelijkheden en zoveel in het vooruitzicht, steeds maar door tot hij eindelijk in de gaten kreeg dat zijn vader er het zwijgen toe deed en ook hij zijn mond hield.

Waar denkt u aan?

Aan Europa. Ik vroeg me af of het je daar net zo goed zal bevallen als je denkt.

Natuurlijk wel, waarom zou het me niet bevallen, het is allemaal nieuw voor me. Stel u voor hoeveel er voor mij te zien is.

Dat is zo, maar toch zou Ya'qub wel eens gelijk kunnen hebben en zul je deze heuvels nooit verlaten. Dat was zijn keuze, niet de mijne, maar ik ben nu eenmaal niet geboren in de woestijn met zijn eenzaamheid zoals hij dat was, of jij. Ik heb dit bestaan opgezocht en misschien is het anders als je er bent geboren. Er is beslist evenveel te zien in de woestijn als waar ook ter wereld, maar voor sommigen kan het ook aanleiding geven tot een duurzame eenzaamheid, dat mag ik niet vergeten. Niet alle mannen zijn in de wieg gelegd om zoals ik veertig jaar alleen over de aardbol te zwerven. Pater Yakouba, om maar iemand te noemen. Hij leidde een totaal ander leven in Timboektoe en was een zeer wijs en gelukkig man met zijn scharen kleine kinderen en hun voetsporen aan de hemel, zijn reizen van drieduizend kilometer op één middag, terwijl hij op een stoffig plein van de Calvados nipte. Zoals hij zei: een hadj wordt niet afgemeten aan het aantal kilometers.

Dat weet ik, vader.

Ja, natuurlijk weet je dat. Jij hebt het voorbeeld van de andere Ya'qub, je eigen grootvader. Nu dan, weet je al waarnaar je op zoek gaat?

Ik wil iets tot stand brengen.

Ja, dat spreekt, dat is de enige manier om eraan te beginnen. En hoe zit het met geld, speelt dat een rol in je plannen? Wat verlang je?

Nee niets, geld zegt me helemaal niets, hoe kan het ook anders in aanmerking genomen dat ik met u en Ya'qub ben opgegroeid. Maar wat een vreemde vraag is dat als u het antwoord al weet?

Omdat er een bepaalde kwestie is die ik met je moet bespreken en waarover ik nog nooit met iemand heb gesproken, zelfs niet met Ya'qub.

Stern lachte.

Wat kan er in 's hemelsnaam zo mysterieus zijn dat u er niet met Ya'qub over wilde praten?

O, het is niet mysterieus, in feite is het zelfs heel platvloers. Er was gewoon nooit een reden om het ter sprake te brengen. Weet je, voordat ik uit Constantinopel vertrok heb ik bepaalde financiële regelingen getroffen, onroerend goed en van die dingen. Ik dacht dat die bezittingen me nog wel eens van pas konden komen, maar toen werd ik hakim en heb me hier gevestigd en toen had ik er natuurlijk totaal niets aan. En als jij denkt dat je die bezittingen niet nodig hebt, nu ja, dan leek het me misschien geen gek idee om alles terug te geven aan de vorige eigenaren. Bezittingen zijn een last en hoe minder je bezit, hoe beter het is voor iemand die een hadj onderneemt.

U verwacht toch niet dat ik naakt op reis ga? Dat ik een zonnewijzer omgord en over een tuinmuur spring? Maar u spreekt in raadselen, vader. Spreekt Ya'qub soms de waarheid als hij zegt dat jullie samen het merendeel van dit deel van de wereld bezitten? Twee geheime co-keizers van wie ik de enige erfgenaam ben? Waarom lach je?

Om Ya'qub en zijn ideeën over onroerend goed. In zijn ogen zit het allemaal tussen de oren en is deze helling niet alleen dít deel van de wereld, het is tevens het universum. Je weet hoe graag hij ons erop wijst dat hij nooit ergens anders is geweest terwijl het mij zestig jaar kostte om op dezelfde plek uit te komen. Tja, hij heeft natuurlijk gelijk wat betreft deze heuvel en wat dit altijd voor hem heeft betekend en wat hij uiteindelijk voor mij is gaan betekenen. Afijn, het Ottomaanse Rijk zou tegenwoordig niet bepaald veel soeps kunnen worden genoemd, wat jij, het is eerder een nogal armzalig zootje, zoals dat gaat met rijken. Het zal spoedig door iets nieuws moeten worden vervangen in deze nieuwe eeuw waar jij zo graag over praat.

Stern glimlachte.

En hoe dan ook was er die eerste les die jullie tweeën mij leerden op de dag dat ik de Maantempel niet kon vinden. Het enige ware rijk is het rijk van de geest.

De oude ontdekkingsreiziger glimlachte ook.

Ik kan me vaag zo'n soort gesprek herinneren toen jij nog een klein kind was. Nou, hoe denk je over die bezittingen waar ik het zojuist over had? Ben jij erin geïnteresseerd?

Nee.

Waarom niet?

Omdat ik niet van plan ben makelaar in onroerend goed te worden.

Prima, mooi zo, dan is dat geregeld. Eén nalatenschap uit mijn oude eeuw minder om je zorgen over te maken.

Evengoed denk ik niet dat ik me op de avond van mijn vertrek spiernaakt op een diplomatieke receptie in Caïro zal vertonen.

Dat is maar een fabeltje, zoiets zou in de Victoriaanse tijd nooit hebben kunnen plaatsvinden. Maar kom, we hebben je ontsnapping aan het verleden geregeld en nu is het tijd om bij Ya'qub aan te schuiven voor het avondeten. Hij is al de hele dag in de weer met zijn potten en pannen om een feestmaal te bereiden en hij moet dringend om een babbel verlegen zitten.

Hij om een babbel verlegen?

Hm. Heb ik je wel eens verteld dat ik bepaalde bewijzen verzamelde om de baan van de Strongbow Komeet te berekenen?

Stern lachte. Hij wist dat zijn vader net zo opgewonden was als hij en dat zijn naderende vertrek allerlei herinneringen in hem wakker riep aan die avond in Caïro zeventig jaar geleden toen een lachend jong genie een blinde bedelaar ogen had gegeven en zich op reis had begeven.

Ik geloof van niet, vader. Behelst het verhaal soms voorvallen uit de levens van Mozes en Nebukadnezar en Christus en Mohammed? Een paar minder bekende passages uit *Duizend-en-éénnacht*? Een duistere verwijzing of twee naar de zohar? Een angstige Arabier in de woestijn die in paniek raakte omdat de hemel onnatuurlijk duister was? Die later opdook als antiekhandelaar in Jeruzalem? In wiens achterkamer je een antropologische verhandeling over het Midden-Oosten schreef? Nee, ik geloof niet dat je me daar ooit iets over hebt verteld.

Nee? Dat is raar, want het was een heel merkwaardige toestand. Denk je dat Ya'qub geïnteresseerd zou zijn in dat verhaal?

Daar ben ik van overtuigd, hij kan nooit genoeg krijgen van uw verhalen. Maar hij zal wel meteen al uw feiten door elkaar husselen en naar eigen believen herordenen.

Ja, dat zal hij, een onverbeterlijke gewoonte. Die eeuwige moppen en raadsels en flarden van versjes die hij overal ziet. Nou ja, we moeten onze koppen er maar bij zien te houden en het erop wagen.

In Europa droomde Stern intens van zijn toekomst. Hij overwoog symfonieën te componeren of toneelstukken te schrijven, fresco's te schilderen, een wegennet aan te leggen, en epische canto's te schrijven. Ongewapend en onversaagd stortte hij zich op die projecten.

Hij schuimde musea en concertzalen af en struinde rusteloos door de straten tot zonsopgang, waarna hij in een arbeiderscafé op een stoel ineenzeeg om te roken en koffie te drinken, zich op te peppen met cognac. Zo ging hij een tijdlang volledig op in het nastreven van dit ideaal.

In Bologna liet hij zijn medicijnencolleges links liggen en besmeerde doeken met een overdaad aan kleuren. Maar enkele maanden later, toen hij nog eens goed bekeek wat hij had geschilderd, vond hij het zielloos.

In Parijs liet hij zijn rechtencolleges links liggen om muziek te studeren. Hele muziekstukken van Mozart en Bach leerde hij uit zijn hoofd, maar toen voor hem de tijd aanbrak om zelf een compositie op papier te zetten wilde hem niets te binnen schieten.

Hij verlegde zijn aandacht meteen naar marmer. Hij zat gebogen over tekeningen en probeerde zelfs iets te schetsen, maar moest uiteindelijk erkennen dat zijn fonteinen en zuilengalerijen op die van Bernini leken.

Toen was de beurt aan de dichtkunst en de toneelschrijfkunst. Stern schafte zich een stapel papier en een harde, rechte stoel aan. Hij zette koffie en vulde de asbak op zijn schrijftafel met sigarettenpeuken. Hij verscheurde vellen papier, zette meer koffie en vulde de asbak opnieuw met peuken. Hij maakte een wandelingetje en kwam terug om overnieuw te beginnen, maar nog steeds vloeide er niets uit zijn pen.

Niets niemendal. Van zijn creatieve dromen kwam totaal niets terecht.

Toen hij zijn ogen neersloeg en naar de overvolle asbak keek sloeg de schrik hem opeens om het hart. Wat moest hij met zijn leven aan? Wat stond hem te doen?

Hij was eenentwintig. Hij was nu al drie jaar in Europa en toch was er niemand om mee te praten; hij had totaal geen vrienden, hij had het te druk gehad met dromen in zijn eentje. Hij was hier met idealen en geestdrift gekomen, wat was er misgegaan?

Hij kon de slaap niet vatten en dacht maar steeds aan de hellingen waarop hij als jongetje had gespeeld en herinnerde zich dat Ya'qub had gezegd dat hij hen nooit echt zou verlaten, en hij herinnerde zich dat zijn vader zich op hun laatste avond samen hardop had afgevraagd hoe het zou zijn om te worden geboren in de woestijn met haar eenzaamheid in plaats van die pas later in je leven te vinden, zoals hem was overkomen.

Hij schonk zich een glas cognac in en sloot zijn ogen; beelden buitelden in zijn gedachten over elkaar heen.

Een blinde bedelaar in Caïro die een triomfantelijke kreet slaakt, een mars zo lang als de Sinaï zonder eten of drinken, het Arabische dorp Akaba, de grote waterscheiding van de wadi's in het noorden van Arabië, een antiekwinkel in Jeruzalem, drijvend in de Tigris Bagdad bereiken, bloedzuigers en opium in de omgeving van Aden, een koortsaanval na de Rode Zee te zijn overgezwommen, de heilige plaatsen Medina en Mekka in vermomming.

Vermommingen. Strongbow die veertig jaar lang rond marcheert, vermomd als arme kameeldrijver of rijke koopman uit Damascus, een argeloze sjacheraar in guichelheil of een verzamelaar van zuring, een geobsedeerde derwisj die geneigd is in trance te raken en een ondoorgrondelijke hakim, een reusachtige onbeweeglijke gestalte in de woestijn die sprak met zijn ogen.

Strongbow de djinn, steeds opnieuw veranderend van omvang en uiterlijk.

Ya'qub de schaapherder die geduldig wachtte op zijn heuvel.

En ten slotte een voormalige hakim die met zachte aandrang naar huis wordt geleid om te rusten, om daar in vrede te leven.

Wat was het? Wat probeerde hij in die drie levens te vinden?

Stern smeet zijn glas tegen de muur. Hij pakte de fles op en liep woest de kamer door waar hij stoelen omverwierp en lampen tegen de grond smakte. Hij haatte Europa, opeens wist hij hoezeer hij Europa haatte. Hij kon hier niet vrijuit ademhalen, hij kon zich niet concentreren, hij kon niet met zijn eigen oren horen of met zijn eigen ogen zien; het lawaai, de mensenmassa's die tegen hem op drongen, alles opeengepakt en onduidelijk, zo ver weg van de stille hellingen van zijn kinderjaren, de roerloosheid van de zich verplaatsende zandhopen in de Maantempel.

Hij had niets gedaan dan zijn futiele dromen dromen en falen, hopeloos dromen en falen omdat dit niet zijn plek was. Hij was in de woestijn geboren, hij kon hier niet leven. De woestijn was zijn thuis en nu moest hij ernaar terugkeren, daar was hij van overtuigd.

En dan?

Opnieuw zag hij de drie mannen, Strongbow die van de Nijl naar Bagdad loopt, Ya'qub in zijn tent in Jemen. De hakim bij dageraad diep in de woestijn, tegenover een bezorgde bedoeïen zittend en hem vertellend dat hij zijn blik op de vlucht van een adelaar in de verte moest richten en Ja moest zeggen, zij zouden de oase vinden.

Waarom kwamen ze steeds weer bij hem terug? Wat wilden ze hem vertellen?

Een Engelsman, een Jood, een Arabier. Zijn vader en zijn grootvader, gestaag door sjouwend, geduldig nergens heen gaand, zijn land, zijn thuis, zijn erfgoed.

Het visioen ontvouwde zich plotseling in alle klaarheid voor zijn geestesoog. Een thuisland voor alle volkeren van zijn erfgoed. Een natie die Arabieren en Christenen en Joden in de armen sloot. Een nieuwe wereld en de Vruchtbare Maansikkel uit de oudheid herboren in de nieuwe eeuw, één grote natie die zich majesteus uitstrekt van de Nijl over Arabië en Palestina en Syrië tot de heuvels van Anatolië, bevloeid door de Jordaan en de Tigris en ook door de Eufraat, over Galilea, een uitgestrekte natie die eer bewees aan al haar drie en twaalf en veertigduizend profeten, een luisterrijke natie waar de legendarische steden opnieuw tot bloei zouden worden gebracht. Memphis van Menes en Ecbatana van

Media en Sidon en Alep van de Hittieten, Kisj en Lagas van Soemerië en Zoar van de Edomieten, Akkad van Sargon en Tyrus van de paarse verf en Acre van de kruisvaarders, Petra van de Nabateeërs en Ctesiphon van de Sassaniden en Basra van de Abassiden, luisterrijk Jeruzalem en het al even sublieme Bagdad uit *Duizend-en-één-nacht.*

Stern was uitzinnig van vreugde. Het visioen was overweldigend, veel grootser dan de belofte die hij zijn moeder als kind had gedaan. Hij ging achter zijn schrijftafel zitten en begon koortsachtig te schrijven en toen hij twee weken later weer te voorschijn kwam, had hij niet alleen de herinneringen van duizend-en-een oude stammen en beschavingen opgeroepen en met elkaar verweven, maar ook de basiswetten opgesteld voor de nieuwe natie en haar vlag ontworpen, een paar van haar indrukwekkende openbare gebouwen geschetst en nagedacht over haar universiteiten en theaters, geprakkiseerd over haar volkslied en een lijstje opgesteld van de segmenten van haar grondwet.

Op eenentwintigjarige leeftijd had hij het plan voor zijn verdere leven getrokken.

Snel pakte hij zijn koffers en verliet Parijs. Nu hij had vastgesteld wie hij was, bleef hem niets anders over dan die persoon te worden en aan de gemeenschappelijke verbonden te werken die misschien drieduizend jaar geleden bestonden, maar sindsdien niet meer hadden bestaan.

Deze nieuwe belofte was serieus en onwrikbaar en hij wist dat hij hem nooit zou verbreken, zelfs niet als die zich in de loop der tijden tegen hem zou keren en hem noodlottig zou worden.

# 15 De Jordaan

ألحج

*Van de zachtgroene hoogten van Galilea,*
*met glooiende velden vol graan en*
*dierbare herinneringen, een beloofde stroom*
*die zich gedurig omlaag stortte.*

Stern reed terug naar het Midden-Oosten in een Franse automobiel van tien PK, na korte tijd te zijn opgehouden in Albanië vanwege het uitbreken van de eerste Balkanoorlog. Eenmaal daar aangekomen, verbouwde hij de auto tot een tractor die hij in de woestijn kon gebruiken. Rammelend en met terugslaande motor raasde de tractor langs de wadi's omlaag en ronkend over de bergen en legde afstanden af die in de tijd van zijn vader tientallen pijnlijke dagmarsen per kameel zouden hebben gekost.

Maar de wolken zand die de tractor opwierp, trokken de aandacht van de bedoeïenen. Hij had behoefte aan een onopvallender transportmiddel en dacht natuurlijk aan een ballon.

Stern had als jongetje voor het eerst met ballonnen geëxperimenteerd door een mand onder een zak van aan elkaar genaaid tentdoek op te hangen. Boven de mand was een aardewerken kruik bevestigd, met daarin een vuur van kamelenmest. De hete lucht vulde de zak en zond hem hobbelend langs een helling omlaag.

Later verhoogde hij de hitte van het vuur vele malen door olieslijk van de dagzomingen in de woestijnrotsen te verbranden. Met dit vernieuwde draagvermogen kon hij een grotere zak optillen en veel hoger zweven. Als jongetje alleen dromend op de wind boven Jemen had Stern geleerd de sterren te lezen.

Nu bouwde hij een grote ballon met een compacte gondel waarin zich een smalle brits, een kleine schrijftafel en een schemerlamp bevonden. De ballon werd gevoed door flessen waterstof die hij had verborgen in diverse afgelegen ravijnen in de woestijn, waarin hij bij zonsopgang kon afdalen en zich overdag kon schuilhouden, om te slapen en de volgende etappe van zijn reis voor te bereiden terwijl het voorbijgaan van zijn luchtschip onopgemerkt bleef.

Want Stern zorgde er wel voor dat hij uitsluitend 's nachts reisde. Soms zat hij aan zijn tafeltje te werken, maar meestentijds bleef zijn schemerlamp gedoofd en zweefde hij mijmerend langs het donkere firmament, onzichtbaar voor degenen op de grond als alleen de sterren de woestijn verlichtten, en hoogstens de schijn van een piepkleine verre wolk wekkend bij wassende of krimpende maan.

Zo zweefde hij heen en weer van Aden naar de Jordaan, van de Dode Zee tot Oman en bleef vlak voor zonsopgang even stilhangen alvorens af te dalen in een rotsspleet om zijn luchtvaartuig te verankeren. Heimelijk ging hij dan te voet door een smalle wadi naar een dorp waar hij had afgesproken met een nationalistische leider, en zo zeilde hij van de ene intrige naar de volgende, steeds meer geplaagd door chronische hoofdpijnen, chronische slapeloosheid en chronische vermoeidheid, celibatair en eenzaam in zijn ballon, zo nu en dan ten prooi aan hartkloppingen als hij te hoog langs de sterrenhemel vloog, nu al een slachtoffer van de ongeneeslijke dromen die hij als jongetje in de Maantempel had gedroomd.

Want zodra hij zijn ballon had uitgerust en op weg was om zijn missie nader te verkennen, ontdekte hij dat die was gereduceerd tot een kwestie van wapensmokkel en niets meer. Hij had zich zijn rol bij de totstandkoming van zijn grootse natie voorgesteld als genezer van de verdeeldheid uit het verleden als een soort hakim. Maar de mannen met wie hij in die eerste maanden sprak toen hij contacten legde, konden behalve aan wapens aan niets anders denken. Als hij andere onderwerpen ter sprake bracht snoerden ze hem de mond.

Idioot, schreeuwde een man in Damascus, waarom zeur je zo door over die onzin? Een constitutie? Wetten? Daar hebben we hier geen tijd voor, je zit niet meer op de universiteit met theorietjes te spelen. Vuurwapens hebben we nodig. Als we genoeg Turken en Europeanen doden vertrekken ze vanzelf, dat is de wet, dat is onze constitutie.

Maar ooit op een goede dag, begon Stern.

Natuurlijk komt er ooit wel eens een goede dag. Over tien jaar of twintig of dertig, wie zal het zeggen. Ooit hebben we misschien alle tijd van de wereld om te praten maar niet nu. Nu gaat het slechts om één ding. Wapens, broeder, Wil je helpen? Mooi, bezorg ons dan wapens. Jij hebt een ballon en jij kunt 's nachts grenzen oversteken. Mooi, vooruit met de geit. Vuurwapens.

Stern walgde ervan en hij probeerde zich ertegen te verzetten, want het dreef hem tot wanhoop. Hij vond het stuitend dat zijn verheven visioen zo snel kon verworden tot er niets anders over was dan het smokkelen van wapens. Maar hij kon die mannen niet tegenspreken, hij wist dat wat ze zeiden waar was en dat hij dit moest doen als hij zijn steentje wilde bijdragen.

Dus pakte hij bedroefd al die bezielde aantekeningen en lijstjes en prachtige schetsen die hij in die koortsachtige en extatische twee weken in Parijs had gemaakt, bracht ze op een nacht hoog boven de woestijn en verbrandde ze, stak ze een voor een aan en liet hun gloeiende as in het duister omlaag dwarrelen en zweefde toen in oostelijke richting weg en de volgende ochtend vroeg, het was de eerste dag van het jaar 1914 of 5674 of 1292, afhankelijk van de aangehangen profeet, leverde hij zijn eerste lading wapens af ten behoeve van een uitgestrekte vreedzame natie die hij in de nieuwe eeuw hoopte te helpen opbouwen.

Sterns gewichtigste wapenfeit in die vroege jaren was tevens het minst bekende, een kortstondige doch hoogst bijzondere ontmoeting die bij toeval plaatsvond in de woestijn. Voor Stern betekende het niets en toen hij dezelfde man na een periode van acht of negen jaar in Smyrna in 1922 nogmaals ontmoette, waarbij de man zijn leven redde, herinnerde hij zich niet eens hem ooit eerder te hebben gezien.

Maar voor de oude Arabier was dat het belangrijkste ogenblik in zijn lange leven.

De toevallige ontmoeting vond plaats in de lente toen Hadji Haroen op zijn jaarlijkse pelgrimage naar Mekka was en zoals gebruikelijk de gebaande wegen verre vermeed. En zoals gebruikelijk in die tijd van het jaar, zweefde Stern op een van zijn clandestiene missies onzichtbaar boven de woestijn. Tegen zonsopgang daalde hij uit de hemel neer om zijn ballon te verankeren en merkte dat hij bijna was neergekomen op een verweerde oude Arabier die als een hagedis met zijn hoofd onder een rots had liggen dommelen. Onmiddellijk spreidde de barrevoetse man zijn armen uit en wierp zich ter aarde.

Hij leek zowel uitgehongerd als verdwaald. Stern bood hem voedsel en water aan, maar de Arabier weigerde zijn hoofd uit het stof op te heffen. Uiteindelijk deed hij het toch hoewel niets hem ertoe kon brengen zich van zijn knieën op te richten. In die houding at en dronk hij mondjesmaat alsof hij een ritueel verrichtte.

Toen hij de meelijwekkende schrielheid van de beentjes van de man zag en de onnatuurlijke glans in zijn ogen, die hij aan koorts of iets ernstigers toeschreef, smeekte Stern hem zijn waterzakken en andere mondvoorraad aan te nemen. Hij bood zelfs aan hem door de lucht naar de dichtstbijzijnde oase te brengen als hij, en daar had het alle schijn van, niet in staat was te lopen. Maar de betreurenswaardige man weigerde alles. In plaats daarvan vroeg hij allernederigst fluisterend, met bevende stem, of zijn weldoener zo goed zou willen zijn hem zijn naam bekend te maken.

Stern vertelde hoe hij heette. De Arabier bedankte hem eerbiedig, waarna hij zich nog steeds op zijn knieën achterwaarts verwijderde en op zijn knieën achteruit bleef kruipen tot hij achter de horizon en uit het zicht was verdwenen.

Die ochtend wierp Stern bij toeval één keer een blik in de richting van de zich verwijderende Hadji Haroen die nu niet meer was dan een stipje op een duintop dat nog steeds achterwaarts verder ploeterde, maar Stern kon hem niet goed onderscheiden en het bizarre gedrag van de oude man maakte geen indruk op hem. In plaats daarvan was hij druk bezig met het omslaan van de pagina's van zijn notitieboeken en het uitzetten van nieuwe routes om wapens te smokkelen.

Aanvankelijk werden er enige successen geboekt.
In 1914 werd het kabinet van de Kaiser gedwongen regelmatig smeergelden te betalen aan zowel de Sjarif van Mekka als zijn geduchtste rivaal Emir ibn Saud, en bracht Stern Duitse revolutionaire orders over van Damascus naar Jiddah. Maar daar kwam niets van terecht omdat de Arabieren geen poot wilden uitsteken en de Engelsen ze al snel meer betaalden.

Diezelfde winter organiseerde hij in de buurt van Caïro een geheime ontmoeting met een invloedrijke Engelse suffragette, een componiste van komische operettes die kort tevoren was teruggekeerd van een expeditie naar de Soedan waar ze een lange middag in afzondering had doorgebracht in haar hut op een rivierboot om een bevallige jonge hermafrodiet te fotograferen, een kamelenkweker die tegenwoordig bekendstaat als Mohammed, maar vroeger de vrouw was van een sjeik van een van de stammen.

De sjeik had zijn vrouw voortdurend geslagen, kwam de suffragette tijdens het fotograferen ter ore. Overmand door het medelijden dat ze altijd voelde voor een vrouw die had geleden onder de vooroordelen op aarde, bedreef ze tot besluit van de middag hartstochtelijk de liefde met Mohammed. Maar tot haar grote teleurstelling bleek geen van haar foto's naderhand gelukt.

Stern nam haar mee naar een Griekse kunstenaar in Alexandrië die in staat was precies weer te geven wat zij had gezien, waarmee hij zich de steun van de suffragette voor zijn idealen in haar volgende operettes verwierf.

In 1918 werd Zaghlul uit gevangenschap ontslagen en keerde hij terug naar Egypte om de onafhankelijkheid op te eisen. In 1919 bracht Kemal de Britten in verlegenheid door de sultan te tarten en de Perzen verzetten zich tegen hun Britse verdrag. Korte tijd later braken er zowel in Syrië als in Irak Arabische opstanden uit.

Maar er waren ook tekenen van een naderend fiasco in die vroege jaren.

In Constantinopel had de sultan moderne studieboeken geconfisqueerd omdat hij erachter was gekomen dat die de subversieve formule $H_2O$ bevatten, die inhield dat hij, Hamid de Tweede, in het geheim een cijfer was en nergens voor deugde.

In 1909 hadden de Turken vijfentwintigduizend Armeniërs in Adana uitgemoord. In 1915 kwamen de Turken tot de slotsom dat de Armeense kwestie zou zijn opgelost als er geen Armeniërs meer bestonden en begonnen zij hen de Syrische woestijn in te drijven en onderweg af te slachten om de verwoestingen die honger en epidemieën aanrichtten wat te bespoedigen.

In 1916 waren er legioenen spionnen in Athene neergestreken alleen om drie jaar later te worden overtroffen door nog grotere hordes spionnen die in Constantinopel bijeenkwamen, waar werd ontdekt dat afgezanten van bepaalde landen op weg naar de vredesconferentie in Versailles niet in staat waren hun eigen naam te schrijven noch die te herkennen als het woord tot hen werd gericht.

Op een weinig bekend treffen in 1918 tussen Weizmann en de toekomstige Groot Moeftie van Jeruzalem toonde de hoogwaardige en ogenschijnlijk onschuldige Arabier zijn grondige vermogen tot misleiding en haat door op zachte toon passages uit de Protocollen van de Oudsten van Sion te citeren.

En het ergste van alles voor Stern was dat de ineenstorting van het Ottomaanse Rijk aan het einde van de Eerste Wereldoorlog de investeringen wegvaagde die zijn vader hem had nagelaten, nadat de voormalige ontdekkingsreiziger en hakim, op de vooravond van Sterns vertrek naar Europa zijn naar zijn mening laatste helende handeling had verricht door zijn zoon te verlossen van de last van dat rijk dat hij had vergaard voordat Stern was geboren, een ironie die groot genoeg was om voor eeuwig een wig te slaan tussen hun twee eeuwen.

Na 1918 bezat Stern nooit meer een cent. Hij was gedwongen zijn luchtballon te verkopen en werd vervolgens steeds armer en berooider en moest voortdurend bedelen en van iedereen die hij ontmoette geld aftroggelen om in leven te blijven, want wat hij verdiende met smokkelen, als er al iets te smokkelen was, ging altijd op aan nog meer wapens omdat hij het zelf met geen vinger wilde aanraken.

Toch slaagde hij erin, naarmate hij in 1920 en 1921 steeds dieper in de schulden geraakte en zich zo diep in de nesten werkte dat hij wist dat hij er nooit meer bovenop zou komen, de indruk te wekken dat hij een onwrikbaar vertrouwen had in waar hij mee bezig was, een eigenschap die hij had afgekeken van zijn vader en misschien ook van zijn grootvader, hoewel bij hen dat zelfvertrouwen oprecht was geweest.

Hoe dan ook, Stern kwam zo overtuigend over dat slechts enkele mensen de waarheid kenden, slechts drie personen die hem in de loop der jaren na stonden.

Sivi. Toen net als voor de oorlog.

O'Sullivan Beare een jaar later in Smyrna toen hij zijn laatste reis voor Stern maakte en daarna de relatie met hem verbrak.

En ten slotte Maud tien jaren later toen de eerste slachtoffers van Smyrna begonnen te vallen in die kleine toevalscoterie van wisselende minnaars en vrienden en familieleden die er uiteindelijk allemaal achter kwamen dat hun levenspaden elkaar ooit eens hadden gekruist op een warme septemberdag in die mooiste aller steden aan de oevers van het Oostelijke Middellandse-Zeegebied.

أَلحج

Op een koude decembernamiddag in 1921 zat O'Sullivan Beare onderuitgezakt in een hoekje van een Arabisch koffiehuis niet ver van de Damascus Poort, met een glas erbarmelijke Arabische cognac leeg op het tafeltje voor zich. Buiten gierde een harde wind over de daken, joeg door de stegen en dreigde met sneeuw. Twee Arabieren zaten bij het raam lusteloos een potje triktrak te spelen terwijl een derde onder een krant een tukje deed. Buiten begon de avond te vallen.

Zo verlaten als verlaten maar zijn kan, dacht Joe, geen levende ziel te bekennen en gelijk hebben ze, knus en thuis bij het gezin waar iedere verstandige man vanavond hoort te zijn. Waarom moest die oude vader op de Aran Eilanden zonodig een plek als déze voor me zien? Een doffe ellende, meer stelt profetie niet voor. Ik had lekker kunnen zitten vissen net als hij en zou misschien tevreden zijn geweest met een fatsoenlijke pint bij het haardvuur op barre avonden en een lied en een dansje met de buren. Krankzinnige Arabieren en Joden die elkaar vliegen afvangen, jezus, wat heeft een mens aan al die ups and downs van Jeruzalem?

De deur ging open en een grote gekromde man kwam, van de koude in zijn handen wrijvend, binnen. Hij stampte met zijn voeten op de grond en glimlachte. Joe knikte. Hij beweegt lichtvoetig voor een grote man, dacht hij. Hij beweegt zich alsof hij wel iets beters heeft om naartoe te gaan dan deze armzalige Arabische prutkroeg en misschien heeft hij dat ook wel, wie zal het zeggen.

Stern schoof een stoel achteruit. Hij bestelde twee cognac en ging zitten.

Met dat goedje maak je dat we ons lot in eigen hand nemen, zei Joe, met zijn hand een pistool nadoend en tweemaal op allebei hun hoofden vurend. Hetzelfde spul waar ze de lampen mee vullen. Ik heb het ze zien doen, ik zweer het je, vlak voordat jij binnenkwam.

Brandt beter dan wat ook, zei de man, en het is bovendien nog goedkoper ook.

Stern lachte.

Ik dacht dat het hielp om de wind buiten de deur te houden.

Dat lijkt me onwaarschijnlijk, hoewel het prettig zou zijn als het zo was. Maar wie zou dat hebben geloofd, vraag ik je. Als ze me thuis hadden gezegd dat het Heilige Land er zo uitzag, had ik gedacht dat ze niet goed bij hun hoofd waren, dat ze te lang met hun kop in de pispot hadden gehangen om hun roes uit te slapen. Zon en zand en melk en honing, had ik me voorgesteld, maar dit is nog erger dan in een storm om mijn eiland heen roeien. Dan knokte je tenminste voortdurend tegen de klote elementen en hoefde je je verder nergens druk om te maken, maar hier kun je alleen maar zitten en wachten en prakkiseren en nog wat meer zitten en wachten. Het is verdomme een godswonder zoals de mensen in deze stad maar zitten te zitten en af te wachten.

Ze bekijken het op de lange termijn, zei Stern met een glimlach.

Daar heeft het alle schijn van, dat moet het zijn. Het ware geloof, neem ik aan. Jeruzalem de stad der wonderen. Laatst zijn een oude Arabier die ik ken en ik een kijkje gaan nemen bij de Rotskoepel en daar begint hij me toch een partij naar een kleine inkeping aan de zijkant van de rots te staren. Hallo daar, zeg ik, is er soms iets bijzonders aan dat holletje? Dat is er zeker, zegt hij, het is de voetafdruk die Mohammeds paard maakte toen de Profeet hier zijn paard besteeg en hemelwaarts reed. Ik herinner me nog hoe de vonken er toen afvlogen, zei hij, en de schalmeien schalden en de cimbalen sloegen en donder en bliksem de lucht deden trillen.

Mooi, zei ik, dat is inderdaad geen kattenpis, en een paar minuten later liepen we door en sjouwden wat rond in de Heilige Grafkerk en de Griekse priesters stonden te prevelen in hun hoekje en de Armeense priesters stonden te prevelen en met wierook te zwaaien in hun hoekje en datzelfde deden alle anderen, iedereen met de ogen dicht. En korte tijd daarna lopen we weer buiten in de hoop wat frisse lucht te happen op de heuvel bij de Jaffa Poort en warempel, daar zien we weer dezelfde Chassidische Jood die daar acht uur eerder ook was toen we vlak voor hem langs liepen. Hij heeft nog steeds niets in de gaten omdat zijn ogen ook grotendeels gesloten zijn, en hij staat nog steeds min of meer in de richting van de Oude Stad, kijkend naar de Muur, maar in acht uur tijd is hij er geen meter dichterbij gekomen; hij wiebelt en prevelt alleen maar en komt geen centimeter van zijn plaats.

Wat ik bedoel te zeggen is dat de mensen hier alle tijd van de wereld lijken te hebben om met wierook te zwaaien en te wiebelen en te prevelen en daarmee door te gaan tot twaalfhonderd jaar geleden of tweeduizend jaar of hoe lang ze ook wachten tot waar ze op wachten opnieuw langskomt en de cimbalen slaan en de schalmeien schallen en iedereen eindelijk opnieuw op zijn paard naar de hemel klimt en donder en bliksem de lucht doen trillen. Maf, dat is het.

Hij dronk zijn glas leeg en verslikte zich. Stern bestelde nog twee glazen.

Beroerd goedje, zei Joe, maar het houdt je tanden schoon. Weet je, Stern, die oude kwibus, over wie ik het zojuist had, die Arabier die denkt dat hij erbij was toen Mohammed lang geleden zijn grote verdwijntruc vertoonde, die heeft eigenlijk wel iets weg van jou. Ik bedoel niet omdat hij zowel als Arabier alsook als Jood is geboren, dat is een onloochenbaar feit, maar omdat hij het in zijn hoofd heeft gehaald dat hij al in Jeruzalem woonde voordat mensen zulke namen hadden, voordat ze in deze en gene werden verdeeld, begrijp je wat ik bedoel? Dus met zijn manier van denken kun je allerlei trucs met de werkelijkheid uithalen, net zoals jij dat doet, doen alsof die niet bestaat of zo, alleen begeeft hij zich niet op het politieke vlak en dat soort gezeik.

Joe nam een slok en trok een grimas.

Ik klets te veel, dat komt door dit vergif dat mijn geest binnensijpelt. Afijn, ik ken ook een franciscaner, de bakpriester noem ik hem omdat hij al zestig jaar lang dezelfde vier broden bakt. Toen ik hem vroeg of hij dacht dat hij in de voetsporen trad van onze Verlosser met al dat vermenigvuldigen, en zo ja of hij dan niet met vijf in plaats van met vier broden moest werken, kwam er een tinteling in zijn ogen en antwoordde hij: Nee, zoiets groots is niet voor mij weggelegd, zo vrijpostig ben ik niet, ik bak er slechts vier om daarmee de parameters van mijn leven te bepalen. Jezus, begrijp je wat ik bedoel? Iedereen is zo gek als een deur hier met al die heilige paarden en dat binnensmonds geprevel en een overmaat aan wierook die de zuurstoftoevoer afsnijdt en al te veel heen en weer gewiebel na zestig jaar hemels brood bakken. Mafkezen zijn het, allemaal. Ze verzinnen krankzinnige onmogelijke dingen. Het zit in de lucht of in het gebrek eraan. Er is hier geen strontgeur om ervoor te zorgen dat een mens stevig met beide benen in het slijk blijft staan.

Stern glimlachte minzaam.

Je maakt vanavond een gedeprimeerde indruk.

Ik? Maak het nou. Jezus, waarom zou ik in mineur zijn? Alleen omdat ik op kerstavond in een krankzinnige stad woon die twaalfhonderd jaar of drieduizend kilometer of vier broden verwijderd ligt van mijn thuisland? Daar is toch geen reden voor?

Hij goot de cognac achterover en hoestte.

Heb je zo'n vieze sigaret bij je die jij altijd rookt?

Stern gaf hem er een. De eerste sneeuwvlokken dwarrelden langs de ramen, het duister buiten verdiepte zich. Stern keek hoe hij zenuwachtig aan het Victoria Kruis plukte en vervolgens aan zijn baard.

Weet je, Joe, jij bent het afgelopen jaar een hoop veranderd.

Tuurlijk, dat zit er dik in, waarom ook niet, ik verkeer in een overgangsfase. Nog niet zo lang geleden was ik een oprechte gelovige net als die types die je overal op straathoeken tegen een hoop stenen ziet mompelen. Bij de bezetting van het postkantoor in Dublin was ik zestien en toen heb ik drie jaar geoefend met een oud Amerikaans musketon en gewacht tot de grote dag aanbrak en die brak aan in de vorm van de Black & Tans, dus vluchtte ik naar de bergen en een tijdje ging het best goed, maar weet je wat het inhoudt om daar voortvluchtig te zijn?

Joe's stem verhief zich van woede. Stern sloeg hem gade.

Dat houdt in dat je elke minuut van de dag en nacht nat bent en het koud hebt en voortdurend alleen op drift bent. Die bergen zijn niet gemaakt om te vluchten, ze zijn niets dan regen en iedere stap tot aan je knieën door de modder waden, maar ik bleef vluchten omdat ik wel moest, ik rende de hele nacht door om die verdomde Black & Tans te verrassen. Je kunt daar niet tegenop rennen maar ik deed het toch, ik deed het gewoon, er was geen andere manier om te doen wat ik deed en weet je waar mij dat bracht?

Joe ramde met zijn vuist op tafel. Hij beefde. Hij greep Sterns mouw en draaide die om.

Op een open plek in Cork, daar bracht het me, blootsvoets en in lompen gehuld, want de mensen crepeerden van de honger en sommige van hen waren bereid een pond op te strijken door verklikker te worden om hun kinderen voor de hongerdood te behoeden. Dus klikten ze en de bergen slonken totdat ik geen plekken meer had om me te verbergen en ik verzeild raakte in Cork, aan de oever van de Lee, waar ik luisterde naar de zeemeeuwen, het was op een tweede paasdag en ik leunde uitgeput tegen een afgebrokkelde looimuur met niets te eten in drie dagen, wetende dat het voorbij was. Ik zag de drie spitsen van St. Finnbar's zich daar hoog tegen de hemel aftekenen en was te stom om mezelf af te vragen wat die drie-eenheid werkelijk voor me betekende.

Maar ik zal je nog eens wat vertellen. Terwijl die bergen slonken en ik groeide, pakte ik die doorweekte hopen en sloeg die in me op en werd groter, en dat verlaten kerkhof waar ik het oude musketon in de regen begroef, die modder werd door mij en door niemand anders gewijd.

Jij hebt het over jouw koninkrijk dat zal komen, Stern. Nou, ik heb voor het mijne gestreden, dat heb ik gedaan en het heeft me verstoten, het heeft me gewoon neergehaald tot alle hoop was vervlogen en alles op die open plek tegenover St. Finnbar aan de oever van de Lee was verdwenen en ik moest mijn Ierland ontvluchten als een clarisse, jezus, ik aan de haal als een non, zie je het voor je? Eén bange non zo stil als een muis op pelgrimstocht naar het Heilige Land, dat was er van me over toen ik twintig was.

Joe liet zijn mouw los en beukte op de tafel.

Verdomde vaderlanden en verdomde idealen, ze kunnen me gestolen worden. Ik wil voorgoed van ze verschoond blijven.

Stern ging achteroverzitten en wachtte af. Er is meer, zei hij na een ogenblik.

Wat meer? Waar heb je het over?

Deze verbolgenheid en woede, zoals jij bent veranderd. Dat komt niet echt door Ierland, dat weet je. Dat was al voorbij voordat je hier aankwam. Er is sindsdien iets met je gebeurd.

Joe's ogen werden troebel en opeens begonnen zijn lippen te trillen. Hij bedekte snel zijn gezicht met zijn handen, maar niet voordat Stern de tranen in zijn ogen had zien opwellen. Stern pakte zijn arm vast.

Joe, je hoeft je gevoelens tegenover andere mensen niet altijd verborgen te houden, daar zal niemand je hoger om achten. Soms is het beter om je gevoelens de vrije loop te laten. Waarom vertel je me niet wat er is?

Hij bleef zijn handen voor zijn gezicht houden. Het stille gesnik duurde een minuut of twee en toen sprak hij met onzekere stem.

Wat valt er te zeggen? Er was een vrouw in het spel, dat is alles en zij heeft me verlaten. Weet je, het was nog nooit bij me opgekomen dat zoiets kon gebeuren, niet als je van iemand houdt en zij ook van jou. Ik dacht dat je, als je eenmaal samen was, van elkaar zou blijven houden en bij elkaar zou blijven, zo gaat dat waar ik vandaan kom. Natuurlijk was dat stom van mij, natuurlijk was het onnozel van me om niet te bedenken dat het ook anders zou kunnen zijn maar ik had er gewoon geen idee van. Als ik niet een van de mannen in het postkantoor van Dublin was geweest, zou ik dat verdomme wel zijn geworden in de vier daaropvolgende jaren in de bergen, maar vrouwen, van vrouwen wist ik helemaal niets. Niets niemendal. Ik hield van haar en ik dacht dat ze ook van mij hield maar ze nam me in de maling, ze liet me erin lopen en heeft me als een dwaas de bons gegeven.

Stern schudde bedroefd zijn hoofd.

Houd dat jezelf niet steeds voor, daar word je alleen maar verbitterd van en misschien is het helemaal niet zo gegaan. Er zou wel eens iets heel anders achter kunnen steken. Was ze ouder dan jij?

Tien jaar, even oud als jij. Hoe wist je dat?

Zomaar een gokje. Maar luister, Joe, tien jaar is een lange tijd. Misschien is haar in die tien jaar iets overkomen dat jullie van elkaar scheidt, iets waar ze bang voor was, nog steeds bang voor is, iets dat haar zo diep heeft gekwetst dat ze het niet meer onder ogen durfde te komen. Mensen snijden om allerlei redenen de banden met hun geliefden door maar meestal heeft het met henzelf en met niemand anders te maken. Dus misschien heeft het helemaal niets met jou van doen. Misschien is het een ervaring uit het verleden, wie weet.

Joe keek op. De woede was teruggekeerd.

Maar begrijp je dan niet dat ik haar vertrouwde, dat ik van haar hield, dat het nooit bij me is opgekomen haar niet te vertrouwen, geen moment, nooit en te nimmer, daar was ik te goedgelovig voor. Ik vertrouwde haar gewoon en ik hield van haar en ik dacht dat dat altijd zo zou blijven omdat ik van haar hield, alsof dat afdoende reden was om iets in stand te houden. Nou, van nu af aan is er geen ruimte meer in mijn hart om in dingen te geloven en mezelf wijs te maken dat ze eeuwig zouden kunnen duren. De bakpriester heeft de vier kaders van zijn leven zestig jaar lang gebakken, zijn terrein afgebakend, en dat moet je beslist doen, je moet beslist de vier muren van je eigen mogelijkheden vinden en dat heb ik nu gedaan, en die bevatten alleen mijzelf en niemand anders, alleen mij.

Maar Joe, wat bereik je daarmee?

Wat ik wil, dat ik mijn lot in eigen handen heb. Wat bedoel je eigenlijk?

Stern legde zijn handen met gespreide vingers op tafel.

Je lot in eigen handen hebben, bedoel ik, wat houdt dat in?

Dat er niks misgaat. Dat niemand me mijn eigen land uit zal smijten, omdat ik geen land zal hebben. Dat niemand me in de steek zal laten, omdat ik nergens zal zijn waar ze me in de steek kunnen laten. Dat niemand meer de kans krijgt me ooit nog te kwetsen.

Dat kan nog steeds gebeuren, Joe.

Niet als ik de touwtjes in handen heb.

En de glorie?

Met sarcasme bereik je niets. Hoewel de glorie me eigenlijk geen jota interesseert, ik vind het best om onzichtbaar te zijn zolang ik de touwtjes maar in handen heb. Zeg eens, wie wordt de rijkste oliemagnaat in het Midden-Oosten als hij oud genoeg is?

Nubar Wallenstein, zei Stern vermoeid.

Dat klopt. En wat denk je daaraan te gaan doen?

Wachten tot hij oud genoeg is.

Rot toch op met dat verdomde sarcasme, zie je dan niet dat ik meen wat ik zeg? Ik ben hier heel serieus over. Ik ben nu plannen aan het beramen en binnen korte tijd zal ik een zegevierende rol spelen in dit spel dat ze Jeruzalem noemen.

Stern schudde zijn hoofd. Hij zuchtte.

Je ziet het verkeerd, Joe. Je hebt het gewoon bij het verkeerde eind.

Joe glimlachte en gebaarde de ober dat hij nog twee cognac moest brengen. Hij pakte een van Sterns goedkope sigaretten en liet die van zijn ene mondhoek naar zijn andere rollen.

Zo zo, vind je dat vadertje? Is dat vandaag het oordeel na de biecht? Nou, ik weet alleen dat ik aardig door heb hoe het hier toegaat, dat ik het allemaal aardig in de smiezen heb. Misschien niet zoals het volgens de bijbel zou moeten zijn, maar wel zoals het is. Dus waarom houden we niet op met dat sentimentele gedoe op kerstavond en zetten we een boom op over wapens en geld?

Hij hief zijn glas op.

Dat stuit je toch niet tegen de borst, Stern? Dat is nergens voor nodig, hoor, zit er maar niet over in. Zolang ik niets beters te doen heb, blijf ik wapens smokkelen naar jouw Arabische en Joodse en Christelijke land dat niet bestaat en met alle plezier want wat zal het mij een zorg zijn dat het nooit zal bestaan. En ik lever deugdelijke waar, dat weet je. Als je maar niet meer aan mijn kop zeurt over een eigen plekje elders, want dat bestaat niet, ik heb geen vaderland meer. Mijn laatste thuis was Jericho met een vrouw die me heeft verlaten.

Hij grinnikte.

Het is koud in Jeruzalem, vind je niet? Het lijkt te sneeuwen in het land van melk en honing, zie je nu. Dus laten we drinken op jouw soort macht en op die van mij. Op jouw gezondheid, vadertje Stern.

Langzaam hief Stern zijn glas op.

Op de jouwe, Joe.

In het voorjaar van 1922 was Stern in Smyrna om zijn belangrijkste contactpersoon in Turkije te ontmoeten, een vermogende geheime Griekse activist. Het voornaamste oogmerk van de man was ervoor te zorgen dat Constantinopel weer in handen kwam van de Grieken, waarvoor een Grieks leger toen in het binnenland strijd voerde met Kemal en de Turken. Maar hij had al tien jaar met Stern samengewerkt en hem geholpen wapens te smokkelen naar de nationale bewegingen in Syrië en Irak, vanaf het moment dat de doelen die hij en Stern zich hadden gesteld gedurende de Balkanoorlogen waren samengevallen.

Eigenlijk was Sivi degene die Stern regelmatig van het geld voorzag dat hij zo node ontbeerde, dezelfde Sivi die ooit vriendschap had gesloten met Maud en haar na de dood van Yanni, haar echtgenoot en zijn veel jongere halfbroer, financieel had gesteund.

Daarenboven was de beruchte grijsaard, hij was inmiddels zeventig, de onbetwiste koningin van de seksuele uitspattingen in Smyrna, waar hij altijd in de opera verscheen, gekleed in golvende rode gewaden en met een grote rode hoed op die overladen was met rozen om te worden geplukt en naar zijn vrienden te worden geworpen als hij zijn loge betrad, met zijn robijnen ringen flonkerend aan zijn vingers en een lange onaangestoken sigaar stevig tussen zijn tanden geklemd. Vanwege zijn vaders reputatie als een van de staatkundige grondleggers van de moderne Griekse staat, vanwege zijn eigen excentrieke gedrag en rijkdom en vanwege Smyrna's belang als de meest internationale stad in het Midden-Oosten, was hij een uitzonderlijk doeltreffende spion met invloedrijke connecties in vele plaatsen, vooral in de talrijke Griekse gemeenschappen die je overal aantrof.

Hij woonde alleen met zijn secretaresse, een jonge Franse vrouw die ooit was opgevoed in een klooster maar lang geleden, bekoord door de sensuele sfeer van het maatschappelijke leven in Smyrna en de salon van Sivi, daarheen was gevlucht. Sterns afspraak met hem was zoals gebruikelijk om drie uur in de ochtend daar Sivi tot in de kleine uurtjes voor vermaak zorgde. Stern verliet zijn hotel tien minuten tevoren en wandelde langs de haven om te zien of hij niet werd gevolgd. Om drie uur glipte hij een steeg in en liep met snelle pas naar de achterdeur van de villa. Hij klopte zachtjes aan, zag het kijkgaatje opengaan en hoorde de grendel opzij schuiven. De secretaresse deed de deur zachtjes achter hem dicht.

Hallo, Theresa.

Hallo. U ziet er moe uit.

Hij glimlachte. Waarom zou ik niet, die oude zondaar wil me nooit op een fatsoenlijk uur ontvangen. Hoe maakt hij het de laatste tijd?

Hij ligt in bed. Zijn tandvlees.

Wat is daarmee?

Hij zegt dat het pijn doet, hij weigert te eten.

O dat, maak je daar maar geen zorgen over, dat gebeurt om de drie, vier jaar. Dan haalt hij zich in zijn hoofd dat zijn tanden uitvallen en bekruipt hem de angst dat hij wel eens zonder zijn sigaar in positie in het openbaar zal moeten verschijnen. Het duurt maar een week of twee. Laat de kok hem maar wat zachtgekookte eieren brengen.

Ze lachte. Dank u, dokter. Ze klopte op de deur van de slaapkamer en er klonk een zachte bons aan de andere kant van de deur. Sterns wenkbrauwen gingen omhoog.

Een rubberbal, fluisterde ze, dat betekent kom binnen. Geen overbodig woord. Het schijnt dat de aantasting van zijn tandvlees zou kunnen worden versneld als hij zijn mond opent en er frisse lucht in komt. Ik zie u nog wel voor u weggaat.

Sivi zat, ondersteund door een immense stapel roodsatijnen kussens, rechtop in bed. Hij droeg een dikke rode ochtendjas en een rode flanellen zwachtel die zijn hoofd volledig bedekte en onder zijn kin was vastgebonden. De grote olijfhouten blokken die knapperend in de haard lagen, verschaften het enige licht in de kamer. Stern schoof een gordijn opzij en constateerde dat alle ramen en luiken dicht waren om de milde lentenacht buiten te sluiten. In de drukkende hitte trok hij zijn jasje uit en ging op de rand van het bed zitten. Hij voelde de pols van de oude man terwijl Sivi aan een pan met stomend water snoof die op het nachtkastje stond.

Terminaal?

Verbazingwekkend genoeg niet. Eigenlijk is het vlees nog niet eens koud.

Maak daar geen grapjes over. Het kan best dat ik er binnen een uur al niet meer ben.

Hoe kun je hier ademen?

Dat kan ik ook niet, dat is een van mijn problemen. De zuurstoftoevoer naar mijn hoofd is afgesneden. Wie zei je maar weer dat je was?

Een arbeider. Ik laad tabak op de kade tegenover je villa.

De linkerkade of de rechter?

De linker.

Uitstekend. Ga braaf zo door maar pas op voor je rug. Zwaar tilwerk kan schadelijk zijn voor je rug. Is het dag of nacht buiten?

Dag.

Dat dacht ik al. Ik voel de ongezonde zonneschijn langs de luiken kruipen en proberen naar binnen te sijpelen. Zei je dat het winter was of zomer?

Winter. Het sneeuwt.

Ongerijmd, ik wist het wel, ik ben al uren koortsig.

Zeg, als je kaak eraf valt, heb je helemaal niets aan die flanellen draagdoek, hoor.

Onzin, alle illusies hebben hun nut.

Zal ik je nog eens wat zeggen? Op je ouwe dag begin je steeds meer te lijken op dat portret van je grootmoeder van vaderskant dat beneden hangt.

De oude man bewoog zijn hoofd heen en weer.

Dat stoort me niet bovenmatig, dat is zelfs een aanlokkelijk vooruitzicht. Zij was een godvruchtige en eerbare en hardwerkende vrouw en bovendien de moeder van een van de roemruchte voorvechters van de Griekse onafhankelijkheid die tussen haakjes een goede vriend was van Byron, zoals je waarschijnlijk al wist. Maar wat je niet weet is dat ik, toen ik de laatste keer op Malta was, een lijfknecht in dienst heb genomen die geen ander was dan de kleinzoon van Byrons Venetiaanse gondelier, zijn favoriete pooier en schandknaap. De grootvader, Tito, voerde een Albanees regiment aan in onze oorlog en strandde later, berooid tengevolge van een serie scandaleuze ongelukjes met betrekking tot zijn vroegere bezigheden, op Malta. Wat, interesseert dit intrigerende nieuws over een Maltezer kleinzoon je niet? Nou, vertel me dan maar eens wat er voor nieuws over de buitenwereld te melden is. Ik ben bedlegerig sinds de Mahdi Khartoum innam.

Die fallus op de achterdeur die je als klopper gebruikt is nieuw. Wat een monsterlijk ding.

Sivi lachte uitgelaten en snoof aan zijn pan stomend water.

Toch heeft hij wel iets, vind je niet? Tja, er is natuurlijk geen enkele reden om de algemene stand van zaken hier te verdoezelen en bovendien heb ik een zekere reputatie die ik hoog moet zien te houden. Mijn vader kreeg op zijn vierentachtigste nog een zoon en hoewel dat niet mijn stiel is, zit de viriliteit in ons bloed.

Stern overhandigde hem een stukje papier en hij zette zijn pince-nez op om de cijfers te bestuderen.

Hè, mijn gezichtsvermogen verslechtert.

Verloedert.

Damascus ditmaal.

Ja.
Wanneer?
Half juni als je dat lukt.
Met gemak.
En ik wil graag een vergadering hier in september.
Dat kan ik je niet kwalijk nemen, het is hier heerlijk in september. Wie smaakt het voorrecht hier een bezoek te brengen en mij te ontmoeten?
Een man die voor me werkt in Palestina.
Prachtig, gasten uit het Heilige Land zijn altijd bijzonder welkom. Staat hij aan de Arabische of aan de Joodse kant?
Geen van beide.
Ach, iemand uit een obscuurder gebied van je meervoudige persoonlijkheid. Een Druze, wellicht?
Nee.
Een Armeen?
Nee.
Een Griek kan het niet zijn, dan zou ik hem al kennen.
Dat is hij ook niet.
Een Arabische Christen?
Nee.
Ook geen Turk?
Nee.
Nou, we hebben de niet-Europese elementen in de Smyrnase samenleving wel zo'n beetje allemaal de revue laten passeren, dus hij moet een soort Europeaan zijn.
Een soort. Het is een Ier.
Sivi deed een greep naast het bed en haalde een fles raki en twee glazen te voorschijn.
Dokter, ik vermoedde al dat u iets dergelijks zou voorschrijven, dus heb ik vast wat klaargezet. Bent u zich ervan bewust hoe goed het Griekse leger het er in het binnenland van afbrengt?
Dat ben ik.
En net nu alles naar wens gaat, kom jij aanzetten met een onzeker Iers vooruitzicht? Heb je onmiddellijke plannen met China? Niet dat het iets uitmaakt, ik was niet van plan een van die

verre oorden te bezoeken. Ik blijf lekker hier aan de prachtige kusten van de Aegeïsche Zee tot ik helemaal beter ben.

Op je oma, zei Stern, zijn glas heffend.

Zo is het, psalmodieerde Sivi, en zo hoort het ook. Ik heb het niet alleen nooit ontkend, ik zou niet anders willen.

In de herfst van 1929 voer Stern de Jordaan af tot aan een klein huisje in een buitenwijk van Jericho om een man te ontmoeten die hij verscheidene jaren niet had gezien, een Arabier uit Amman die actief was onder de bedoeïenenstammen in de Moabitische bergen. Hoewel hij een jaar of twee jonger was dan Stern zag hij er veel ouder uit. Hij zat heel stil, was niet groter dan een kind en zijn grote donkere ogen waren uitdrukkingsloos en mat in het schaarse licht van die ene brandende kaars.

Een gestage wind deed de vensters ratelen en overstemde de geluiden van de rivier in het duister. De Arabier sprak op fluistertoon en pauzeerde regelmatig om zijn mond met een lapje te bedekken. Stern wendde zijn blik af als dat gebeurde of scharrelde in zijn papieren en deed alsof hij niet merkte hoeveel slechter de longen van de man eraan toe waren. Na hun zaakjes te hebben geregeld, dronken ze zwijgend een kopje koffie en luisterden naar de wind.

Je ziet er vermoeid uit, zei de Arabier ten slotte.

Dat komt alleen van het reizen en omdat ik weinig slaap heb gehad. Houdt die wind nooit op?

Na middernacht. Voor een paar uur. Dan steekt hij weer op.

De lippen van de Arabier glimlachten ijl maar zijn ogen waren uitdrukkingsloos.

Ik hoest zelfs niet meer. Het kan niet lang meer duren.

Binnenkort heb je je eigen regering en dat duurt ook niet lang meer. Stel je eens voor, je hebt er vijftien jaar aan gewerkt en nu staat het werkelijk te gebeuren.

Koppig, zwak en gebroken keek de iele gestalte hem, de lap tegen zijn mond gedrukt, aan.

Voordat je kwam. Vanavond. Dacht ik terug aan Amman. Het is vreemd. Interessen veranderen. Ik bedacht dat we elkaar nooit echt hebben gekend. Waarom?

Ik denk dat het in de aard van ons werk ligt. We haasten ons heen en weer, ontmoeten elkaar een uurtje en snellen weer verder. Er is nooit tijd om over andere dingen te praten.

Vijftien jaar lang?

Het schijnt zo.

Jij helpt ons. Je helpt de Joden ook. Dat wist ik allang. Voor wie werk je in werkelijkheid?

Die vraag verraste Stern niet. De man had de hele avond op een onsamenhangende dromerige manier gesproken en was van het ene naar het andere onderwerp gezwalkt. Hij nam aan dat het iets te maken had met de ziekte van de Arabier, en het feit dat hij zich daarvan bewust was.

Voor ons. Ons volk.

In mijn gebergte betekent dat onze stam. Met argwaan hooguit nog een paar naburige stammen. Voor jou?

Ons allemaal, alle Arabieren en Joden samen.

Dat is onmogelijk.

Toch is het zo.

De man had de kracht niet om zijn hoofd te schudden. Jeruzalem fluisterde hij en toen zweeg hij bij gebrek aan lucht. Een jongen, zei hij na een ogenblik. Een tuin. Een voetbal.

Stern staarde naar de muur en probeerde de wind niet te horen. Twee maanden tevoren, aan het eind van de zomer, had een jongen per ongeluk een voetbal een tuin in getrapt, het had niets om het lijf zij het dat de jongen een Jood was en de tuin van een Arabier en dat het gebeurde in de Oude Stad. Een simpele voetbal, het was belachelijk. De Arabier zag de voet van het zionisme op zijn grond en de jongen werd ter plekke doodgestoken. In Hebron hanteerde een Arabische menigte bijlen om zestig Joden af te slachten, onder wie ook kinderen. In Safrad nog eens twintig, onder wie ook kinderen. Nadat de rellen waren beëindigd hadden honderdendertig Joden en honderdenvijftien Arabieren de dood gevonden, waarbij de Joden waren gedood door de Arabieren en de Arabieren door de Engelse politie; een jongen, een voetbal en een tuin.

Alle Semieten? vroeg de man op fluistertoon. Allemaal samen? De Armeniërs zijn Christenen. Wat is er van hen geworden? Waar waren hun Christenbroeders tijdens die massamoorden?

Stern schoof ongemakkelijk heen en weer op zijn stoel. Om de een of andere reden kon hij de woorden niet over zijn lippen krijgen. Wat had het trouwens voor zin om te bekvechten met een man die over een week of over een maand dood zou zijn? Hij wreef in zijn ogen, deed er het zwijgen toe en luisterde naar de wind.

De Arabier verbrak het stilzwijgen door opnieuw van onderwerp te veranderen. Hij was eigenlijk niet op zoek naar antwoorden, hoorde ze niet eens, daarvoor was hij al te ver heen; hij zweefde van de ene naar de andere gedachte, onverschillig wat hem inviel.

De klassieken. Die citeer jij vaak. Waarom? Ben jij ook als geleerde begonnen? Ik wel.

Stern schoof heen en weer. Hij voelde zich slecht op zijn gemak. Het moest komen door het voortdurende geruis van de wind dat zijn concentratie verstoorde.

Nee. Mijn vader wel. Ik denk dat het mijn gewoonte is om dingen te herhalen die hij placht te zeggen.

Misschien heb ik van hem gehoord. Vroeger heb ik veel gelezen. Wat was zijn naam?

Die is verloren geraakt, mompelde Stern. Foetsie. Een man van de woestijn. Van vele woestijnen.

Maar het accent. Je spreekt met een heel licht accent.

Jemenitisch. Daar ben ik opgegroeid.

Kale bergen. Rotsachtige grond. Niet als de Jordaanvallei.

Nee, dat klopt. Totaal anders.

Stern ging meer onderuit zitten. De overweldigende wind buiten maakte het hem onmogelijk zijn gedachten te bepalen. Hij realiseerde zich dat hij was gaan praten op de abrupte manier van de stervende man tegenover hem. Een wind die door het dal van de Dode Zee en Akaba woei.

Om duistere redenen zag hij zijn vader tachtig jaar tevoren zonder water en voedsel door de Sinaï marcheren, zich zelfs niet bewust van het feit dat hij drie zonsopgangen en twee zonsondergangen lang had doorgelopen totdat een hond naar zijn hielen hapte en glimlachend toen een herdersjongen het hem vertelde en hem vroeg of hij een goede of een kwade djinn was en hij die jongen als beloning een minder bekend verhaal uit *Duizend-en-één-nacht* vertelde voor hij doorliep, Strongbow de djinn, vele mannen op vele plaatsen, een waarlijk grootse en grillige geest zoals zijn grootvader hem ooit had genoemd.

Wat? Nee. Ik heb dit niet van hem. Hij was heel anders dan wij. Nee. Hij werd op latere leeftijd een hakim. Eerst een geleerde, toen een genezer.

Betere beroepen, fluisterde de Arabier. Beter dan de onze. Vooral dat van genezer. Heler van zielen. Dat had mij ook wel wat geleken. Maar vandaag, jij en ik. Wij hebben geen tijd. Is dat echt waar? Of niet meer dan een excuus waarvan we ons bedienen?

Stern stak zijn hand uit naar zijn sigaretten en bedacht zich toen. Als die man de Armeniërs nu maar niet had genoemd. Waarom moest dat vanavond nou ter sprake komen? Dat had altijd deze invloed op hem, de herinnering aan die middag in een tuin in Smyrna, die avond op de kade en het Armeense meisje, doordrenkt van bloed dat alsjeblieft fluisterde, haar dunne hals en het mes en de menigten en het gegil en de schaduwen, de vuren en de rook en het mes.

Zijn handen begonnen te beven, hij beleefde het allemaal opnieuw. Hij probeerde ze in zijn zakken te verbergen en balde zijn vuisten, maar het hielp niet, de wind buiten wilde niet gaan liggen.

De hakim, een gigantische gestalte die bij zonsopgang ergens in de woestijn een halve eeuw geleden achter een bevende jongeman zat en hem zei zich om te draaien en de leegheid in al zijn uitgestrektheid te aanschouwen, zijn blik te richten op een adelaar in de verte die duikvluchten maakt in het eerste licht en duizend jaar leeft, die de reis van de Profeet volgt, de stappen die een mens zet vanaf zijn geboorte tot de dag dat hij sterft, die de kronkelingen van de koran nabootst en vormt en verandert als golven in de woestijn en Ja zegt, de oase mag dan klein zijn, maar ja, we zullen haar vinden, ja.

De Arabier deed pogingen op te staan. Stern sprong op om hem te ondersteunen en begeleidde hem naar de deur.

Het was voorbij. Zich heen en weer haasten, een ontmoeting van een uurtje, vijftien jaar lang, en weer vertrekken zonder elkaar te kennen. De man was als geleerde begonnen en zou graag als genezer zijn geëindigd, maar dit was zijn einde.

Ik benijd je je geloof, fluisterde de man. Je verlangens. Ik zou zoiets nooit van mijn leven hebben kunnen bedenken. We zullen elkaar niet weerzien. Vrede zij met je, broeder.

Vrede zij met je, broeder, zei Stern terwijl de man in de nacht weg strompelde naar zijn rivier, die niet meer dan honderd meter verderop stroomde, maar nu in het duister onzichtbaar was; zo klein en smal en toch zo beroemd vanwege de gebeurtenissen die in de loop van millennia met haar stroom waren meegevoerd, en hier ook nog ondiep waar de aarde haar begon op te nemen aan het einde van haar korte en steile neerwaartse gang vanuit de zachtgroene hoogten van Galilea, rijk in zacht glooiende velden vol graan en dierbare herinneringen, een beloofde stroom die zich gedurig omlaag stortte naar de ruige, ongastvrije woestenij van de Dode Zee waar Gods hand lang geleden de lege steden van zout van alle leven had beroofd.

Een paar jaar later kwamen de Arabieren in Palestina, zoekend naar een verklaring voor wat er in de wereld plaatsvond, met hun eerste uitvoerige verzinsels over Hitler op de proppen. Volgens één theorie werd hij betaald door de Britse geheime dienst, die het zionisme een handje wilde helpen door de Joden uit Europa te verbannen en zo de emigratie naar Palestina te bevorderen.

Een theorie die het nog bonter maakte, luidde dat Hitler zelf heimelijk een Jood was, wiens enige oogmerk in Europa was de Arabieren in Palestina te ondermijnen door de Joden daarheen te sturen.

Zo viel Sterns visioen van een uitgestrekte Levantijnse natie die Arabieren en Christenen en Joden omvatte aan diggelen, en het effect van die stroom aan geruchten en duizelingwekkende gebeurtenissen op zijn dromen had wel eens net zo vernietigend kunnen zijn als hij zich niet had teruggetrokken in de herinnering aan een vredige helling in Jemen en op de vooravond van zijn veertigste verjaardag was aangevangen morfine te gebruiken.

# 16 Jeruzalem 700 v. Chr. – 1932

ألحج

*De spookachtige loper van de Heilige*
*Stad die alles en iedereen overleeft.*

Vroeg op een warme juli-ochtend in 1932 kwam O'Sullivan Beare bij Hadji Haroens lege winkeltje aan en trof de oude man zich schuilhoudend in de achterkamer en diep weggedoken in de hoek achter de antieke Turkse brandkast. De roest van zijn helm was in zijn ogen gevallen waardoor de tranen strepen trokken over zijn wangen. Hij beefde heftig en de aanblik die hij de Ier bood was er een van opperste wanhoop.

Jezus, zei Joe, rustig aan, man, kalmeer een beetje. Wat is er hier aan de hand?

Hadji Haroen kromp aandoenlijk ineen en vouwde zijn armen om zijn hoofd alsof hij een klap verwachtte.

Demp je stem, fluisterde hij, anders nemen ze jou ook te grazen.

Joe knikte ernstig. Hij kwam naderbij en greep de oude man bij zijn schouders om te trachten het deerniswekkende beven tegen te gaan. Hij boog zich over de ineengedoken gestalte en sprak met gedempte stem.

Wat is er, man?

Ik ben duizelig. Je weet toch dat het me vroeg op de ochtend altijd duizelt.

Jezus, nou en of en het verbaast me niks. Na wat jij de afgelopen drieduizend jaar daar buiten hebt aanschouwd is het niet meer dan logisch dat je duizelig wordt als je opeens gedwongen wordt er nog eens een kijkje te nemen. Een nieuwe dag zorgt altijd voor problemen dus daar is niets mis mee, doe maar kalmpjes aan en vertel me op fluistertoon tegenover welk probleem we ons hier gesteld zien.

Dat zijn zij. Ze zijn daar nog steeds.

Je meent het. Waar precies?

In de voorkamer. Hoe ben je erin geslaagd hen te omzeilen?

Ik ben op mijn teentjes langs de muur geslopen, niet meer dan een schaduw van mezelf. Met hoeveel zei je dat ze waren?

Minstens twaalf man.

Dat is een behoorlijke overmacht. Zijn ze gewapend?

Alleen met dolken. Ze hebben hun lansen in de kampementen gelaten.

Nou dat is tenminste iets. Wat voor soort moordenaars?

Wagenmenners, het ergste soort. Ze sabelen je neer zonder pardon.

O'Sullivan Beare floot zachtjes tussen zijn tanden.

Het zijn inderdaad schoften. Tot welk veroveringsleger behoren ze?

Tot het Babylonische, maar ik geloof niet dat ze deel uitmaken van de reguliere Babylonische troepen, behalve misschien de sergeant. Dat zou kunnen, hij is er arrogant genoeg voor.

Ongeregelde troepen dus? Die voor geld werken net als de Black & Tans? Laaghartiger volk bestaat er niet.

Ja, het zijn huurlingen, barbaren, zo te zien geronselde ruiters van de Perzische steppen. Meden, zou ik zeggen, afgaande op hun accenten.

Meden, zeg je? Nou, dat is een armetierig zootje. Wanneer hebben ze ingebroken?

Gisternacht toen ik lag te knarsetanden en probeerde de slaap te vatten. Ze verrasten me en ik had geen kans om me te verdedigen. Ze smeten me hier naar binnen en zitten sindsdien in de voorkamer te zuipen en hun buit te vergokken en op te scheppen over de gruweldaden die ze begaan hebben. Ik ben doodop, ik heb geen oog dichtgedaan. Ze hebben een zak rauwe lever meegebracht en daar hebben ze zich mee volgepropt.

Het is me wat moois. Waarom juist dat soort vlees?

Om hun wellust op te wekken. De Meden hebben altijd geloofd dat de lever de zetel van de seksuele lustgevoelens is. Nu hebben ze het over lendevlees en ze vertikken het om te vertrekken voor ik ze dat heb afgestaan.

Daar zijn ze dus op uit. Akelig, een heel akelige toestand. Wat moet je eigenlijk afstaan?

De jongensprostituees.

Aha.

Ze zijn volkomen in de war. Ze denken dat dit een kapperszaak is.

Jezus, dan zijn ze behoorlijk in de war.

Niet zo luid. Toegegeven, in Jeruzalem waren kapperszaken vroeger gelegenheden waar je jongens kon oppikken, maar was dat niet heel lang geleden?

Dat lijkt me wel, maar de grote vraag is nu hoe ik ze de deur uit krijg.

Je zult heel voorzichtig te werk moeten gaan. Je kunt er niet van uitgaan dat de Meden vatbaar zijn voor rede.

Dat zal ik niet en dat ga ik niet. Houd jij je nou maar gedeisd hier.

O'Sullivan Beare marcheerde naar de deur tussen de twee kamers en ging in de houding staan. Hij salueerde stijlvol.

Sergeant, dringende orders van het hoofdkwartier. Alle verloven zijn ingetrokken, wagenmenners dienen onmiddellijk terug te keren naar hun kampementen. Bloedbad aan de zuidflank, de Egyptenaren hebben zojuist een verrassingsaanval ingezet. Wat? Dat klopt, ja, de eskadrons zijn al bezig zich in slagorde op te stellen. Naar jullie lansen, mannen. En als de wiedeweerga.

Zeg ze dat je Prester John bent, fluisterde Hadji Haroen op dringende toon vanachter de Turkse brandkast.

Dat is niet nodig, fluisterde Joe over zijn schouder, ze gaan toch al weg.

En hoe zit het met die dronken kerel die aan de overkant van de steeg bewusteloos in het portiek ligt?

De sergeant geeft hem een paar behoorlijke rotschoppen, dus geen zorg. Ze poetsen de plaat, dus je kunt nu veilig te voorschijn komen.

Hadji Haroen kroop uit het hoekje en liep angstig op zijn tenen naar voren om een schichtige blik in de voorkamer te werpen. Hij trippelde naar de voordeur en speurde naar weerszijden de steeg in.

Weg, godzijdank. Denk je dat het weer veilig is op straat?

Ja hoor. Ik heb op mijn weg hierheen de hele troepenmacht door de Jaffa Poort weg zien snellen.

Hadji Haroen zuchtte en zijn gezicht klaarde op.

Prachtig, wat een opluchting, laten we een ommetje maken. Ik heb behoefte aan frisse lucht, vannacht was een nachtmerrie. Ik heb de Babyloniërs altijd verafschuwd.

En niet zonder reden zou ik zeggen. Nu dan, welke van de vele routes kiezen we vandaag?

Naar de bazaar misschien? Ik heb opeens dorst gekregen.

Naar de bazaar, gelijk heb je. Ik ook.

Ze liepen door diverse stegen, sloegen een hoek om en betraden de bazaar. Hadji Haroens stemming was met zijn bevrijding uit gevangenschap omgeslagen als een blad aan een boom. Nu was hij stoer en babbelziek en hij glimlachte en zwaaide uitbundig met zijn armen als hij op de bezienswaardigheden wees.

Honderden zwetende kooplustigen duwden elkaar opzij en verdrongen zich voor de open winkels waar marktkooplieden hun waar luidkeels aanprezen. Hadji Haroen pakte verstrooid een handjevol sappige verse vijgen uit de kraam en drukte de helft ervan in O'Sullivan Beare's hand. Pellend, kauwend en terwijl het sap over hun kin droop, baanden ze zich langzaam een weg door de drukke menigte, omzeilden zwaarbeladen ezels en handkarren, staken hun koppen bij elkaar en schreeuwden om zich boven het kabaal verstaanbaar te maken.

Zie je die winkel waar ze Japanse mispels verkopen? gilde Hadji Haroen. Dat was in zijn hoogtijdagen een geweldige tent, het beste variété in Jeruzalem. Bestierd door een voormalige grootvizier van het Ottomaanse Rijk die de cabaretnummers inleidde en na afloop het applaus in ontvangst nam. Merkwaardig dat een vroeger zo gewichtig man kon worden verlaagd tot zo'n onbeduidend bestaantje.

Merkwaardig, ja.

Wat?

Dat heb ik altijd al gedacht, schreeuwde Joe.

En op deze hoek hier werd ik in Hellenistische tijden beboet wegens chiromantie.

Wat is dat?

De man die daar nu op de hoek staat? Moeilijk te zeggen. Of hij heeft te veel hasj gebruikt of hij is in een religieuze trance geraakt.

Nee, ik bedoel dat vergrijp waar de Grieken je van betichtten?

O dat, riep Hadji Haroen lachend. Een geobsedeerdheid met handen maar niet wat jij denkt. Handlezen zonder vergunning luidde het proces-verbaal, ik was eigenlijk best goed als handlijnkundige. Zie je dat oude gebouw daar? Daar heb ik nog eens in de gevangenis gezeten.

Ze verlieten de straatkeien en betraden een vruchtensappenkraam en Joe bestelde twee grote glazen. Samen stonden ze van hun granaatappelsap te nippen en naar het gebouw te staren, waarbij Hadji Haroen straalde en lachte terwijl hij herinneringen ophaalde.

Dat was tijdens de grote boze oogepidemie die hier heeft huisgehouden. Ik neem aan dat je daar nooit van hebt gehoord?

Nu ik erover nadenk, nee, dat heb ik niet. Wanneer was dat?

Vroeg in het Assyrische tijdperk. Om de een of andere reden

was iedereen in de stad opeens als de dood voor het boze oog. Mensen verbeeldden zich dat ze het overal zagen en niemand durfde de deur uit. De straten waren verlaten, de winkels gesloten, alle handel werd stilgelegd. Jeruzalem zonder handel? Onmogelijk. De stad lag op sterven en ik wist dat ik moest optreden.

Joe veegde het zweet van zijn gezicht en probeerde zijn handen aan zijn natte overhemd droog te wrijven.

Natuurlijk deed je dat. Wat ondernam je precies?

Nou ja, eerst probeerde ik brood te bakken.

Mooi, altijd nuttig, brood.

Ja, ik dacht dat het daarmee wel zou lukken. Van geslachtsdelen is bekend dat ze een van de beste verdedigingen vormen tegen het boze oog, omdat ze het fascineren en zijn aandacht afleiden en zo voorkomen dat het schade aanricht. Nou, ik redeneerde dat als brood in de vorm van een fallus werd gebakken en overal in de stad in overvloed werd gegeten, dat een deugdelijke inwendige beveiliging zou bieden waar de mensen vertrouwen in konden hebben.

Joe veegde opnieuw zijn gezicht af. Het was verschrikkelijk heet. In de vaagheid van de wolkeloze hemel ving hij een glimp op van zichzelf terwijl hij op een donkere nacht door Jeruzalem sloop en boze ogen op deuren schilderde. De volgende ochtend zou er onder de Assyriërs paniek uitbreken en dan zou hij plotseling verschijnen met de wonderbaarlijke broden, die tegen woekerprijzen verkopen en een enorm fortuin opstrijken. Maar hoe kon hij de bakpriester zo ver krijgen dat hij broden in die speciale vorm zou bakken? Moest hij hem zeggen dat hij de arm en de vuist van God was? Dat zou geen zin hebben, de arm van Allah was een te alledaagse uitdrukking in deze contreien. De oude franciscaan zou denken dat hij was gezwicht voor de heidenen en zou weigeren zijn oven aan te steken.

Een totale mislukking, zei Hadji Haroen lachend. Brood was te subtiel. Mensen hadden behoefte aan een zichtbare beveiliging, niet een verteerbare, dus ging ik fallussen op muren schilderen. Dat hielp een klein beetje, de mensen waagden zich tenminste weer buiten de deur. Toen ze dat deden, heb ik hen ernstig toegesproken en er bij hen op aangedrongen dat ze zelf ook fallussen gingen schilderen en dat deden ze, op lampen en schalen en op elk klein voorwerp dat ze bezaten, ze weefden ze zelfs in hun mantels en droegen speciaal gegraveerde ringen en armbanden en kettingen en hangers. Het duurde niet lang of Jeruzalem was een stad van tien miljoen fallussen. Je moet natuurlijk niet uit het oog verliezen dat dit gebeurde in de dagen dat ik nog invloed had op de mensen hier en ze niet alleen naar me luisterden maar me ook geloofden.

Joe probeerde zijn hemd los te trekken van zijn borst om er een beetje lucht onder te laten, maar het zat op zijn huid geplakt.

Luister je nog? vroeg Hadji Haroen.

Nou en of. Ik ben een en al oor.

Mooi. Nou, voor de volgende fase van mijn plan had ik de medewerking nodig van menstruerende vrouwen.

Aha. Vanwaar deze ongebruikelijke aanpak?

Omdat toentertijd menstruatie een heel krachtig middel was. Het hielp ter bestrijding van hagel en noodweer in het algemeen en kon ongedierte uitroeien op de akkers, om nog maar te zwijgen als middel tegen slappe komkommers en weerbarstige noten.

Heel goed.

Zo dacht ik er ook over, maar toen bleek dat ik geen der vrouwen kon overhalen op straat hun geslachtsorganen te ontbloten als zij ongesteld waren. Thuis op hun boerderijen als ze 's avonds hielpen met het binnenbrengen van hun eigen oogst dan deden ze het natuurlijk wel, maar niet in het openbaar in Jeruzalem, ook al hadden ze de veiligheid van de stad ermee kunnen waarborgen. Ik heb onvermoeibaar op de pleinen op ze ingepraat, maar ze hielden voet bij stuk en beweerden dat het hun reputatie zou schaden. Kun je je zoiets voorstellen? Dat mensen zo ijdel zijn als de hele stad aan een crisis dreigt ten onder te gaan? Wat kunnen mensen toch egoïstisch zijn.

Daar zeg je een waar woord.

Ze lappen het algemeen belang aan hun laars.

Een heel waar woord.

Het gaat zelfs zover dat ze zelfs alleen maar aan zichzelf denken als alles om hen heen naar de verdoemenis gaat.

Een uitgesproken waar woord.

Hadji Haroen barstte in lachen uit.

Nou, zo stonden de zaken er toen voor en dus bleef mij niets anders over om te doen. Eén laatste dramatische daad was nodig om de impasse te doorbreken, om de gehele bevolking te betrekken bij de strijd tegen het gevaar dat ons bedreigde. Het lijdt geen twijfel dat ik genoodzaakt was een extreem religieus standpunt in te nemen tegenover het boze oog, ongeacht hoe impopulair en flamboyant dat ook mocht lijken, en dat ik met een persoonlijk voorbeeld de mensen moest tonen wat noodzakelijk was om ons te redden. Er was eenvoudigweg geen alternatief. Ik moest het doen en ik heb het ook gedaan.

Natuurlijk heb je dat. Wat hield het in?

Hadji Haroen keek grijnzend naar het gebouw aan de overkant.

Ik heb mijn lendedoek afgeworpen en brutaalweg door de straten gemarcheerd en elke keer als ik een boos oog tegenkwam sloeg ik mijn mantel open en gunde hem een kortstondige blik op mijn geslachtsdelen. Ha. Ik liep me daar te koop met mijn handeltje en elke keer als ik mijn zaakje toonde, verzwakte de macht die het boze oog over ons had en kwam Jeruzalem een stapje dichter bij volledig herstel.

Joe draaide zich om naar de toonbank van het vruchtensapkraampje en bestelde snel nog twee glazen granaatappelsap. Het duizelde hem en de eeuwen maakten hem dorstig; Assyrische centuries, het beeld van Hadji Haroen die, als een krachtige jongeman nog vol zelfvertrouwen en invloed en in die dagen, zevenhonderd jaar voor Christus, nog steeds gerespecteerd om zijn geloofwaardigheid, onversaagd voorstapt en bij elke dramatische confrontatie zijn mantel openslaat om het boze oog te verslaan en in zijn eentje de straten van Jeruzalem afstruint om de strijd aan te binden met de epidemie die dreigde zijn Heilige Stad in een spookstad te veranderen, flamboyant en onbaatzuchtig, wars van ijdelheid en niet ontmoedigd door een mogelijk schadelijke invloed op zijn reputatie, steeds maar voort marcherend en zijn plicht doend zoals hij die opvatte, Hadji Haroen de onversaagde religieuze potloodventer uit de oudheid.

Ik ben betrapt, zei de oude man grinnikend.

Ach, vertel me eens hoe dat kon gebeuren.

Ja, de Assyrische politie heeft me opgepakt wegens ontuchtig gedrag of schending van de openbare eerbaarheid of een dergelijke onverdedigbare aanklacht. Afijn, ze hebben me daar in de cel gestopt en gezegd dat ik achter de tralies zou blijven tot ik beloofde mijn leven te beteren. Maar mijn campagne had inmiddels grotendeels succes gehad en het grote boze oog was zo goed als verdwenen. Korte tijd later hebben ze me vrijgelaten.

Een persoonlijke triomf, zei Joe.

Dat vond ik ook, maar natuurlijk heb ik daar persoonlijk nooit enige lof voor ontvangen.

Waarom niet?

Vanwege de handel. Zodra die zich had hersteld, waren ze mijn religieuze offer vergeten. Zo gaat dat hier.

Ik begrijp het.

ألحج

Ze verlieten het vruchtensapkraampje en baanden zich weer een weg door het tumult van de bazaar.

Weet je, schreeuwde Hadji Haroen, soms lijkt het alsof ik in het begin van mijn leven een oude man was en later weinig hoefde af te leren. Als ik hier wandel zijn er herinneringen en nog meer herinneringen aan beide zijden. Wist je dat Caesar ganzen als waakhonden gebruikte?

Kwaak, dat wist ik niet, schreeuwde Joe, maar door het gewoel en geduw zijn mijn hersens misschien losgeraakt.

Of dat de Egyptenaren toen zij de stad overheersten de gewoonte hadden hun wenkbrauwen af te scheren als hun troetelkat was gestorven? De katten werden vervolgens gebalsemd en naar huis gestuurd om in Bubastis te worden begraven.

In Kattenstad, zeg je? Mijn hersens zijn waarschijnlijk gekookt, het moet door die helse hitte komen. Ik schijn behoefte te hebben aan een krachtig ontnuchterend tonicum. Of zoals jij ooit hebt gezegd: Dat is de tijd.

Hadji Haroen lachte.

Om de herinneringen die het oproept, daarom maak ik hier graag een wandelingetje.

Maar hoe lukt het je om ze bij te houden? schreeuwde Joe. Die voortdurend veranderende geuren van de tijd, bedoel ik?

Door in beweging te blijven.

Dat klinkt net als wat ik placht te doen in de bergen van het oude land. Maar County Cork is een stuk land, dat was het toen tenminste. Wat betekent het om in termen van millennia op de vlucht te zijn?

Nou, laten we bijvoorbeeld de Romeinse bezetting nemen, schreeuwde Hadji Haroen.

Ja, laten we dat doen.

Wat zei je?

Ik vroeg wat er tijdens de Romeinse bezetting gebeurde.

O. Nou, de Romeinen bombardeerden ons wekenlang met hun blijden en overal vielen monsterlijk grote rotsblokken neer. De meeste mensen verscholen zich in hun kelders en velen werden gedood toen hun huizen boven hun hoofden instortten. Maar ik niet. Ik heb het overleefd.

Hoe?

Door op open plekken te blijven. Ik bleef maar door de straten struinen. Een bewegend doelwit is altijd veel lastiger te raken dan een stilstaand doelwit.

Daar heb je gelijk in, dacht Joe, en daar heb je meteen het antwoord op alle vragen, precies daar, in dat beeld van Hadji Haroen die door de straten van Jeruzalem snelt, die door de Eeuwige Stad struint. Jezus, ja, Hadji Haroen het bewegende doelwit van het Romeinse Rijk en van alle rijken die er ooit hebben bestaan. Met wapperende mantel, op sprietige beentjes, met heftige bewegingen, op blote voeten die de straatkeien doen slijten, zich onafgebroken door de stad verplaatsend, drieduizend jaar achtereen, belegeringsapparaten en bezettingslegers ontwijkend. In kringen rondlopend, de oorlogsarsenalen tartend die steeds weer tegen de berg op werden gesleept om hem te verslaan. Halsstarrig puffend en hijgend door de stegen sjokkend, door de eeuwen heen de keien uitslijtend, Hadji Haroen, de spookachtige loper van de Heilige Stad die alles en iedereen overleeft.

De oude man greep opgewonden Joe's arm. Hij lachte en schreeuwde uitgelaten in zijn oor.

Zie je die toren daar?

Ja, schreeuwde Joe, daar staat hij met zijn suggestieve vorm en ik ben er klaar voor. In welke eeuw leven we?

# 17 De Bosporus

*Het andere uur dat hij nodig had om te leven.*

In 1933 liep Stern in de regen langs de Bosporus en bij hem riepen de kleuren van die grijze oktoberlucht herinneringen op aan een andere middag aldaar toen een enorm lange uitgemergelde man een verlaten olijfbosje in stapte, zich op plechtige wijze ontdeed van al zijn kostbare kledij, alles in het zwarte langsstromende water wierp en blootsvoets en slechts gehuld in een versleten mantel terugklom door het donkere bosje, nu een hakim die op weg was naar het Heilige Land en wellicht nog verder.

Dat was meer dan een halve eeuw geleden en nu stond er in plaats van een olijfbosje een hospitaal voor ongeneeslijk zieken, waar hij zojuist een laatste bezoek had gebracht aan zijn oude vriend Sivi, of beter, aan het gefolterde lichaam dat Sivi ooit was geweest en dat nu vastgebonden en bewegingloos op bed lag, niets ziend naar het plafond staarde en wiens verstand hem eindelijk in de steek had gelaten.

Stern liep door. Langs de balustrade zag hij een vrouw die in het water stond te turen, een buitenlandse, armoedig gekleed, en opeens drong tot hem door wat er in haar omging. Hij liep naar haar toe en ging naast haar staan.

Pas als het donker is, lijkt me. Dan is de wind opgestoken en heeft niemand iets in de gaten.

Ze bewoog niet.

Maak ik zo'n wanhopige indruk?

Nee, loog hij. Maar vergeet niet dat er altijd andere mogelijkheden zijn. Dingen die zouden kunnen helpen.

Die heb ik geprobeerd. Ik ben gewoon aan het einde van mijn krachten.

Wat is er gebeurd?

Een man is vandaag gek geworden nadat het begon te regenen.

Wie was hij?

Een man. Sivi heette hij.

Stern sloot zijn ogen en zag de rook en de vlammen van de tuin in Smyrna, een middag elf jaar geleden die hem en nu deze vrouw naar een balustrade aan de oever van de Bosporus had gevoerd. Hij kneep zo hard hij kon in de ijzeren reling en toen hij opnieuw sprak, had hij zijn stem weer onder controle.

Tja, als je vastbesloten bent, dan is je enige zorg alleen nog dat je slaagt in wat je voornemens bent te doen. Je vrienden zouden om twee redenen niet anders willen.

Hij sprak op zulk een zakelijke toon dat ze haar blik afwendde van het water en hem voor het eerst aankeek. Hij was een grote, zwaarlijvige man met afhangende schouders en zijn nationaliteit was moeilijk in te schatten. Waarschijnlijk zag ze niet de vermoeidheid in zijn ogen, uitsluitend het silhouet van zijn vormeloze gestalte naast haar in de regen.

Slechts twee? vroeg ze bitter.

Zo schijnt het, maar dat is voldoende. De eerste heeft te maken met het schuldgevoel waarmee je hen opzadelt. Hadden zij wellicht meer voor je kunnen doen? Natuurlijk, dus nemen ze je kwalijk dat je hun daaraan herinnert door nog in leven te zijn. Bovendien herinner je hun eraan dat ze hun levens hebben verspild en ook dat nemen ze je kwalijk. Als ze naderhand naar je moeten kijken, overkomt hun het onaangename gevoel dat jij niet bereid bent zoveel morele ontaarding als de hunne te accepteren.

Ze zullen zich er niet precies van bewust zijn, maar jij zult het beseffen zodra ze met je aan één tafeltje plaatsnemen. Een ernstig gezicht, er is iets dat hen van het hart moet. Hun blijdschap betuigen dat je bent teruggekeerd uit de dood? Nee. Het is lafheid waarover ze met je willen praten. Het is te gemakkelijk. Dat zijn altijd hun eerste woorden.

Maar het is ook gemakkelijk, fluisterde ze.

Natuurlijk. Dat zijn echte oplossingen altijd. Je staat gewoon op en vertrekt. Maar de meeste mensen zijn daar niet toe in staat en daarom hebben ze het over jouw lafheid, omdat ze al zo lang hebben geprobeerd de hunne te negeren. Dat geeft hun een onbehaaglijk gevoel. Jij bezorgt hun een onbehaaglijk gevoel.

Ze lachte hees.

Is dat alles wat ze te zeggen hebben?

Nee, vaak zijn er bijzondere bekommernissen afhankelijk van wie ze zijn. Een moeder die zich zorgen maakt over de wijze waarop ze haar kinderen heeft opgevoed, zal je waarschijnlijk kwalijk nemen dat je niet hebt gezorgd dat het op een ongeluk leek. Wat zou er immers door jouw moeder zijn heen gegaan?

Aandoenlijk.

Ja. En een zakenman zal je er waarschijnlijk op wijzen dat je niet eerst je zaakjes op orde hebt gebracht. Met andere woorden, wanneer je zelfmoord pleegt, dien je aan iedereen te denken behalve aan jezelf. Jij verliest alleen maar je leven. Maar hoe zit het met al die anderen?

Ontzettend om zo egoïstisch te zijn.

Ja. Maar er zijn ook een paar mensen die er met geen woord over reppen en gewoon met je verder gaan alsof er niets is gebeurd. Ik moet toegeven dat het een manier is om erachter te komen wie je het naast staat, maar het is niet zonder gevaren.

Zo te horen ben jij een deskundige.

Nee, gewoon een of twee ervaringen. Maar wil je de andere reden niet weten waarom je poging niet mag mislukken? Dat is omdat je zult hebben geleerd dat een leven behalve als herinnering weinig voorstelt, zelfs een groots en meeslepend leven. Volgens mij verklaart dat wat Christus deed na zijn wederopstanding.

Christus?

Tja, we weten dat hij veertig dagen op de Olijfberg heeft doorgebracht en met zijn vrienden heeft verkeerd en daarna is verdwenen. En tijdens die veertig dagen moet hij tot de slotsom zijn gekomen dat hij niet meer dezelfde dingen kon blijven doen met dezelfde mensen. Het was volbracht. Zij hadden hun herinneringen en die hadden ze nodig, hem niet. In de drie jaren dat hij had gepredikt, had hij al heel wat veranderingen teweeggebracht en uiteraard zou hij door zijn gegaan met het aanbrengen van veranderingen, dat doet iedereen altijd. Maar dat wilden zijn vrienden niet.

Wat deed hij dus?

Stern tikte tegen zijn voorhoofd.

Twee theorieën, een voor de goede dagen en een voor de kwade. De theorie voor de kwade dagen is gevestigd in Jeruzalem. Ben je daar wel eens geweest?

Ja.

Heb je toen de crypte gezien van St. Helena in de Heilige Grafkerk?

Wacht eens even, ik weet wat je wilt gaan zeggen. Het is die man die boven aan de trap loopt te ijsberen, hè? Die naar de grond staart en in zichzelf loopt te prevelen en dat al tweeduizend jaar lang doet.

Wil je beweren dat je mijn theorie al eerder hebt gehoord?

Nee, maar ik heb die man een keer gezien en iemand heeft me over hem verteld.

O, nou volgens mijn theorie voor kwade dagen is die man Jezus Christus. Volgens mij was hij na die veertig dagen met zijn vrienden vast van plan naar de hemel te gaan, maar besloot hij eerst nog een laatste blik te werpen op de plek waar hij was gekruisigd, die heuveltop waar de meest gedenkwaardige gebeurtenis van zijn leven had plaatsgevonden. Dus deed hij dat en hij was zo verbijsterd over wat hij daar zag dat hij nooit is weggegaan en sindsdien daar alsmaar loopt te ijsberen en in zichzelf loopt te prevelen over wat hij had gezien.

Wat had hij gezien?

Niets. Totaal niets. Ze hadden de drie kruisen neergehaald en het was een doodgewone kale heuveltop. Voor zover je kon zien was daar nooit iets bijzonders gebeurd.

Ze schudde haar hoofd.

Dat is waarachtig iets voor de kwade dagen. En hoe zit het met de goede dagen?

Op goede dagen denk ik dat hij wel is vertrokken. Hij zag weliswaar wat hij zag, maar besloot toen toch nog maar iets te ondernemen. Dus knipte hij zijn haar of stak het op en schoor zijn baard af of liet hem langer groeien, kwam wat kilootjes aan en leerde zichzelf de dingen zonder omwegen te zeggen, net als andere mensen en vervolgens heeft hij zich een ambacht aangeleerd om in zijn onderhoud te voorzien.

Welk ambacht?

Schoenlapper wellicht, of ook weer timmerman, hoewel ik dat betwijfel. Na de verlatenheid van die heuveltop te hebben gezien, gaf hij er waarschijnlijk de voorkeur aan eens iets anders te proberen. Ja, schoenlapper, zou best kunnen.

En waar ging hij heen?

O, maar hij ging nergens heen. Theorieën voor goede en voor kwade dagen moeten altijd op dezelfde plaats worden gesitueerd. Hij bleef in Jeruzalem en nu hij zijn uiterlijk had veranderd, kon hij naar believen komen en gaan zonder te worden herkend, misschien vermomd als Armeniër of Arabier. Wat hij uiteraard nog steeds doet, want hij is nu eenmaal onsterfelijk en is zijn problemen van vroeger allang en breed vergeten en weet zelfs niet meer wie hij vroeger was. En dat allemaal omdat er iets prachtigs plaatsvond, een vreemde en luisterrijke transformatie. Het kostte meer tijd dan een hemelvaart als hij daarvoor had gekozen, maar het is gebeurd.

Wat?

Jeruzalem was in beweging. In de loop der eeuwen bewoog zij langzaam in noordelijke richting. Ze maakte zich los van de berg Zion en schoof centimeter voor centimeter in de richting van wat ooit die kale heuveltop buiten de stadsmuren was geweest. Vreemde veroveraars die meenden de plek te ontheiligen, hielpen een handje mee door de stad zo nu en dan met de grond gelijk te maken, en elke keer dat ze dat deden werd zij een stukje dichter bij de verlaten heuveltop weer opgebouwd. Totdat de heuveltop niet meer ver weg was doch zich pal onder de muren en nog later binnen de muren bevond en het centrum van de stad steeds dichter naderde en uiteindelijk doordrong tot haar hart zelve, overladen met bazaars en spelende kinderen en zwermen kooplieden en vrome pelgrims die allemaal schreeuwden en lachten en elkaar aanstootten. Sindsdien was hij in het geheel geen zielige, verlaten heuveltop meer, begrijp je. Nee, verre van dat. Jeruzalem was naar hem toe gekomen, de Heilige Stad had hem omhelsd en daarom was hij eindelijk bij machte zijn vroegere leed te vergeten. Hij hoefde de nietigheid van zijn dood niet langer te vrezen.

Nou, wat vind je ervan? vroeg Stern met een glimlach.

Ik moet zeggen dat dat zeker een theorie voor goede dagen is.

Inderdaad, een gelukkig einde na tweeduizend jaar. En niet eens zo ondenkbaar. In feite heeft mijn eigen vader in de vorige eeuw iets dergelijks gedaan.

Wat gedaan? Jeruzalem laten verschuiven?

Nee, daar is meer tijd voor nodig. Ik bedoelde dat hij ook een kale heuveltop heeft verlaten door zich te vermommen. En hij was ook betrekkelijk beroemd en nogal gemakkelijk herkenbaar zou je denken.

Maar niemand wist wie hij was?

Alleen de weinigen die hij in vertrouwen nam.

Hoe kun je er zeker van zijn dat hij jou de waarheid heeft verteld?

Stern glimlachte. Hij had haar bijna waar hij haar hebben wilde.

Ik begrijp wat je bedoelt, maar toch moet ik hem wel geloven. Wat hij deed was te onwerkelijk om niet waar te zijn. Niemand zou zo'n leven kunnen vervalsen.

Dat zeg je nu wel, maar er bestaan gigantische vervalsingen.

Dat weet ik.

Er is ooit eens een man geweest die de hele bijbel heeft vervalst.

Dat weet ik, zei Stern nogmaals.

Waarom zeg je dat?

Ach, je hebt het over Wallenstein, nietwaar? De Albanese kluizenaar die naar de Sinaï is gegaan?

Ze keek hem met grote ogen aan.

Hoe wist jij dat?

Sterns glimlach verbreedde zich. Eindelijk had hij gevonden wat hij zocht.

Nou, is dat niet degene over wie je het hebt? De trappist die de oorspronkelijke bijbel vond en zo ontsteld was over de chaotische inhoud dat hij besloot zelf een vervalste versie te schrijven? En die toen terugkeerde naar Albanië waar hij honderdenvier werd in een kerker onder zijn kasteel, in een volkomen duistere en geluiddichte cel, de enige plek waar hij nog kon leven nu hij God was? Die al die tijd liefdevol werd verzorgd door Sophia de Zwijgster, die toen ik haar later ontmoette Sophia de Draagster van Geheimen werd? Die ontroostbaar was toen Wallenstein in 1906 eindelijk stierf?

Maar dat is niet waar.

Wat?

Dat Wallenstein in 1906 is gestorven.

Jawel hoor.

Dat is onmogelijk. Ik was toen daar.

Dan moet jij Maud zijn en ben jij naar Griekenland ontsnapt toen Catherina een toeval kreeg en al zijn aderen openbarstten, een dood die hem werd opgelegd door Sophia, zijn eigen moeder, of dat heeft ze tenminste altijd gedacht. Ze heeft me het hele fantastische verhaal verteld toen ik daar gedurende de eerste Balkanoorlog werd opgehouden. Ze vertelde me alles, het was net alsof ze de last van dat vreselijke geheim gewoon niet langer kon dragen. Die vrouw was een vreemde mengeling van genialiteit en bijgeloof. Ze geloofde oprecht dat Catherina's waanzin te wijten was aan het feit dat Wallenstein een engel was, letterlijk, geen heilige maar een goddelijke engel die geen mensenkind kon verwekken omdat hij bovenmenselijk was. Tja, wellicht had hij wel iets van dien aard als je de omvang van zijn vervalsing in aanmerking neemt.

Maud keek hem volslagen ongelovig aan.

Zevenentwintig jaar geleden, fluisterde ze.

Ja.

Maar kan daar iets van waar zijn?

Het is allemaal waar en er is meer, veel meer. Het kind dat jij hebt gebaard bijvoorbeeld. Sophia noemde hem Nubar, een familienaam, naar het schijnt was zij oorspronkelijk van Armeense afkomst. Ze heeft hem grootgebracht met een liefde die even groot was als haar haat jegens Catherina en ze was dankzij haar vroege speculaties op de oliemarkt in staat hem een fortuin te schenken. Hij is uitzonderlijk invloedrijk hoewel heel veel mensen nog nooit van hem hebben gehoord. Nou, wat vind je daarvan?

Niets. Daar kan ik niets van vinden. Het is allemaal een of ander soort tovenarij.

Helemaal niet, zei Stern en hij lachte, pakte haar bij haar arm en leidde haar naar de overkant van de straat en weg van het water.

ألحج

Ze spraken die nacht en nog vele nachten en langzamerhand wist ze zich los te maken uit haar wanhoop en uiteindelijk kwam alles naar boven, de gruwel van haar eerste huwelijk en de eenzaamheid van haar tweede toen ze het gevoel had dat ze opnieuw in de steek was gelaten door iemand van wie ze hield, de verborgen gehouden angst uit haar kindertijd die kwaadaardig voortwoekerde tot er een tijd aanbrak dat ze die niet langer kon verdragen en ze wegliep van Joe, de grote liefde van haar leven, het enige op aarde dat ze ooit had verlangd, een magische droom die in Jeruzalem bewaarheid was geworden en die ze in de steek had gelaten.

Daarna was er niets dan futiliteiten en verbittering. Meer jaren waarin ze doodsbang was oud te worden, waarin ze gepoogd had Sivi terug te vinden, een band met het verleden zocht en tot haar verbazing ontdekte dat ook hij in Jeruzalem woonde en hem met veel moeite had weten op te sporen en hoe geschokt ze was toen ze hem eindelijk had gevonden, zo totaal verschillend van de charmante en mondaine man die ze ten tijde van de Grote Oorlog had gekend. Meelijwekkend eenzaam nu, werkend als een gewone werknemer in een hospitaal voor ongeneeslijk zieken.

En het vreemde warrige verhaal over zijn voormalige secretaresse dat hem obsedeerde, dat hij steeds weer opnieuw oplepelde, hoe Theresa naar een plaats in Palestina was gegaan die Ein Karem heette om daar een zichzelf opgelegde penitentie te ondergaan in een Arabische leprakolonie.

Het was onverklaarbaar. Hoe konden mensen zozeer veranderen?

Stern schudde zijn hoofd. Het was nog te vroeg om te spreken, haar herinnering aan het moment dat ze aan de rand van het water stond was nog te vers. Sivi? Ja, hem had hij ook wel eens ontmoet, iedereen die enige tijd in Smyrna had doorgebracht had Sivi gekend. Ja en Theresa ook. Hij knikte dat ze verder moest gaan met haar relaas.

Lieve, goedhartige Sivi, totaal gebroken toen ze hem aantrof, somber, bedroefd en verbijsterd, wonend in een klein morsig kamertje vlak bij de Bosporus, zo verward dat hij vaak vergat te eten.

Ze had besloten zich over hem te ontfermen en voor hem te zorgen, het was het beste dat ze doen kon. Ze maakte voor hem schoon, ze kookte en waste voor hem, en een poosje voelde ze zich sterker. Haar hulp aan Sivi gaf haar leven weer enige betekenis. Maar toen kwam die verschrikkelijke regenachtige middag toen ze hem, zoals ze elke dag deed, na zijn werk bij het hospitaal kwam ophalen en hem aantrof, vastgebonden aan zijn bed, voorbij de ondoordringbare grens van de waanzin, dezelfde middag dat Stern haar aan de waterkant had aangetroffen.

En wat bleef haar nu, na drieënveertig jaar over?

De herinnering aan één verrukkelijke maand lang geleden aan de oevers van de Baai van Akaba. Dat en de zoon die ze daar hadden verwekt.

Zou je hem willen ontmoeten? vroeg Maud.

Ja, heel graag zelfs.

Ze keek hem verlegen aan.

Je moet niet lachen. Ik heb hem Bernini genoemd. De dromen waren vervlogen maar nog niet helemaal verdwenen. Ik denk dat ik hoopte dat hij ooit ook ergens zijn prachtige fonteinen en trappen zou beeldhouwen.

Stern glimlachte.

En waarom niet? Het is een goede naam.

Maar opeens leek Maud iets dwars te zitten. Ze pakte zijn hand en zei niets.

ألحج

In het kleine appartement met uitzicht op de Bosporus probeerde Stern de jongen te vermaken met verhalen uit zijn kindertijd. Hij beschreef de eerste gebrekkige ballon die hij had gebouwd toen hij even oud was als Bernini nu.

Heb je ermee gevlogen?

Een meter of twee, dat hing ervan af hoe hard ik duwde. Daarna hobbelde ik gewoon langs de heuvel omlaag.

Waarom heb je geen wieltjes onder het mandje gemonteerd? Dan had je hem als zeilboot kunnen gebruiken en er zo de woestijn mee kunnen doorkruisen.

Inderdaad, dat had ik misschien best kunnen doen, maar ik deed het niet. Ik bleef proberen betere ballonnen te bouwen en na een tijdje maakte ik er een die kon vliegen.

Dat zou ik nooit hebben gedaan, zei de jongen koel. Zeilen zou voor mij voldoende zijn geweest.

Ze zaten op het smalle balkonnetje. Maud kwam naar buiten met thee en de jongen ging op zijn buik liggen en staarde naar de schepen die heen en weer voeren door de vaargeulen. Toen Stern vertrok, liep Maud met hem mee tot de hoek.

Hij gedraagt zich vaak zo, ik weet niet goed wat ik ermee aan moet. Hij praat een minuut of wat over iets en dan zwijgt hij er plotseling over alsof hij bang is dat hij te veel zal zeggen, alsof hij bang is dat sommige gedachten verdwijnen als je erbij stilstaat. Zo wilde hij je bijvoorbeeld niet vragen waarom je wilde vliegen en wilde hij je evenmin vertellen waarom hij de voorkeur aan zeilen zou hebben gegeven. In plaats daarvan ging hij op de grond liggen om naar de boten te kijken. Ik wist dat zijn fantasie op volle toeren draaide en dat hij aan die dingen dacht, maar dat hij er niet met ons over wilde praten.

Hij is jong.

Maar ook weer niet zo jong en soms beangstigt het me. Zijn gedachten zijn niet altijd logisch geordend, soms is de volgorde verkeerd. Ook daarbij is het alsof hij opzettelijk dingen weglaat. Op school is hij nergens goed in behalve in tekenen.

Stern glimlachte.

Met zijn naam komt dat uitstekend van pas.

Maar Maud kon er niet om lachen.

Nee. Vroeger zat hij thuis nog vaak te tekenen, maar nu doet hij zelfs dat niet meer. Hij ligt daar maar met zijn handen onder zijn hoofd en staart naar dingen, vooral naar boten. En wat nog erger is, hij kan niet lezen. De artsen beweren dat er niets mis met hem is, maar hij lijkt het niet onder de knie te kunnen krijgen. Ik bedoel maar, hij is al twaalf jaar oud.

Ze zweeg. Stern sloeg zijn arm om haar heen. Hij wist niet hoe hij haar zou kunnen helpen.

Luister. Hij is gezond en goedhartig en ook al is hij misschien een beetje te veel in zichzelf gekeerd, wil dat nog niet zeggen dat hij iets mist of dat hem iets mankeert. Per slot van rekening maakt hij een gelukkige indruk en is dat niet het voornaamste?

Er stonden tranen in haar ogen.

Ik weet het niet. Ik weet gewoon niet wat ik ermee aan moet.

Ach, je zou de last in ieder geval met iemand kunnen delen. Waarom neem je geen contact op met de vader van de jongen? Hij is nog in Jeruzalem, dat is niet zo ver weg.

Ze begon weifelend met haar voeten te schuifelen.

Dat kan ik niet doen. Ik schaam me te zeer vanwege de wijze waarop ik hem heb verlaten.

Maar dat was twaalf jaar geleden, Maud.

Dat weet ik, maar ik heb me er al die tijd niet toe kunnen zetten. Ik ben te hardvochtig tegen hem geweest terwijl hij er helemaal niets aan kon doen. Dat zou een kracht van me vergen die ik nog niet bezit.

Stern sloeg zijn ogen neer. Ze nam zijn handen in de hare en poogde te glimlachen.

Ach, maak je maar geen zorgen. Het komt wel goed.

Fijn, zei hij met gedempte stem. Ik weet dat het goedkomt.

En nu ga je er voor een tijdje vandoor?'

Hij grinnikte.

Is dat zo duidelijk aan me af te lezen?

Een man op doorreis, ja.

Voor een maand ongeveer. Ik zal je telegrammen sturen.

God zegen je, fluisterde ze, omdat je bent die je bent.

Ze ging op haar tenen staan en kuste hem.

الحج

Stern vertelde haar hoe zijn vader er toen hij klein was in was geslaagd zijn geheugen te markeren met elke naam en gebeurtenis uit zijn lange jaren van omzwervingen, zodat hij na verloop van tijd zijn hele reis aan hem had geopenbaard, ongeveer net zoals een blinde man dat zou hebben kunnen doen in de dagen dat er nog geen andere manieren waren om de stadia uit het verleden over te dragen van generatie op generatie en in feite zo de hadj van zijn leven in onuitwisbare inkt in de geest van zijn jonge zoon had gegrift, met de sierlijke krullen van een complexe tekening met een denkbeeldige etsnaald.

Merkwaardig genoeg had de oude ontdekkingsreiziger in die talloze ervaringen, in die majestueus in elkaar overvloeiende delen die samen Strongbows legendarische reis door de woestijn vormden, geen enkele maal melding gemaakt van het lieftallige Perzische meisje dat hij in zijn jeugd slechts enkele weken zo innig had liefgehad, voordat ze bezweek aan een epidemie. Waarom?

Waarom zou hij? zei Maud. Hij had van haar gehouden, dat is alles, wat viel daar nog meer over te zeggen? Trouwens, als wij achteromkijken zijn er altijd mysteries in iemands leven en misschien is het Perzische meisje het zijne.

Misschien heb je wel gelijk, zei Stern vaag en hij stond op om vervolgens weer te gaan zitten. Maar Maud had de indruk dat hij het niet echt had over het Perzische meisje en Strongbow. Afgaande op zijn gedrag moest er iets anders door zijn hoofd spelen, iets veel persoonlijkers. Ze wachtte maar hij zei verder niets.

Waar heeft hij nog meer nooit over gerept? vroeg ze na een ogenblik.

Het is heel vreemd, maar uitgerekend over de Sinaï-bijbel heeft hij nooit iets gezegd. Hij moet toch zeker van het bestaan hebben af geweten. Waarom werd dat ene geheim verzwegen?

Waarom denk je?

Stern haalde zijn schouders op. Hij zei dat hij geen idee had waarom. Hij stond opnieuw op en begon door de kamer te dwalen.

Wanneer is hij gestorven? Ik geloof niet dat je me dat ooit hebt verteld.

In augustus 1914, dezelfde maand waarin er een einde kwam aan de negentiende eeuw. Zeg, ik herinner me nog dat je me vertelde dat O'Sullivan Beares vader twee maanden tevoren voorspelde dat zeventien van zijn zonen in de Eerste Wereldoorlog zouden omkomen. Nou, Strongbow moet die gave ook hebben bezeten. Hij was vijfennegentig jaar oud en inmiddels blind, maar zijn gezondheid was goed en zijn geest was beslist even helder als ooit. Waar het op neerkwam was dat hij eenvoudigweg vond dat hij lang genoeg had geleefd. Ik was die laatste dagen bij hem in Ya'qubs oude tent en dat was letterlijk wat hij zei. Het is genoeg.

Was Ya'qub toen al overleden?

Ja, maar slechts een paar maanden eerder. Die twee waren tot het einde aan toe onafscheidelijk, ze praatten maar en praatten maar en dronken de ene kop koffie na de andere. Afijn, nadat hij had gezegd dat het genoeg was, deed hij iets dat geen toeval kan zijn geweest.

Stern fronste zijn voorhoofd en verviel in stilzwijgen. Zijn gedachten leken af te dwalen.

Nou?

Sorry, wat?

Dat iets wat hij deed, wat was dat?

O. Hij voorspelde het uur van zijn dood en legde zich toen te rusten om het af te wachten.

En is nooit meer wakker geworden.

Precies.

En wat kan geen toeval zijn geweest?

Dat hij zo is gestorven. Het was een verhaal dat hij lang geleden had gehoord van een stel bedoeïenen die de Jebeliyeh werden genoemd. Rond 1840 deed een blinde mol hetzelfde aan de voet van de berg Sinaï nadat hij op de berg met een kluizenaar had gesproken. En jij weet natuurlijk wie die kluizenaar was.

Wallenstein.

Ja, Wallenstein. Een kluizenaar in 1840 en een blinde mol in 1914. Strongbow droomde klaarblijkelijk Wallensteins droom toen hij stierf. Hij droomde van de Sinaï-bijbel.

Opnieuw stierf Sterns stem weg en leek hij met zijn gedachten elders te zijn. Maud wachtte terwijl hij rusteloos de kamer door liep naar het raam, terugkeerde en opnieuw naar het raam liep.

En je kunt je nog steeds niet voorstellen waarom hij je er nooit over heeft verteld als het zo belangrijk voor hem was?

Nee, zei Stern snel.

Boven hun hoofden was een donderbui losgebarsten en bliksem verlichtte plotseling vergezeld door een oorverdovende klap de kamer, maar Stern leek er niets van te merken.

Nee, herhaalde hij. Nee.

ألحج

Maud staarde naar de grond. Ze wilde hem geloven maar kon het niet. Ze wist dat het niet waar was, dat het onmogelijk waar kon zijn. En ook al kende ze de twee oude mannen uitsluitend uit de verhalen van Stern, toch kon ze zich precies voor de geest halen wat er was gebeurd. Het stond haar zo helder voor de geest als was ze erbij geweest en had ze Ya'qub en Strongbow tijdens een van hun eindeloos voortwoekerende discussies tussen hun amandelbomen heen en weer zien wandelen.

Ya'qub die opgewekt opmerkte dat het prachtig was, alle dingen die de jongen leerde, maar dan opeens ernstig werd en aan Strongbows mouw trok en op serieuze toon fluisterde dat er tenminste één mysterie, om de bestwil van de jongen, van zijn lessen moest worden uitgesloten, één mysterie dat hij helemaal zelf moest ontdekken.

De voormalige hakim dacht diep na over zijn woorden en beaamde deze plechtig, terwijl ze laat die avond in hun tent zaten en probeerden te bepalen welk mysterie dat moest zijn van al de duizenden die ze hadden gedeeld na al die jaren marcheren van Timboektoe naar Perzië en wandelingetjes over een helling in Jemen zonder een stap verder te komen.

Stern hield zichzelf dus voor het lapje. Hij deed alsof hij alle dagen en nachten in beslag werd genomen door zijn stiekeme sluikhandel maar dat was niet waar. Er was iets anders dat belangrijker voor hem was.

Verbijsterd herinnerde ze zich toen de dingen die hij had gezegd en opeens vielen de schellen haar van de ogen. Ook hij was al jarenlang heimelijk op zoek naar de Sinaï-bijbel.

Wallenstein. Strongbow. O'Sullivan Beare en nu Stern.

Zou er ooit een einde aan komen?

ألحج

Ze wilde er niet over praten, maar ze wist dat ze het niet zonder meer kon negeren, dus uiteindelijk stelde ze de vraag toch.

Stern, wat maakte dat jij op zoek ging naar de Sinaï-bijbel?

Het was laat in de middag en hij schonk zichzelf een glas wodka in. Zijn schouders leken te schokken en hij schonk zijn glas voller dan gewoonlijk.

Ach, toen tot me doordrong welke betekenis hij had kon ik niet anders. Wat erin stond bedoel ik. Wat er nog steeds in staat, waar hij zich ook mag bevinden.

En wat is dat, Stern? Voor jou?

Nou ja, alles. Al mijn ideeën en illusies, waar ik eigenlijk jarenlang naar heb gezocht in Parijs toen ik dacht over een nieuwe natie hier, een thuisland voor Arabieren en Christenen en Joden samen, begrijp je wel? Dat thuisland had hier in den beginne kunnen zijn, voordat de mensen in die namen werden verdeeld, misschien dat de originele Sinaï-bijbel dat laat zien. En als dat zo is zou ik het kunnen bewijzen of op z'n minst zekerheid vinden voor mezelf al was het voor niemand anders.

Wat bewijzen? Wat je hebt gedaan? Waar je je voor hebt ingezet? Je leven? Wat?

Nou ja, al die dingen, alles.

Maud schudde haar hoofd.

Dat verdomde boek.

Waarom zeg je dat? Denk je eens in wat het zou kunnen betekenen als het werd gevonden.

Misschien, ik weet het niet meer. Het maakt me gewoon woedend.

Maar waarom wekt het je woede op? Vanwege O'Sullivan Beare? Omdat hij het zo graag wilde vinden?

Ja en nee. Misschien was dat toen de enige reden, maar nu is het nog iets anders.

Wat dan?

Ze haalde somber haar schouders op.

Ik weet niet precies. Zoals het mensen obsedeert. Zoals het levens allerlei kanten op doet kantelen. Wallenstein die zeven jaar lang in zijn grot waanzinnig zit te worden terwijl de mieren zijn oogballen aanvreten, Strongbow die veertig jaar lang door de woestijn marcheert en geen twee nachten op dezelfde plek slaapt,

Joe en zijn woeste speurtocht naar schatten die niet bestaan, jij en je onmogelijke natie. Waarom zijn er allemaal van die hersenschimmen waar mannen maar steeds weer achteraan jagen? Waarom is het steeds weer hetzelfde liedje met jullie? Jullie horen iets over dat verdomde boek en jullie krijgen de kolder in je kop. Jullie allemaal.

Ze zweeg. Hij pakte haar hand.

Maar het is niet de Sinaï-bijbel die dat teweegbrengt, is het wel?

Nog wat wodka?

Maud?

Nee, ik weet dat het daar niet aan ligt, natuurlijk niet. Maar evengoed zou ik wensen dat die hondsfanatieke Wallenstein nooit zijn krankzinnige droom had gehad. Waarom kon hij ons niet met rust laten?

Maar hij heeft er ook niets mee te maken. Het boek was er nu eenmaal en hij heeft niets anders gedaan dan het vinden en ernaar leven, of het herbeleven en het ons teruggeven, met alles wat wij altijd hebben gewenst. Kanaän, stel je eens voor. Het gelukkige land van Kanaän drieduizend jaar geleden.

Het was niet gelukkig.

Het zou het kunnen zijn geweest. Dat kan niemand zeggen zolang het origineel niet gevonden is.

Ja dat kan wel. Je weet dat het niet gelukkig was.

Hij gaf geen antwoord.

Verdomme, zeg het nou maar. Geef het toe. Zeg dat je het weet.

Goed dan, ik weet het.

Ze zuchtte en begon verstrooid zijn hand te strelen. De woede was weggetrokken uit haar gezicht.

Maar toch, fluisterde ze.

Ja, zo is het, zo is het altijd. Maar toch. Maar toch.

Ze pakte de wodkafles op en keek ernaar.

Jezus, mompelde ze. O Jezus.

Ja, zei Stern met een zuinige glimlach. Onder anderen.

Het was verbijsterend en meer, want hoewel O'Sullivan Beare het relaas over de bijbel volkomen verhaspeld had en het verwarde met de vage verhalen die Hadji Haroen hem had opgedist, was Stern degene die precies wist waar de oorspronkelijke Sinaï-bijbel zich bevond. Hij wist dat hij begraven lag in het Armeense Kwartier in Jeruzalem.

Toch had hij er daar nooit naar gezocht.

Waarom?

Stern lachte en schonk zijn glas vol.

Weet je, dat is het enige deel van Sophia's verhaal dat ik nooit heb geloofd. Het zou een te voor de hand liggende bergplaats zijn voor iemand zo gewiekst en toegewijd als Wallenstein. Denk je eens in. Hij bracht twaalf jaar door in een ondergronds hol in het Armeense Kwartier voordat hij naar de Sinaï afreisde om zijn vervalsing te maken. Was het waarschijnlijk dat hij terug zou zijn gekomen en het origineel in dezelfde kelderruimte zou hebben begraven? Als je navraag naar hem zou doen en iemand zou zich hem herinneren, dan kon die plek zo worden gevonden en zouden al Wallensteins inspanningen tevergeefs zijn geweest. Zou Sophia dat hebben toegestaan als je in aanmerking neemt hoeveel ze van hem hield? Ze wist wat de vervalsing hem had gekost, wat hij uiteindelijk haar had gekost, dus had ze gelogen om hem te beschermen, om zichzelf te beschermen, om te voorkomen dat hun lijden zinloos zou zijn.

Stern bleef praten, ijsberen en sigaretjes paffen. Hij schonk zichzelf nog eens in. Maud keek gegeneerd uit het raam.

Waarom zei hij al die dingen? Sophia had geen reden om Wallenstein met haar leugens te beschermen nadat hij zichzelf al had beschermd. Toen hij naar Egypte ging om perkament te zoeken, had hij de vermomming aangenomen van een welgestelde Armeense antiekhandelaar. Wie wist van welke vermommingen hij zich nog meer had bediend?

Boven de kelderruimte kon zich best een groot huis bevinden waar hij zich weer voor iemand anders had uitgegeven. Of een winkel waar hij daadwerkelijk in antiek handelde. Of een kerk waar hij zich tot priester had laten wijden, of een klooster waar hij zich voor monnik uitgaf. Alles was mogelijk. Het was duidelijk dat het manuscript nooit kon worden opgespoord door navraag te doen naar Wallenstein en zijn ondergrondse kerker.

Stern, die inmiddels een beetje aangeschoten was, begon alle plekken te beschrijven waar hij naar het manuscript had gezocht. Aanvankelijk dacht hij dat het verborgen moest zijn in een grote stad, dus toog hij naar Caïro en Damascus en Bagdad en bezocht 's avonds de achterafstegen.

Had iemand misschien een heel oud boek te koop? Een kostbaar boek? Hij had er een lieve cent voor over.

Veelbetekenende glimlachen. Levantijnse taal. Hij werd door schaars verlichte kamers geleid waar alle soorten levende wezens te koop werden aangeboden, waarbij werd gegarandeerd dat het lichaam in kwestie even veel bevrediging zou schenken als het oudste boek ter wereld.

O achtenswaardige geleerde, voegde zijn gids eraan toe.

Stern vluchtte naar buiten, Misschien een kleine grot vlak bij de Dode Zee? Kon Wallenstein deze veilige plek hebben gekozen toen hij van de berg Sinaï naar huis strompelde?

Stern startte zijn tractor en spurtte door wadi's en duinen en joeg achter afgedwaalde kamelen aan op zoek naar grotten. Als hij een bedoeïen aan de horizon ontwaardde snelde hij op hem af en smeet het stalen portier open. Daarachter dook het stoffige gezicht op van Stern die door zijn stofbril de bange man wezenloos aankeek.

Een heel oud boek? Een grot in de omgeving? Zelfs geen kleintje?

Vervolgens werd hij gegrepen door de gedachte aan een verafgelegen oase, een vlekje in de woestijn dat zo klein was dat er slechts één gezin kon wonen, dat zou beslist een ingenieuze bergplaats zijn.

De waterstofventielen sisten en zijn ballon zwol op. Op het uiterste puntje van het Sinaï-schiereiland zweefde hij over een piepklein kluitje groen. De vrouw en de kinderen snelden de tent in en de man hief zijn mes op om zijn familie te verdedigen tegen deze zwevende spookverschijning uit de *Duizend-en-één-nacht.*

Twintig meter boven de grond verscheen Sterns hoofd.

Nog oude boeken daarbeneden?

Hij veranderde van gedachten. Hij moest niet naar een plek zoeken maar naar een persoon. Wallenstein had een dolende heiligman gevonden en hij had de derwisj doordringend aangekeken en hem ingefluisterd dat dit het heiligste aller heiligdommen was. De derwisj moest het bij zich dragen tot hij op het punt stond om te sterven en het dan op dezelfde wijze overdragen aan een andere heiligman, want deze bundel of dit voorwerp was de manifestatie van God op aarde, die sinds het begin der tijden en van dan af aan tot het einde der tijden meegevoerd werd door geheime dragers en als het zou vallen zou dat even rampzalig zijn als de val van de wereld zelve.

Stern bezocht de woestijnen en de bazaars en stelde overal zijn vraag.

Welk geheim voorwerp draag jij bij je?

Lompen werden uitgewikkeld en schatten kwamen te voorschijn; houtsplinters en droogbloemen en kokers met troebel water, gegraveerde luciferhoutjes en gebarsten glaswerk en smoezelige velletjes papier, een levende muis en een gebalsemde pad en vele andere manifestaties van God; eigenlijk alles wat je kon bedenken behalve wat hij zocht.

En jij? vroeg Stern somber voor de zoveelste keer.

Ik heb geen behoefte aan gegraveerde beelden, antwoordde een man hooghartig. God is in mij. Als je wacht tot zonsopgang morgenochtend, dan zul je de enige en ware God aanschouwen.

Stern bleef die nacht slapen. De volgende ochtend stond de man heel vroeg op, nam een sober ontbijt tot zich en ging zitten poepen. Hij wroette in zijn ontlasting en kwam op de proppen met een klein glad steentje dat hij met zorg waste, met olie inwreef en vervolgens met een triomfantelijke glimlach weer doorslikte.

Morgen om dezelfde tijd zal God opnieuw verschijnen als je wilt terugkeren om Hem te aanbidden.

En zo bleef Stern meer en meer verhalen vertellen en meer en meer wodka drinken en meer en meer sigaretten opsteken en om zichzelf lachen en Maud aan het lachen maken tot ver na middernacht.

Toen hij was vertrokken, liep ze de kamer door om asbakken op te pakken en de as op te vegen die overal was neergedaald toen hij wild met zijn handen gebarend aan één stuk liep te oreren. In de keuken stond ze met de lege flessen in haar hand en staarde in de gootsteen. Plotseling voelde ze zich geradbraakt.

Nu begreep ze waarom hij nooit de liefde met haar had bedreven, waarom hij waarschijnlijk nog nooit met iemand de liefde had bedreven, waarom de seksuele confrontaties in zijn leven nooit meer konden hebben betekend dan dit.

Afstandelijk, anoniem, snel voorbij, en Stern even eenzaam na afloop als bij het begin.

Nooit met iemand die hem kon kennen. Nooit. Daarvoor was zijn angst te groot.

Hij had al een aantal uren liggen woelen, zijn slaap verstoord door het geknars van zijn tanden. De enige rust die hij kende was als hij zich net had uitgestrekt en nu, twee uur voor zonsopgang, was er zelfs aan het woelen een einde gekomen. Zijn kaak deed pijn, hij graaide naar de dekens die hij naar zijn voeteneinde had geschopt en lag bibberend in het donker.

Eindelijk verscheen er een grauw licht achter het venster. Stern schoof een lade naast zijn bed open en pakte de naald eruit. De warmte overspoelde hem en hij liet zich weer achterover op bed vallen.

Ik glijd heerlijk weg, dacht hij. Elke nacht een twaalftal nieuwe hoofdstukken van het geheime verloren boek dat hij droomde te vinden, luisterrijke schitterende episoden, waarvan nooit iets terecht zou komen.

Opnieuw was hij een jongen die hoog langs de nachtelijke hemel zweefde, boven de ruïnes van Marib, omringd door de koelte en de bewegende sterren, boven een verre, zwevende wereld, ver boven de Maantempel die hij plotseling in het zand onderscheidde. Het duurde minuten, alle minuten uit zijn jeugd in Jemen met zijn vader en zijn grootvader, wijze en goedhartige mannen die wachtten totdat hij hun raadselen zou doorgronden.

Ik glijd heerlijk weg, dacht hij toen het grijs voor het venster vervaagde tot wit en hij opnieuw in slaap viel onder invloed van de morfine, het andere uur dat hij nodig had om te leven.

Toen hij wakker werd, voelde hij zich verdoofd en slaperig en hij gooide koud water over zijn hoofd. Nu geen dromen, niets dan een zinledige dag, maar hij had de verblindende komst van het licht tenminste overleefd.

# 18 Melchizedek 2200 v. Chr. – 1933

*Het geloof sterft nooit, Prester John.*

Op een lenteavond in 1933 zaten Hadji Haroen en O'Sullivan Beare op een heuvel ten oosten van de Oude Stad te kijken naar de zonsondergang en hoe het licht langzaam over de torens en minaretten gleed en hun kleuren veranderde en zachtjes schaduwen langs de onzichtbare stegen legde. Na een poosje zuchtte de oude man en wreef in zijn ogen.

Zo mooi, zo wondermooi. Maar er komen rellen, dat weet ik zeker. Vind je dat we aan wapens moeten zien te komen, Prester John? Jij en ik?

Joe haalde zijn schouders op. *Jij en ik*, de oude man meende het echt. Hij geloofde werkelijk dat zij samen iets zouden kunnen uitrichten.

Sedert Smyrna maak ik me daar zorgen over, vervolgde Hadji Haroen. Moet het zo gaan als het daar was? Zij hadden daar ook hun schitterende stad en allerlei soorten mensen die erin woonden en kijk eens wat er is gebeurd. Ik kan gewoon niet geloven waarom de mensen van Jeruzalem elkaar dit aandoen. En het is niet alsof we de Romeinen of de kruisvaarders moeten weerstreven, het zijn de mensen binnen de muren die het veroorzaken. Ik ben bang. Moeten we aan vuurwapens zien te komen? Nou, wat vind jij?

Joe schudde zijn hoofd.

Nee, geen vuurwapens, daar bereiken we niets mee. Ik heb dat geprobeerd toen ik jong was en het biedt een nutteloos oponthoud. Als je vuurwapens gebruikt, ben je niets beter dan de Black & Tans en dat is niet goed genoeg.

Maar wat moeten we dan doen? Wat kunnen we doen?

Joe pakte een steen op en wierp die langs de helling omlaag naar de vallei die hen van de stad scheidde.

Jezus, ik zou het niet weten. Ik heb het er met de bakpriester over gehad en hij weet het ook niet. Hij knikt alleen maar en gaat vervolgens verder met het bakken van zijn broden in die vier vormen. Hij danst ook niet meer en dat is een veeg teken. Maar die problemen in de stad kunnen voor jou toch niet helemaal nieuw zijn en jezus, dat is iets wat me verwondert. Hoe heb je het al die jaren uitgehouden?

Wat uitgehouden?

Wat dat klote volk je heeft aangedaan. Ze hebben je gestenigd, je tanden uit je mond geslagen, je met hun nagels gekrabd en het weinige dat je bezat van je afgepikt, je afgeranseld en beledigd en uitgescholden en al die dingen. Als mij dat ergens was overkomen, had ik al lang geleden de kuierlatten genomen.

Ik kan niet weg. Je schijnt het niet te begrijpen.

Nee, dat klopt en ik betwijfel of ik het ooit zal begrijpen. Luister, Smyrna was inderdaad rampzalig, maar er is nog iets dat sindsdien door mijn hoofd speelt, me voortdurend zorgen baart en me maar blijft achtervolgen. Ik heb al die tijd naar de Sinaï-bijbel gezocht en nu weet ik het niet goed meer. Het heeft daarmee te maken, begrijp je, met iets dat ik mezelf toen vast heb voorgenomen. Jezus, ik weet gewoon niet meer wat ik ervan denken moet. Mag ik je een vraag stellen?

Hadji Haroen stak zijn arm uit en greep zijn hand. De lichtjes in de Oude Stad en op de heuvels gingen aan. Joe keek op en zag dat de ogen van de oude man glinsterden.

Prester John?

Ja, nou ja, de kwestie is gewoon deze. Ik heb ooit van een vrouw gehouden en zij heeft me in de steek gelaten, maar weet je, het is me gebleken dat ik nooit meer van een andere vrouw zal houden. Het lijkt erop dat daarmee voor mij de kous af is, maar wat moet een ziel dan? Wat dan?

Gewoon doorgaan met van haar te houden.

Dat lijk ik ook te doen, maar wat heeft het voor zin? Waar leidt dat toe?

De broze hand omklemde de zijne en liet toen los. Hadji Haroen knielde voor hem, greep hem bij zijn schouders en keek hem ernstig aan.

Jij bent nog jong, Prester John. Zie je niet in dat het nergens toe leidt? Het is een doel in zichzelf.

Maar dat is een hopeloze manier om dingen te doen.

Nee, hoor. Nu heb je er nog weinig geloof in, maar dat komt op den duur vanzelf.

Geloof, zeg je? Toen ik geboren werd had ik een geloof, maar dat is de afgelopen jaren afgenomen en niet gegroeid, het is geslonken en nu is er niets meer van over.

Nee, dat kan niet waar zijn.

Maar dat is het wel, zij heeft het me afgenomen.

Nee, zij geeft het, zij neemt het nooit.

Ach jezus, man, begin je nou weer over Jeruzalem. Ik heb het over een vrouw, een vrouw van vlees en bloed.

Ik begrijp het.

Nu dan?

Het geloof sterft nooit, Prester John. Als je van een vrouw houdt, dan zul je haar ooit vinden. In mijn tijd heb ik heel wat tempels op die berg aan de overzijde van de vallei gebouwd zien worden en hoewel ze allemaal tot stof zijn vergaan, heeft er één standgehouden en die zal ook altijd standhouden en dat is de tempel van de eerste koning die de stad ooit heeft gekend. De angst slaat mij om het hart als ik denk aan Smyrna en waar dat morgen allemaal op kan uitdraaien, maar ik weet ook dat Melchizedeks Stad van Vrede nooit zal kunnen sterven, want toen de zachtmoedige Koning van Salem zo lang geleden op die berg heerste, lang voordat Abraham hem uitverkoos en zijn zegen ontving en in dit land de zonen Ismaël en Isaäk verwekte, Melchizedek zijn nobele droom, mijn droom al lang had gedroomd, en die zodoende het eeuwige leven had geschonken, zonder vader, zonder moeder, zonder afstamming, zonder een begin in de tijd of een eindig bestaan.

Over wie heb je het nu weer? Over jezelf of over Melchizedek?

Hadji Haroen glimlachte bedeesd.

Wij zijn een en dezelfde persoon.

Maak het nou een beetje, je weet niet wat je zegt.

Hadji Haroen lachte.

Denk je dat werkelijk? Kom, laten we teruggaan, ze wacht op ons.

Ze begonnen de heuvel af te dalen, Joe strompelend en struikelend in het duister en Hadji Haroen met een vederlichte tred over het hobbelige pad dat hij al talloze malen had betreden.

Klote eeuwige stad, dacht Joe, opkijkend tegen de muren die boven hem uit rezen. Het is een wonder hoe hij de boel draaiende houdt, terwijl hij bij zonsondergang vermomd als ontredderde Arabier op de Olijfberg op de loer ligt. Hij houdt de wacht, hij houdt de toegangswegen in de gaten, een voormalige antiekhandelaar voorwaar, de oude Melchizedek, de eerste en laatste koning die zijn stad zonder einde in zicht door de eeuwen heen manoeuvreert. Rellen en misbaar in het verschiet, bevreesd voor het lot van Smyrna maar nog immer proberend de weidse visie te huldigen, zoals Stern ooit zei.

Waanzin, pure waanzin, dat is dit oord, een gek geworden teugelloze tijd, niet bedoeld voor een nuchtere Christen die verguld zou zijn met drie maaltijden per dag, en niet al te zwaar werk en daarnaast misschien een appeltje voor de dorst. Maar wie had kunnen denken dat een arme jongen van de Aran Eilanden ooit nog eens in de schaduw van Salem van gedachten zou wisselen met dezelfde koning die hier geschenken uitdeelde lang voordat die klote Arabieren en Joden met hun sores zelfs maar bestonden?

# 19 Athene

الحج

*Een leven rijk en vol in de roes*
*van verre oorden.*

Toen Maud terugkeerde naar Athene om daar te wonen, bezocht Stern haar vaak in het kleine huisje aan de zee. Dan arriveerde er een telegram en enkele ochtenden later stond ze op de kade van Piraeus zijn schip op te wachten en dan hing Stern opeens boven haar over de reling te schreeuwen en te zwaaien en rende hij in het kabaal van reizigers en denderende loopplanken op haar af om haar te omhelzen met zijn armen boordevol cadeaus die hij had meegebracht, verpakt in felgekleurde papieren en met tientallen linten voor Bernini om te ontwarren.

Terug in het huisje bij de zee zat Bernini dan op de grond en baande zich een weg door de stapel pakjes en hield elk nieuw wonder zodra hij het had uitgepakt omhoog; amuletten en bedeltjes en prentenboeken, een Arabische mantel en een Arabische hoofdtooi, een schaalmodel van de Grote Piramide gemaakt van bouwsteentjes compleet met geheime tunnels en een schatkamer.

Bernini klapte in zijn handen, Maud lachte en Stern snelde, de gerechten die hij voor het avondmaal zou bereiden opsommend, de keuken in; lamsvlees in Arabisch bladerdeeg en vis in Franse sauzen, exquise pasteitjes en groenten met een snufje pittige kruiden en aspic van regenboogforel. Zij hielp hem de potten en pannen te vinden en zat in een hoekje terwijl hij hakte en snoof en proefde, een druppeltje van dit hier en een mespuntje van dat daar, en kritisch zijn voorhoofd fronste terwijl hij ondertussen allerlei nieuwtjes en anekdotes opdiste over Damascus en Egypte en Bagdad en daarmee de dagelijkse routine van Mauds doorgaans bezadigde leventje opluisterde.

Halverwege de middag trok hij de champagne en het blik kaviaar open en later staken zij in het kleine tuintje de kaarsen aan om dicht bij het geruis van de golven te zijn als zij zijn overheerlijke gerechten verorberden, waarbij Stern de tafel nog steeds overspoelde met zijn verhaal van overal en nergens, over extravagante kostuums en belachelijke roddels en verzonnen gesprekken die afwisselend betoverend en grof waren, en waarbij Stern opsprong om de scènes na te spelen, op een stoel ging staan, met zijn armen zwaaide en grijnsde en langs de muur sloop en wees en rare smoelen trok en tegen het glas tikte en lachte en een bloem omhooghield.

Bernini kwam welterusten zeggen en een tijdje was het stil in de lenteavond in de tuin, zwoel en zacht ontspannen als zij zwijgend van hun cognac nipten, maar daarna zwol het gesprek geleidelijk weer aan om vergeten momenten op te halen, in schitterende herinneringen heen en weer te reizen door de decennia, het net, daar bijeengebracht door Stern, in steeds langere schaduwen uitspannend totdat de hele wereld rond de kring van kaarslicht leek samen te ballen.

Soms haalde hij na middernacht zijn notitieboeken te voorschijn om haar zijn plannen te laten zien die hij netjes gerangschikt en tot in de details uitgewerkt had neergepend, met lijstjes van ontmoetingen en voorraden en schema's.

Aan het einde van de zomer, zei hij. Zonder twijfel aan het einde van de zomer. Dat moet, dat staat als een huis.

Een punt hier, een ander op deze bladzijde. Een twee drie vier.

Keurig geordend zwart op wit, om op je vingers te worden afgeteld van een tot twaalf. Van honderd tot oneindig. Onfeilbare plannen. Ja, aan het einde van de zomer.

Meer sigaretten en meer flessen ontkurkt, meer sprankelende herinneringen en glorieuze gevoelens in het flakkerende licht als zij elkaar gedichten voorlazen en woorden citeerden die spraken van beproevingen en grandeur, van het rijke volle leven in de roes van verre oorden, om uiteindelijk terug te keren tot het kaarslicht onder de sterren aan de zee waar ze huilden en lachten en bijna de hele nacht doorpraatten en elkaar dan aan het einde van de nacht waarlijk in vrede met zichzelf vast omhelsden en het inmiddels zo laat was geworden dat ze zich niet konden herinneren de kaarsen te hebben uitgeblazen en naar binnen te zijn gegaan, waar Stern zacht snurkend op de bank lag en Maud in de slaapkamer al even snel onder zeil was.

Als ze de volgende ochtend wakker werd was Stern al vertrokken, maar op het briefje dat hij had achtergelaten stond dat hij in de namiddag terug zou zijn om een volgend feestmaal te bereiden. En zo volgde er opnieuw een sublieme avond onder de sterren en de volgende dag liepen ze voor de zoveelste keer over de kade van Piraeus en was er een einde gekomen aan het korte hectische bezoek.

’s Zomers kwam hij diverse malen en opnieuw in de heldere milde najaarsavonden en dan legde hij de fel gekleurde pakjes voor Bernini op een stapel en kwam hij op de proppen met zijn feestmalen en verhalen en herinneringen van overal en nam hij de schema’s in zijn notitieboekjes door. In zijn hut dronken ze een laatste glas wodka voor het schip afvoer, Stern vol zelfvertrouwen en geestdriftig als immer, zijn gezicht rood aangelopen van opwinding bij het vooruitzicht van een nieuw begin, misschien een beetje meer drinkend dan de laatste keer dat ze afscheid namen en glimlachend als het schip zich losmaakte van de kade.

Ditmaal zou het gebeuren, wat het ook mocht zijn, aan het eind van het jaar. En als Kerstmis aanbrak, dan zei hij dat het met Pasen zou gebeuren en als het Pasen was, dan zei hij aan het eind van de zomer.

Het was altijd hetzelfde met Stern. Het stond altijd op het punt te gebeuren maar het kwam er nooit van.

Als ze thuiskwam was Bernini daar druk in de weer met zijn nieuwe speelgoed. Ze vroeg of hij er blij mee was en hij zei Ja, heel erg blij. Ze slenterde de tuin in en dacht aan Stern en aan de cadeautjes die hij had meegebracht, aan de dure gerechten en aan de champagne.

Ze wist dat hij geen geld had. Ze wist dat hij waarschijnlijk was vertrokken met nauwelijks een cent op zak maar hij stond er altijd op het zo te doen, alles zelf te betalen en alles van de beste kwaliteit, uit het buitenland geïmporteerde waar; het was dwaasheid en dat gebruik van taxi's was ook waanzin, zelf ging ze nooit met een taxi.

Maar Stern wel als hij bij haar was, dan smeet hij met geld, dan spendeerde hij zo snel mogelijk alles wat hij bezat, daar maalde hij niet om want hij had het te druk met zijn leven voor de poëzie van zijn ideeën en de grootse plannen die nergens op uitdraaiden. Zo hartelijk en gul, zo onpraktisch en dwaas, maar in zekere zin ook treurig omdat ze de armoede kende die erachter schuilging.

Ze zou dat nooit hebben kunnen doen, zelfs als ze niet voor Bernini verantwoordelijk was geweest. Ze had het gewoon niet in zich om in twee dagen tijd je hele maandgeld over de balk te smijten en de rest van de tijd op een houtje te bijten, zoals hij deed.

Ze dacht ook aan zijn notitieboekjes, de in zijn keurige handschrift beschreven pagina's, steeds weer nieuwe hersenschimmen, diep in de nacht, als de hoop brandde in de vlam van een kaars tegen de duisternis. Maar het kaarslicht vervaagde als de zon opkwam en voor hem zou het nooit Pasen worden.

Dat wist hij, maar toch waren die wondermooie dromen, die onrealistische beloften er altijd weer. Waarom? Waarom deed hij het?

Plotseling lachte ze. Ze was voor een spiegel stil blijven staan en streek verstrooid haar haar glad. Het gezicht in de spiegel was gerimpeld, het haar was grijs. Waar was dat vandaan gekomen? Wie was dat?

Zij niet. Zij was mooi en jong, zij was zojuist uitverkoren voor het Olympische schaatsteam en zou naar Europa gaan. Europa.

Ze lachte opnieuw. Bernini keek op van de grond waar hij zat te spelen.

Wat is er zo grappig in de spiegel?

Wij.

Wie is wij?

Volwassenen, schat.

Bernini glimlachte.

Dat weet ik. Dat heb ik altijd geweten. Daarom denk ik niet dat ik er een word, zei hij, en hij ging verder met het bouwen van de Grote Piramide.

ألحج

Toen de Tweede Wereldoorlog uitbrak in Europa vond Stern een baantje voor haar in Caïro. Hij hield zich bezig met verscheidene clandestiene activiteiten en was vaak weg uit Caïro, maar als hij terugkeerde waren ze onafscheidelijk. Nu leken de lange avonden praten en de wijn die ze voor de oorlog in Athene hadden gekend tot het verre verleden te behoren wanneer ze naar de woestijn reden en zwijgend naast elkaar onder de sterren zaten en de eenzaamheid over zich heen lieten komen, zich afvragend wat de volgende maand zou brengen.

Stern was in de tijd dat ze hem kende aanzienlijk ouder geworden, of wellicht leek dat alleen zo omdat ze zich hem altijd herinnerde zoals hij die eerste middag aan de Bosporus in de regen naast haar was opgedoken, voorovergebogen en groot en solide naast de balustrade, waar het juist zijn corpulentie was die haar geruststelde. Nu was die corpulentie verdwenen en zijn lichaam vreselijk afgetakeld. Hij bewoog zich wankelend, als hij sprak was zijn mond een pijnlijk vertrokken dunne lijn en zijn gezicht was gehavend en vertoonde diepe rimpels en vaak beefden zijn handen.

Toen Maud hem na bijna een jaar van hem gescheiden te zijn geweest voor het eerst weer zag in Caïro, schrok ze zo dat ze zijn dokter raadpleegde. De jongere man hoorde haar aan en haalde zijn schouders op.

Wat kan ik zeggen. Op zijn vijftigste heeft hij de ingewanden van een man van tachtig. En dan is er nog zijn verslaving, daar bent u van op de hoogte?

Natuurlijk.

Ik bedoel maar.

Maud keek naar de ruggen van haar handen. Ze keerde ze om.

Maar is er dan niets aan te doen?

Wat, herstel? Nee. Verandering? Hij zou het kunnen doen, maar het zou waarschijnlijk toch al te laat zijn.

Wat veranderen, dokter? Zijn naam? Zijn gezicht? Zijn geboorteplaats?

Ach, ik begrijp het, zei de jongeman op vermoeide toon. Ik weet er alles van.

Maud schudde haar hoofd. Ze was kwaad.

Nee, ik geloof niet dat u er iets van begrijpt. Ik denk dat u te jong bent om een man als hij te begrijpen.

Misschien hebt u gelijk. Ik ben ook jong geweest, ik was pas vijftien in Smyrna.

Ze beet op haar lip en sloeg haar ogen neer.

Neemt u me alstublieft niet kwalijk. Dat wist ik niet.

Nee, hoe zou u dat ook kunnen weten?

ألحج

Twee jaren gingen voorbij voor hun laatste avond samen was aangebroken. Ze waren de woestijn in gereden tot bij de piramides. Stern had zijn flessen bij zich en Maud nam af en toe een slokje uit de metalen kroes. Vaak voerde zij het woord om hem wat op te beuren maar die avond niet. Ze voelde dat er iets was en wachtte af.

Heb je nog iets van Bernini gehoord? vroeg hij ten slotte.

Hij wreef over zijn voorhoofd.

Over hem bedoel ik.

Hij maakt het uitstekend, Ze zeggen dat hij dol is op honkbal.

Dat is heel erg Amerikaans.

Ja en de school is geknipt voor hem, hij leert een vak en zal ooit in staat zijn voor zichzelf te zorgen. Het is voor hem het beste om daar nu te zijn en je weet hoe dankbaar ik je daarvoor ben. Maar het zit me nog steeds dwars dat jij hem daar naartoe moest sturen, terwijl je zelf nauwelijks iets bezit.

Nee, dat is van geen belang, zit daar maar niet over in. Jij zou voor een ander hetzelfde hebben gedaan, het was gewoon gemakkelijker voor mij om het geld bij elkaar te krijgen.

Hij dronk opnieuw.

Denk je dat je naar huis zult gaan, Maud, na de oorlog?

Ja, om dicht bij Bernini te zijn, maar het zal vreemd zijn na al die tijd. Mijn God, vijfendertig jaar. Ik kan het geen thuis meer noemen, ik heb geen thuis. En jij?

Hij zei niets.

Stern?

Hij greep de fles en goot wat er over was in de kroes.

Och, ik denk dat ik hier blijf. Het zal heel anders zijn na de oorlog. De rol van de Engelsen en de Fransen is uitgespeeld in het Midden-Oosten. Er zijn grote veranderingen op til. Alles is mogelijk.

Stern?

Ja?

Wat is er?

Hij probeerde te glimlachen, maar zijn glimlach ging verloren in de duisternis. Ze pakte de kroes uit zijn bevende hand en vulde die voor hem.

Wanneer is het gebeurd? vroeg ze op gedempte toon.

Twintig jaar geleden. Dat maak ik mezelf tenminste wijs. Waarschijnlijk is het er altijd al geweest. Dat geldt voor bijna elk begin. Waarschijnlijk gaat het helemaal terug naar de tijd in Jemen.

Stern?

Nee, waarschijnlijk niet. Waarom zou ik je nu leugens vertellen? Waarom heb ik je ooit leugens verteld? Nou ja, ik weet wel waarom. Jij was niet degene tegen wie ik loog.

Ik weet het.

Het is er altijd geweest, altijd. Ik ben tegen geen van hen ooit opgewassen geweest. Ya'qub en Strongbow en Wallenstein, ikzelf, vaders en zonen en heilige geesten, het is verwarrend maar er is een reden dat ik het niet uit mijn hoofd kan zetten. Hoe dan ook. Ik was er niet toe in staat. Ik kon geen van de dingen volbrengen die zij presteerden. Ze waren mij te machtig. Jemen en een ballon, het was hopeloos. Maar die andere kwestie was er ook nog. Twintig jaar geleden was hij er ook. Het is niet allemaal gelogen geweest.

Wat maakte dat het juist vanavond bij je opkwam?

Dat weet ik niet. Of eigenlijk weet ik dat natuurlijk wel. Dat komt omdat ik nooit ben opgehouden eraan te denken. Geen dag. Weet je nog dat ik je vertelde hoe Strongbow is gestorven? Nou, zo zal het mij niet vergaan. Niet in mijn slaap.

Stern, dat soort dingen weten we niet.

Misschien niet, maar ik weet het deze keer wel. Vertel eens, wanneer kwam je er voor het eerst achter van die morfine?

Dat doet er niet toe.

Vertel het me toch maar, wanneer?

Al heel vroeg, denk ik.

Hoe vroeg?

Ik zag op een keer het zwarte doosje toen je in Istanbul lag te slapen. Ik werd op een ochtend wakker toen jij nog sliep en het stond open op de grond naast je.

Maar voordien wist je het al, hè? Je hoefde dat doosje niet te zien om erachter te komen.

Ik geloof van wel, maar wat maakt dat voor verschil?

Geen enkel. Ik vroeg het me gewoon af. Ik heb altijd geprobeerd me anders voor te doen.

Dat heb je niet alleen *geprobeerd*, Stern. Dat *deed* je ook.

Hij zweeg, even elders met zijn gedachten. Ze wachtte tot hij opnieuw zou spreken, maar dat deed hij niet.

Stern?

Ja.

Je zou me vertellen wanneer het is gebeurd. Wat het was.

Je bedoelt wanneer ik me wijsmaak dat het was. Wat ik mezelf altijd heb voorgehouden dat het was.

Nou?

Hij knikte langzaam.

Ja. Het heette Smyrna. Ik had daar een afspraak geregeld. O'Sullivan Beare zou Sivi voor de eerste maal ontmoeten. Ik heb je nooit eerder van Sivi verteld. Hij was meer dan hij voorgaf te zijn. We hebben jaren samengewerkt. Van begin af aan, eigenlijk. Hij was een heel dierbare vriend. De beste vriend die ik heb gehad, afgezien van jou.

Dus die dag dat jij mijn leven redde aan de oever van de Bosporus, de dag dat we elkaar ontmoetten, toen was je net bij hem op bezoek geweest?

Ja.

Jezus, fluisterde ze, o wat een dwaas. Jezus, waarom heb ik daar nooit aan gedacht.

Maar Stern hoorde alleen het eerste woord. Stern was ergens anders en vervolgde haastig zijn relaas.

Jezus, zeg je? Ja, hij was er ook. Een kleine donkere man, jonger dan hij op de schilderijen staat afgebeeld. Maar dezelfde baard en dezelfde ogen. En hij droeg een revolver bij zich. Hij schoot een man door zijn hoofd. En de Heilige Geest droeg een zwaard. Hij huilde, de helft van zijn lichaam gehuld in donkerpaars. God zelve? Hem heb ik niet gezien, maar hij moet er ook zijn geweest met iets in zijn hand. Een lichaam of een mes. Iedereen was daar in de tuin.

Stern?

Ja, een tuin. Maar wanneer was dat precies?

Stern?

Er klonk een dierlijk geluid diep uit zijn keel.

Helemaal aan het begin van de nieuwe eeuw, toen was het. Vlak nadat de wereld van de Strongbows en de Wallensteins in de Eerste Wereldoorlog verloren was gegaan. Hun wereld kon niet op tegen de anonieme mitrailleurs en de gezichtsloze tanks en de luchten vol gifgas die dapperen en lafaards gelijkelijk doodden, geen onderscheid maakten tussen sterken en zwakken, de goeden en de kwaden over één kam schoren zodat het niet meer uitmaakte wie of wat je was. Ja, hun wereld ging teloor en wij hadden een nieuwe wereld nodig en die kregen we, we kregen onze nieuwe eeuw in 1918 en Smyrna was de allereerste akte, het voorspel dat aan alles voorafging.

Stern?

Wanneer, vraag je. Pas twintig jaar en een eeuwigheid geleden, en wat voor een tuin wachtte ons.

# 20 Smyrna 1922

ألحج

*Stern pakte het mes op en Joe zag het hem doen. Hij keek toe hoe hij het kleine meisje bij haar haar greep en haar hoofd achterover trok. Hij zag de slanke blanke hals.*

Een Ionische kolonie die de geboorteplaats van Homerus zou zijn, was een van de rijkste steden in Klein-Azië, zowel onder de Romeinen als onder de Byzantijnen en de tweede van de zeven kerken genoemd in het Boek der Openbaringen waar Johannes haar eveneens rijk noemde en zei dat ze ooit door verschrikkelijke rampspoed zou worden getroffen, wat gebeurde toen Timoerlenk haar verwoestte.

Maar nu, in het begin van de twintigste eeuw, was ze weer opgebloeid met bijna een half miljoen Grieken en Armeniërs en Joden, Perzen en Egyptenaren en Turken en Europeanen die in hun diverse uitmonsteringen voordeel en liefde nastreefden en wier dierbare zeehaven in de verbijsterende toevloed van wereldse waar alle andere in de Levant overtrof.

De Grieken en de Joden en de Armeniërs en de Turken bleven nog lange tijd in hun eigen kwartieren wonen, maar in de loop der tijd hebben die kwartieren elkaar overlapt en vonden de gefortuneerden van alle rassen hun weg naar de weelderige villa's in het Europese Kwartier.

Een stad vermaard om haar sublieme wijnen en wierookhars, haar tapijten en rabarber en vijgen en opium, de oevers van de rivieren vol met oleanders en laurier en jasmijn, met amandelbomen en mimosa. Beroemd om haar liefde voor muziek, haar aaneenschakeling van muzikale soirees en haar bijzondere voorliefde voor de autochtone orkesten die citers, mandolines en gitaren combineerden.

Een volk bekend om zijn verknochtheid aan cafés en promenades, zijn hang naar de gefluisterde dramatiek die opborrelde uit de achterafstraatjes en de binnenplaatsen, de geheime liefdes- en handelsaffaires die niet onderdeden voor zijn voorkeur voor theater en toneel.

Bovendien befaamd om zijn omvangrijke consumptie van wijnen en zijn onstilbare verlangen zich aan te sluiten bij steeds meer verenigingen waar men kaart kon spelen en gokken en gretig de eindeloze duizelingwekkende verhalen van genot en intrige kon beluisteren en altijd weer in verrukking kon raken over de roddels die de middag deden doorlopen in de avond en zachtjes in een roes doorkabbelden tot in de beschonken kleine uurtjes.

Op de top van de berg stond de oude Byzantijnse vesting met op de hellingen het Turkse Kwartier, een doolhof van steegjes overspannen door wijnranken waar mannen naast fonteinen loom aan hun waterpijpen lurkten terwijl professionele brievenschrijvers in de schaduw uitzinnige visioenen van liefde en haat opriepen.

Vanuit het westen brachten de karavanen kroonluchters en kristal, vanuit het oosten specerijen, zijde en kleurstoffen, waarbij de klokjes op de bepakkingen van de zich traag voortbewegende kamelen klingelden. Het smalle strand was drie kilometer lang en werd geflankeerd door cafés en theaters en smaakvolle villa's met rustieke binnenhoven. Wandelaars wisten altijd wanneer de trein uit Bournabat arriveerde, want dan raakte de lucht plotseling zwanger van de geur van jasmijn die door de reizigers in grote manden werd meegedragen voor hun vrienden in de stad.

Hier kwam Stern in het begin van september aan voor de afspraak die hij dat voorjaar al had voorbereid, de ontmoeting waarbij O'Sullivan Beare zou worden voorgesteld aan Sivi, zodat ze voortaan rechtstreeks met elkaar konden samenwerken.

Op 9 september voer een krakende Griekse kaïk de haven binnen met aan boord diverse passagiers, onder wie een bejaarde gerimpelde Arabier en een tengere jongeman in een gerafeld uniform uit de Krimoorlog. De kaïk meerde aan bij zonsopgang, op een zaterdag, maar zelfs voor dit vroege uur leek de stad merkwaardig stil. O'Sullivan Beare zag tegenover zich op de kade een bord met letters van meer dan een halve meter hoog, dat een nieuwe film aankondigde die Smyrna had bereikt.

LE TANGO DE LA MORT.

Hij stootte Hadji Haroen aan en wees, maar de oude man had het bord al gezien. Zonder een woord te zeggen, deed hij een paar stappen achteruit van de reling en trok zijn mantel omhoog om naar de grote paarse moedervlek te kijken die zich van zijn gezicht over zijn hele lichaam verspreidde.

O'Sullivan Beare keek hem bezorgd aan omdat hij nog nooit eerder had gemerkt dat de oude man zich iets van zijn moedervlek aantrok. Toch bestudeerde hij haar nu aandachtig, alsof de contouren van de veranderende kleurschakeringen een landkaart vormden.

Wat is er? fluisterde Joe. Wat zie je?

Maar Hadji Haroen gaf geen antwoord. In plaats daarvan zette hij zijn kruisvaardershelm recht en keek bedroefd naar de hemel.

Twee weken tevoren had het Griekse leger driehonderd kilometer oostwaarts, na de ineenstorting van het Ottomaanse Rijk, slag geleverd met de Turken om een vergroot Griekenland en was in de pan gehakt. Toch ging het leven eind augustus in de stad nog zijn gewone gangetje. De cafés zaten vol, drommen mensen slenterden 's avonds over de wandelpromenades. Kruiers droegen ladingen rozijnen en vijgen over de kaden. De opera was uitverkocht vanwege het gastoptreden van een Italiaans gezelschap.

Op 1 september begonnen de eerste gewonde Griekse soldaten met de trein te arriveren, de wagons zo volgepakt dat er zelfs manschappen op de daken lagen. De hele ochtend en middag bleven de treinen binnenlopen, met de ineengezegen lichamen op de daken die silhouetten vormden tegen de ondergaande zon.

De volgende dag kwamen de soldaten die minder ernstig gewond waren in vrachtwagens en handkarren, op ezels, kamelen en paarden en in hotsende strijdwagens die niet waren veranderd sinds de tijd der Assyriërs. En de dagen daarna volgden de soldaten te voet, elkaar meeslepend en ondersteunend; zwijgende, stoffige gestaltes die voortstrompelden naar een landtong ten westen van de stad van waaruit hun leger geëvacueerd zou worden.

En als laatsten kwamen de vluchtelingen uit het binnenland. De Armeniërs en de Grieken die gebukt gingen onder hun lasten. Zij sloegen hun tenten op op begraafplaatsen en kerkhoven en degenen die daar geen plaatsje konden vinden kampeerden in de straten, hun meubels om zich heen verzamelend. Vanaf 5 september kwamen er elke dag dertigduizend vluchtelingen aan in de stad en degenen die nu arriveerden waren steeds vermoeider en berooider, de allerarmsten die totaal niets meer bezaten.

Eindelijk begonnen de Grieken en de Armeniërs in Smyrna het te begrijpen. Ze spijkerden hun winkels dicht en barricadeerden hun deuren. De mensenmassa's verdwenen, de cafés werden gesloten.

De Griekse generaal die het commando voerde was krankzinnig geworden. Hij dacht dat zijn benen van glas waren en weigerde uit bed te komen uit vrees dat ze zouden breken. Bovendien had hij geen troepen meer. Het garnizoen was tegelijk met het leger geëvacueerd. Kemals Turkse strijdkrachten hadden volkomen gezegevierd in het binnenland.

Op 8 september kondigde de Griekse Hoge Commissaris aan dat het Griekse stadsbestuur om tien uur die avond zijn functie zou neerleggen. De haven lag boordevol Engelse en Franse en Italiaanse en Amerikaanse oorlogsschepen die gereed waren om hun landgenoten te evacueren.

De voorhoede van het Turkse leger, die werd gevormd door de cavalerie, reed de volgende ochtend gedisciplineerd en ordelijk de stad binnen, gevolgd door de infanterie-eenheden in gesloten gelederen. Die hele zaterdag, de dag waarop O'Sullivan Beare en Hadji Haroen in de stad arriveerden, bleven de Turkse troepen Smyrna binnenstromen in hun verwarrende allegaartje van uniformen; sommigen droegen zelfs Amerikaanse militaire tenues die ze hadden buitgemaakt op de Russen.

Het plunderen begon stilletjes tegen zonsondergang. Turkse soldaten drongen verlaten winkels binnen en eigenden zich de nodige spullen toe.

Turkse burgers voerden de eerste gewapende overvallen uit. Ze kwamen uit hun woonwijk en overvielen Armeniërs en Grieken in stille zijstraatjes. Maar toen ze zagen dat de Italiaanse en Turkse patrouilles hen ongemoeid lieten snelden ze rap naar de grotere winkels en maakten rollen satijn buit, die ze volpropten met horloges.

Spoedig hadden de Turkse soldaten zich bij hen gevoegd en tegen middernacht werden met koevoeten huizen opengebroken. Er vonden wat verkrachtingen en moorden plaats maar plunderen was nog steeds hun voornaamste bezigheid. Moorden werden voornamelijk gepleegd met messen opdat de Europeanen niet zouden worden gealarmeerd door overdadig geweervuur.

Maar de volgende ochtend, zondag, gingen alle remmen los. Bendes Turken snelden door de straten en vermoordden mannen en ontvoerden vrouwen en plunderden Griekse en Armeense woningen. De gruwelen waren zo groot dat de Griekse patriarch van Smyrna naar het gemeentehuis ging om de Turkse generaal die het commando voerde om clementie te smeken. De generaal wisselde enkele woorden met hem en verscheen, toen de patriarch vertrok, op het balkon om het gepeupel toe te roepen dat ze moesten zorgen dat hij zijn verdiende lot zou ondergaan.

Het gepeupel stortte zich op de patriarch en voerde hem de straat door naar de kapperszaak van een Jood die Ismaël heette.

Hij kreeg opdracht de patriarch kaal te scheren, maar toen dat niet snel genoeg ging, sleurden ze de patriarch weer terug de straat op en trokken met hun handen zijn baard uit.

Ze staken zijn ogen uit. Ze sneden zijn oren af. Ze sneden zijn neus af. Ze hakten zijn handen af. Aan de overkant stonden Franse soldaten een Franse handelsfirma te beschermen.

Stern zag twee Armeense kinderen gekleed in hun zondagse kleren wegglippen uit hun verwoeste huis. Eenmaal op straat glimlachten ze en wandelden arm in arm, elkaar luidkeels in het Frans toesprekend, in de richting van de haven.

Een bejaarde Armeniër maakte de fout om zijn stalen deur te ontgrendelen om een Turkse officier een brief te overhandigen. Hij was een gefortuneerde koopman, zei hij, die Kemals legers in het binnenland had bevoorraad. De brief die door Kemal persoonlijk was ondertekend, garandeerde bescherming voor hem en zijn gezin.

De officier hield de brief ondersteboven. Hij kon niet lezen. Hij verscheurde hem en zijn mannen stormden naar binnen.

Uiteindelijk kwam Stern aan bij Sivi's villa aan de haven. Hij liep naar de achterdeur en constateerde dat hij los in zijn scharnieren hing. Op de binnenplaats lag de oude man ineengekrompen in een bloembed, zijn hoofd overdekt met bloed. Theresa, zijn Franse secretaresse, zat geknield naast hem.

Het is net gebeurd, zei ze. Ze hebben ingebroken, hij probeerde ze tegen te houden en toen hebben ze hem met hun geweren geslagen. Ze zijn nog binnen, we moeten hem hier zien weg te krijgen.

Stern deed zijn uiterste best om de oude man op de been te helpen en opeens schoten Sivi's ogen open. Hij hief met moeite zijn arm op en probeerde Stern te slaan.

Sivi, in godsnaam, ik ben het.

Dit pik ik niet, fluisterde hij. Laat Stern hier komen. We moeten ons verzetten, roep Stern erbij.

Zijn hoofd viel voorover op zijn borst. Met z'n tweeën sleepten ze hem over de binnenplaats naar buiten de steeg in. Theresa was opmerkelijk kalm hoewel overal om haar heen geweerschoten klonken. Stern was verbaasd over haar zelfbeheersing.

Mijn kloosteropleiding, zei ze.

In de steeg moest Stern even stilhouden om op adem te komen. Hij zette Sivi tegen een muur en sloot zijn ogen in een poging om na te denken. Achter zich hoorde hij een zachte Ierse stem.

Het adres klopt, maar wat wordt hier voor spelletje gespeeld? Verlaag je je tegenwoordig al tot het beroven en ontvoeren van oude mannetjes? Doe je zelf een duit in het zakje nu de Black & Tans alle voorbereidingen hebben getroffen voor een dolle avond?

Hij draaide zich om en zag O'Sullivan Beare staan grijnzen met een revolver achter zijn broekriem gestoken. Hij werd vergezeld door een bejaarde Arabier met een antieke helm op zijn hoofd. Het gezicht van de Arabier werd lijkbleek, maar dat zag Stern niet.

Help me hem te dragen, we moeten hem naar een ander huis brengen.

Maar voordat Joe een vin kon verroeren sprong de oude Arabier met een stralende blik in zijn ogen naar voren.

Alstublieft, sta mij toe u te helpen, mijn heer.

Jezus, mompelde Joe, wat krijgen we nu weer. Hij kan zichzelf nauwelijks staande houden.

Alstublieft, mijn heer, herhaalde Hadji Haroen extatisch, zijn ogen strak op Stern gericht.

Luister, zei Joe, ik doe het zware tilwerk wel als jij de achterhoede dekt. We hebben daar een betrouwbare krijger nodig om ons ervan te vergewissen dat we niet van achteren worden beslopen door een moordlustige kruisvaarder.

Dat hebben we zeker, zei Hadji Haroen die een stap achteruit deed en trots zijn helm rechtzette, terwijl zijn ogen nog steeds onafgebroken op Stern gericht waren.

Met vereende krachten slaagden ze erin Sivi door de stegen weg van de haven te dragen. Overal lagen lijken. Aan een citroenboom hing een meisje. Ze gingen door de achterdeur een verlaten huis binnen en legden hem gestrekt op een bank. Een stroompje bloed liep over de vloer naar een kast. Joe keek erin en sloot snel de kastdeur. Er was een lijk in de kast geperst, een naakt meisje met één afgesneden borst.

Theresa verzorgde de wonden aan Sivi's hoofd. Ze leek nergens anders oog voor te hebben. Stern wendde zich tot O'Sullivan Beare.

Waar heb je die revolver vandaan?

Van de Black & Tans, waar anders. Zoals gewoonlijk zitten zij goed in hun materieel. Hij moet een officier zijn geweest, het voetvolk draagt geweren.

Wat is er met hem gebeurd?

Een vreemd voorval, dat kan ik niet ontkennen. Ik deed niets anders dan naar hem toe gaan en salueren en mij aanmelden voor actieve dienst aan het front op de Krim, en na één blik op me te hebben geworpen maakte hij een buiging als een knipmes. Het zal wel aan die medailles hebben gelegen, ik denk dat hij onder de indruk was van al die glitterdingen. Afijn, hij maakte zo'n duikeling dat hij met zijn hoofd tegen de keien sloeg voor ik hem kon tegenhouden. Hij leek in ieder geval een flinke smak te hebben gemaakt toen ik zijn revolver in beslag nam om te voorkomen dat het in handen viel van een gore gevaarlijke agressor.

Stern keek hem vol walging aan.

Loop vooruit en kijk of we de haven kunnen bereiken. Als het donker is zullen de vuren worden ontstoken.

Dat zullen ze, generaal, dat zullen ze zeker. Kom mee, zei hij tegen Hadji Haroen die nog steeds star in de deuropening stond en zijn ogen maar niet van Stern kon afhouden. Aan het begin van de gang greep de oude man zijn arm.

Wat is er? vroeg Joe op fluistertoon.

Maar weet je dan niet wie hij is? Vlak voor de oorlog heb ik hem één keer eerder gezien, in de woestijn.

Wacht eens even. Over welke oorlog hebben we het nu? De invasie van de Mamelukken? Het Babylonische schrikbewind?

Nee nee, de oorlog was net voorbij, die ene die ze de Grote Oorlog noemen. Hij herkent me natuurlijk niet.

Joe stond op het punt te antwoorden dat hij verdomd goed wist wie hij was. Hij was die klote pseudo-idealist die zich de laatste twee jaar als zijn biechtvader had opgeworpen, terwijl hij nutteloze wapens smokkelde naar landen die niet bestonden en ook nooit zouden bestaan, die hem nota bene al deze ellende had bezorgd door hem naar Smyrna te laten komen om kennis te maken met een oude Griekse nicht die nu krankjorum of stervende was.

Maar hij kon geen van die woorden uitbrengen en de uitdrukking op zijn gezicht was eerbiedig.

Je hebt hem eerder gezien, zeg je? Even voor 1914 in de woestijn? In hoogsteigen persoon?

Ja, heus waar. Ik was op mijn jaarlijkse hadj en hij verwaardigde zich bij zonsopgang uit de hemelen neer te dalen, zich aan mij te openbaren en het woord tot mij te richten.

Het woord tot jou te richten? Vanuit de hemelen? Zich te openbaren? Nou, dat is zeker een gebeurtenis om u tegen te zeggen. En wie mag hij dan wel wezen?

Hadji Haroens lippen trilden. De tranen biggelden over zijn wangen.

God, fluisterde hij met hese stem.

Joe knikte ernstig.

O, ik begrijp het, de enige ware. Wat had Hij te zeggen?

Nou ja, ik vertelde dat ik wist dat God vele namen heeft en dat elke naam die wij leren ons nader tot Hem brengt. Dus heb ik hem gevraagd of hij me zijn naam wilde zeggen en dat deed hij. Hoewel ik een totale mislukking ben, moet hij toch iets rechtschapens hebben gezien in mijn pogingen Jeruzalem de afgelopen drieduizend jaar te beschermen.

Mooi, heel mooi. Welke naam noemde hij dan wel?

*Stern*, fluisterde Hadji Haroen eerbiedig. Het was dat ene moment in mijn leven dat ik altijd boven alle zal koesteren.

O'Sullivan Beare wankelde onthutst achteruit en bleef tegen de deur geleund staan.

Stern? Uit de hemel? Stern?

Hadji Haroen knikte dromerig.

God, fluisterde hij. Onze barmhartigste Heer die zachtjes neerdaalt uit de hemelen.

Joe sloeg een kruis. Jezus, wat lult hij nu toch en hoe is hij verdomme in werkelijkheid achter zijn naam gekomen?

Ze verplaatsten zich van het ene huis naar het andere op weg naar de haven. Uiteindelijk bereikten zij, of liever gezegd Joe, een zijstraat ervan. Hadji Haroen leek achterop te zijn geraakt. Hij wachtte en na een poosje kwam de oude man een zwaar zwaard meetorsend de hoek om strompelen.

Wat is dat?

Een kruisvaarderszwaard.

Die indruk kreeg ik al. Zeker gewoon uit de lucht komen vallen?

Het hing aan de muur in een van de huizen waar we doorheen zijn gelopen.

En wat denk je daar dan wel mee te gaan doen?

Hadji Haroen zuchtte.

Bloedvergieten is verkeerd, ik verafschuw het. Maar ik weet nog hoe de Babyloniërs en de Romeinen huishielden en mij is opgedragen ons groepje te verdedigen, dus nu zal ik net als toen mijn uiterste best doen de onschuldigen te beschermen.

أَلحج

De vuren wachtten niet tot het donker was. Lang voor zonsondergang stonden hele straten in lichterlaaie. Toen ze terugkwamen bij het huis in het Armeense Kwartier hing de rook al in dikke wolken boven de stad.

En? zei Stern.

We kunnen er komen, heer commandant-generaal, maar waarom we erheen zouden gaan is me niet goed duidelijk. De Black & Tans hebben de halve Ierse natie laten uitrukken om ze een ongenadig pak op hun lazer te geven. Het is een smerig zootje, daar kun je beter ver uit de buurt blijven tenzij je aan de goede kant staat van een kanon geladen met roestige spijkers. Nu ben ik aan zee opgegroeid, maar ditmaal zou de man van de Aran Eilanden er de voorkeur aan geven over land te reizen.

Dat lukt nooit met hem, fluisterde Stern, terwijl hij in de richting van Sivi knikte.

Dat is geen probleem, zei Joe glimlachend en op zijn revolver kloppend. Ik vind wel een muilezelwagen die toevallig die kant op gaat.

Maar hij is een Griek, idioot.

Dan leggen we een deken over hem heen. Of ben je bang dat ze jou voor een Armeniër zullen aanzien? Dat is niet uitgesloten, weet je, en waar blijven we dan? Nergens, zou ik zeggen, er net zo beroerd aan toe als de Ierse natie. Hebben jullie wel eens gezien hoe de Black & Tans elkaar oppeppen voor zo'n evenement? Nee, ik neem aan van niet, maar ik verzeker jullie dat dit nog maar het begin is. Wacht maar tot de nacht valt, dan komt het beste naar boven in gewapende mannen die een ongewapende bevolking te lijf gaan. 's Nachts, dan gebeurt het, maar daar zijn jullie niet bang voor, hè? Zo zal het niet gaan, hè? Niet met onze hoogsteigen generaal die belast is met de stichting van Midden-Oosterse rijken?

O'Sullivan Beare grijnsde en Stern deed een stap naar voren. Laarzen stampten in de gang. De deur knalde open.

Twee Turkse soldaten richtten hun geweren op hen. Hun ogen richtten zich op Theresa die geknield naast de bank zat. Een van de soldaten duwde Stern en O'Sullivan Beare met zijn bajonet tegen de muur. De andere soldaat greep Theresa bij haar haar en dwong haar op Sivi's bewusteloze lichaam te gaan liggen.

Niet bewegen, zei ze beheerst. Ze gaan wel weg als ze hebben gedaan waar ze op uit zijn.

De soldaat bij de bank plantte zijn knie in haar rug en trok zijn broek open. Plotseling klonk een woedend gegrom. De soldaat met de bajonet zeeg ineen, zijn hoofd bijna van zijn romp gescheiden. De soldaat bij de bank trachtte zich op te richten, maar Hadji Haroen was razendsnel bij hem. Het zwaard kliefde zijn schouder en doorboorde zijn borst.

Er was iets met Hadji Haroens moedervlek gebeurd. In het halfduister was haar kleur voller en dieper geworden, veel donkerder dan O'Sullivan Beare haar ooit had gezien. Weg waren de vagere plekken, de kleurschakeringen, de bijkans onzichtbare kleurnuances. Zijn mantel was op de grond gevallen en hij stond op zijn lendedoek na naakt midden in de kamer, het lange zwaard aan zijn zijde, zijn hoofd gebogen.

Want de Here Zelve zal uit de hemelen nederdalen, mompelde hij, met de stem van Zijn aartsengel Gabriël.

Stern en O'Sullivan Beare stonden nog steeds tegen de muur gedrukt. Sivi lag bewusteloos op de bank. Theresa lag met gespreide armen en benen op haar buik, met haar rok van achteren tot haar middel opengescheurd. Opeens huiverde ze en sperde ze haar ogen wijd open.

Waar heeft hij het over?

De twee mannen bij de muur kwamen in beweging.

Nu denkt hij dat hij Gabriël is, fluisterde Joe. Gabriël openbaarde de koran aan de Profeet, voegde hij er zonder reden aan toe.

Theresa wendde zich van de Arabier tot de Ier en het was net alsof ze hem voor de eerste maal zag, alsof ze zich niet eerder bewust was geweest van hun aanwezigheid of van de wreedheid die haar omringde. Ergens in haar binnenste werd de merkwaardige sereniteit die Stern vanaf het begin had opgemerkt met een klap weggevaagd. Ze staarde naar het smalle gezicht en het lange haar en de donkere zoekende ogen van de Ier en vooral naar zijn baard. De baard van de schilderijen in het klooster waar zij was grootgebracht.

Ze zat bevend op haar knieën, haar armen boven haar hoofd om zichzelf te beschermen. Haar lichaam schokte hevig.

*Wie is dat?* gilde ze en ze stortte zich voorover op de grond en bonkte met haar hoofd tegen de houten vloer. Stern greep haar beet en ze zag Joe boven zich uittorenen.

*Wie is dat?* gilde ze nogmaals, zich verslikkend in het bloed dat langs haar gelaat stroomde. Stern gaf haar een klap en ze kromp, haar borst klauwend, ineen. Hij trok haar handen weg en hield ze vast.

Joe deinsde achteruit totdat hij in de verste hoek van de kamer stond. Hij beefde en het zweet gutste van zijn lichaam.

Jezus, fluisterde hij.

Ja, zei Stern op bedaarde toon, en moge dit voor jou de eerste en tevens de laatste keer zijn. Jij en de Arabier nemen hem tussen jullie in en ik draag haar. Jullie volgen en ik doe het woord.

ألحج

De meeste stegen waren al geblokkeerd door ingestorte gebouwen. O'Sullivan Beare gleed uit over iets zachts en sloeg tegen de keien. Zijn elleboog kraakte. Hij stond wankelend op, de arm hing slap langs zijn lichaam. Hij kon hem niet bewegen. Wisselen jullie van plaats, zei hij tegen Hadji Haroen. Ze grepen Sivi onder zijn oksels en vervolgden hun weg.

Wist Stern de weg wel? Ze leken in kringetjes te lopen, alle stegen leken hetzelfde. Stern voelde aan het hek van een ommuurde tuin en drong zich naar binnen. Hij zette Theresa op de grond. De drie mannen waren uitgeput.

Vijf minuten, zei Stern.

De Arabier stelde zich bij de toegangspoort op. O'Sullivan Beare scheurde de mouw van zijn overhemd om een mitella te maken voor zijn onbruikbare arm. Van achter de muur klonk een schel gejammer.

*In godsnaam, dood me voor ik verbrand.*

Joe strompelde de steeg in waar de rook zo dik hing dat hij nauwelijks een hand voor ogen kon zien. De ijle kreet klonk opnieuw en toen zag hij het verschoten geel van Hadji Haroens mantel zich van hem verwijderen. Zo goed en zo kwaad als het ging volgde hij strompelend. Het gejammer klonk dichterbij. Een haveloze oude Armeniër liep op de tast langs een muur zonder er erg in te hebben dat hij het vuur tegemoet ging. Zijn neus was afgesneden, zijn ogen waren uitgestoken. Flarden geronnen bloed hingen uit de lege oogkassen.

Tranen van bloed. Onbeweeglijke tranen. Joe bleef stilstaan.

Hadji Haroens zwaard flitste, de oude Armeniër verdween uit het zicht. Voorzichtig pakte Joe Hadji Haroen bij zijn arm en leidde hem terug naar de tuin. De Arabier jammerde en huilde van wanhoop, zijn grote zwaard sleepte hij achter zich aan.

De Romeinen hebben vijfhonderdduizend van ons gedood, fluisterde hij, maar alleen de fortuinlijken stierven dadelijk. Er waren anderen, zoveel anderen.

Hadji Haroen dwaalde huilend door de tuin, verloren tussen de puinhopen. Vlammen sloegen boven hem uit, rookwolken golfden om hem heen. Joe herinnerde zich zijn onbruikbaar bungelende arm en voelde of hij er nog aan zat.

Hij ging op zijn rug liggen en staarde naar de rookwolken, in het niets. Hij kon geen adem meer halen, hij zonk weg in een nachtmerrie van schaduwen en mistige brandende dakspanten. Vaag fladderde Hadji Haroens verschoten mantel langs het hemelgewelf terwijl gegil de nachtmerrie doorkliefde en Sivi schreeuwde dat hij een Griek uit Smyrna was en Theresa *Wie is dat?* gilde. Stern probeerde haar een medicijn door haar strot te persen en ze braakte over hem heen. Hij probeerde het nogmaals, maar hij had het ook al eerder bij Sivi geprobeerd en wat had dat opgeleverd? Ze bleven toch krijsen.

Het deed er niet toe, niets deed ertoe. Het moest inmiddels nacht zijn geworden, want de rook was donkerder en zwaarder, een dikke deken om onder te slapen. Ze moesten daar al uren zijn, terwijl Sivi en Theresa maar raaskalden en Hadji Haroen verloren tussen de bloemen dwaalde met overal rondom hem vuren en allemaal stikkend in de rook, zelfs Stern, de grote generaal. Stern kon naar de hel lopen met zijn dromen, hij was geen cent beter dan wie ook en was net als de rest het spoor volkomen bijster.

Veldmaarschalk Stern? Generalissimo Stern? Welke rang eigende hij zich toe in dat fantasierijk van hem? Verheven lulkoek en klote idealen, net zo daas als alle anderen in de tuin en je kon duidelijk aan hem merken dat hij nooit honger had geleden en nooit op de vlucht was geweest voor de Black & Tans.

Wapensmokkel waarvoor? Wat had het voor zin? De Black & Tans zouden uiteindelijk toch weer terugkomen. Won je vandaag, dan zouden ze morgen terug zijn; ze kwamen altijd weer terug en je kon je niet eeuwig schuilhouden, niet in deze wereld. Je kon beter uitrusten en je nergens druk om maken, je ogen sluiten en het over je heen laten komen, want er was toch geen kruid tegen gewassen, er was niets tegen te beginnen, het zou vanzelf komen net als de Black & Tans en de dag van morgen.

Een hevige pijn. Hij was uitgegleden en zijwaarts op zijn gebroken elleboog terechtgekomen.

En daar was het en Stern had het niet eens gezien. Alleen Hadji Haroen was wakker en bewaakte hen, meelijwekkend met zijn roestige helm en zijn gerafelde gele mantel, zijn zwaard geheven, klaar om de Turkse soldaat te vellen die door de poort was binnengekomen en een geweer op zijn middel richtte.

Waarom? Hij zou dood zijn voor hij een stap kon zetten. Waarvoor? In naam waarvan?

Van Jeruzalem natuurlijk. Zijn dierbare mythe van een Jeruzalem.

Daar stond hij weer tegenover de Babyloniërs en de Romeinen en die ontelbare andere veroveringslegers, en veroveren zouden ze, maar altijd weer zou hij er zijn om zijn Heilige Stad te verdedigen in de vlammen en de rook; een oude man verzwakt door honger met een belachelijke helm en een tot op de draad versleten mantel, waggelend op sprietige beentjes, zich staande houdend met visioenen van Prester John en Sindbad, vernederd en beledigd en hopeloos verward, bereid om voor de zoveelste keer de strijd aan te binden. En zoals hij de allereerste keer dat ze elkaar hadden ontmoet had gezegd: Wie Jeruzalem verdedigt verliest altijd.

De Turkse soldaat lachte. O'Sullivan Beare schoot hem door zijn hoofd.

Toen bewoog Hadji Haroen zich deemoedig tussen hen en sprak ze met kinderen aan en riep ze bijeen en zei dat dit niet de tuin was waarin ze moesten uitrusten.

De haven, een chaos. De waterkant drie kilometer lang, dertig meter diep. Aan de ene kant de Turken, aan de andere kant het water.

Vijfhonderdduizend mensen daar en de stad in lichterlaaie.

Turken die de grensgebieden afstroopten en plunderden en moordden en meisjes grepen. Paardenhalsters die vlamvatten en maakten dat de dieren door de menigte stormden en lichamen vertrapten. De menigten die op sommige plaatsen zo dicht opeengepakt waren dat de doden rechtop bleven staan, overeind gehouden door de levenden.

Sivi en Theresa waren dolzinnig en krijsten steeds luider. Hadji Haroen die tussen hen door scharrelde, verbanden aanlegde, de stervenden bijstond, oude vrouwen omklemde en de ogen sloot van de verstijfde kinderen die ze in hun armen hielden.

Nu was het nacht, zondagnacht. Vlammen in de duisternis, gegil in de duisternis, afgehakte armen en benen in de duisternis, bagage en oude schoenen.

Naast Joe lag een klein meisje en hij keerde haar voortdurend de rug toe. Lang donker haar, een witte huid, een zwarte zijden jurk, haar gezicht opengereten. Door het gat in haar wang kon hij de kleine witte tanden zien. Haar ogen waren gesloten en haar lippen op elkaar, op haar borst een natte plek waar ze was gestoken en nog een onder haar middel, een zwarte poel tussen haar benen.

Het gekreun was gedempt, maar elke keer als hij zich van haar afwendde viel ze met een vreselijk gewicht tegen zijn rug. Hoe zou hij het hier zelfs maar kunnen horen? Dat kon hij niet, het was er niet.

Een schoen op de keien op een meter afstand. Goedkoop, versleten, de zool van rubber en totaal afgetrapt, één stugge verdraaide schoen. Hoeveel duizenden kilometers had die afgelegd om hier te komen? Hoe vaak was hij opgelapt in de loop der jaren om hier te komen? Hoeveel jaren waren dat? Hoeveel duizenden kilometers?

Ze drukte tegen zijn rug, hij draaide zich om. De ogen waren nog steeds gesloten, de lippen nog steeds op elkaar. Kleine witte tanden, vlekken, een zwarte poel tussen haar benen. Acht of negen jaar oud en niemand die zich om haar bekommerde. Eenzaam hier naast hem. Waarom?

Hij keek naar haar schoenen. Zacht zwart leer en nieuw, totaal niet afgedragen maar wel besmeurd met modder, vooral de hielen. Aangekoekt slijk van haar hielen tot aan haar enkels waar ze die in de grond had gedreven toen de soldaten boven op haar lagen. Hoeveel soldaten? Hoe lang was het doorgegaan?

Te veel, te lang. Nu was er niets dat iemand nog voor haar kon doen. Over enkele ogenblikken zou ze zijn heengegaan, heengegaan in haar zondagse zwarte zijden jurk. Zondag? Ja, het was nog steeds zondag.

Kun je niet verstaan wat ze zegt?

De stem van Stern. Hij keek op. Stern torende met een wanhopige uitdrukking op zijn gezicht boven hem uit, uitgeput, bedekt met vegen vuil en bloed. Hologig, hij keek naar de schoenen. Oud en slecht passend, het verbaasde hem. Waarom een paar goedkope schoenen voor de grote generaal? Oud en slecht zittend, de schoenen van Stern.

Wat?

Godverdomme, versta je niet wat ze zegt?

Ze zei niets, dat wist hij. Ze kreunde alleen maar, een zacht eentonig gekreun naast hem dat maar niet wilde ophouden. Nee, niet naast hem, om hem heen. Overal om hem heen en luider dan het gejammer en gegil. Stern schreeuwde hem opnieuw iets toe en hij schreeuwde terug.

Geef antwoord, godverdomme.

Nee, ik kan haar niet verstaan, ik spreek verdomme geen Armeens.

*Alsjeblieft*. Dat zegt ze. Waar is je revolver?

Kwijtgeraakt in de tuin.

Neem dan dit maar.

Stern liet een mes voor hem op de grond vallen en boog zich over Theresa, over Sivi. Hij legde iets ter ondersteuning onder Sivi's hoofd, een jas waarschijnlijk, het zag eruit als een jas. Hij trok Theresa's mond open en klemde een stuk hout tussen haar kaken zodat ze haar tong niet zou doorslikken of afbijten. Altijd in de weer, die Stern, altijd dingen bedenkend om te doen. Bedrijvige bloedlijer.

Waar was Hadji Haroen? Als hij die ouwe niet voortdurend in de gaten hield, raakte hij het spoor bijster. Hij vergat voortdurend waar hij zich bevond en dwaalde af.

O daar, de gele mantel zat geknield naast een schaduw. Was dat waar die nieuwe kreet vandaan kwam? Wat was die muziek? Het klonk als muziek. En wie was die vent die daar op en neer stond te dansen? Die had helemaal geen schoenen aan zijn voeten. Waarom danste hij en waar was zijn haar? Zomaar lachend en op en neer dansend, weg, lachend en dood, zonder schoenen.

Waar was de andere schoen, die ene die duizenden kilometers had gelopen? Enkele ogenblikken geleden was hij er nog en nu was ook hij verdwenen. Er was een lijk op gevallen.

Het zachte gekreun, hij draaide zich om. De vingers waren gebroken, dat was hem nog niet eerder opgevallen. De handen waren verbrijzeld en hingen de verkeerde kant op, achterwaarts. Ze moet hebben geprobeerd hen te krabben en toen hadden ze haar handen bewerkt met de kolven van hun geweren, ze op de keien geplet voordat ze haar in haar borst staken, haar messteken toebrachten en al die andere dingen met haar deden, terwijl zij in haar zwarte zijden jurk en met haar zondagse schoenen aan op haar rug lag.

Een pijn in zijn schouder. Stern had hem een schop gegeven. Stern zat naast hem op zijn hurken en schreeuwde woedend.

Nou?

Nou wát? Doe jij je eigen vuile werk maar. Ik ben verdomme geen slager.

Er sprak angst uit Sterns ogen, ook dat kon hij zien. Hij was gewoon niet die verdomde ijzervreter die hij voorgaf te zijn. Toegegeven, hij was groot en sterk en gedroeg zich alsof hij de baas was en deelde bevelen uit als een geweldige generaal die door allerlei oorlogen gepokt en gemazeld was. Stern de held die wist wat hij deed en het geld had om het te doen en de indruk wekte dat hij overal een antwoord op had, Stern de visionair die minder in de melk te brokken had dan hij je wilde doen geloven. Die je aankeek met die holle blik in zijn ogen, die evengoed angst uitstraalden, zodat die hufter het best nog eens mocht horen met al zijn arrogantie en bedillerigheid, een bange flutgeneraal zonder leger, die met zijn idealen te koop liep. Nou, die waren er niet en dat wilde hij die zak nog best eens in zijn gezicht zeggen. Wie verbeeldde hij zich wel dat hij was? Waarom zou hij het hem niet recht in zijn smoel slingeren.

Vergeet het maar, Stern. Dop voor de verandering je eigen boontjes maar eens. Ik ben geen slager. Pak dat komende koninkrijk van je maar op en steek het in je reet. Jaag het na, droom erover, doe ermee wat je wilt maar ik geef er de brui aan. Ik werk nooit meer voor jou of voor wie dan ook en ik dood van mijn leven ook nooit meer iemand. Hoor je wat ik zeg, Stern? Van nu af aan kunnen jij en al die andere klote generaals hun eigen moordwerk opknappen. Is dat duidelijk, Stern?

Vlammen aan de hemel, iemand die brandend een huis uit strompelt. Geen man of vrouw meer, gewoon een brandend hoopje mens na duizenden kilometers te hebben gelopen om hier te komen, na al die jaren te hebben gelopen om uitgerekend hier te belanden, maar ja, je kon eigenlijk niet zo ver vooruitzien, hier niet, je kon niet verder dan tien meter vooruitkijken, maar dat hoefde je natuurlijk ook niet want hier was het universum maar tien meter breed en daarna viel er niets meer te zien.

Stern raapte het mes op en Joe zag het hem doen. Hij keek toe hoe hij het kleine meisje bij haar haar greep en haar hoofd achterover trok. Hij zag de slanke blanke hals.

Het druipende mes viel kletterend op de keien naast hem en ditmaal keek hij niet op. Ditmaal wilde hij Sterns ogen niet zien.

Niet de hele stad stond in brand. Het Turkse Kwartier noch de enclave van Standard Oil werden aangetast door de brand die, zo beweerden de Turken later, was gesticht door de zich terugtrekkende Christelijke minderheden. Maar de Amerikaanse regering hield vol dat de brand een ongeluk was, daar de Engelse verzekeringspolissen van de Amerikaanse tabakshandelaren in Smyrna oorlogsactiviteiten niet dekten.

Vanaf de kade vervoerden overbelaste bootjes Griekse en Armeense vluchtelingen naar de buitenlandse oorlogsschepen die daar lagen om hun staatsburgers te beschermen en te evacueren, maar niet gemachtigd waren iemand van een andere nationaliteit op te nemen voor het geval dat de wrevel van de Turken zou opwekken. Als ze langszij de Engelse oorlogsschepen kwamen en kabels over de reling wierpen, werden die kabels doorgesneden. Korte tijd later waren de weinige bootjes volgelopen en gezonken.

Mensen werden van de kade geduwd en verdronken. Anderen sprongen in het water om zelfmoord te plegen. Weer anderen zwommen naar de oorlogsschepen toe.

De Engelsen overgoten de zwemmers met kokend water.

De Italianen die veel verder in zee voor anker waren gegaan, namen iedereen aan boord die zo ver kon zwemmen.

De Franse motorsloepen die de haven in kwamen namen iedereen aan boord die, ongeacht hoe beroerd, in het Frans kon zeggen: *Ik ben Frans, ik ben mijn papieren in de brand kwijtgeraakt.* Spoedig stonden groepjes kinderen opeengepakt rond Armeense onderwijzers op de kade om dat magische zinnetje te leren.

De kapitein van een Amerikaanse torpedobootjager weigerde kinderen aan boord te nemen onder het schreeuwen van *Alleen voor Amerikanen.*

Een klein Armeens meisje uit het binnenland hoorde de eerste Engelse woorden van haar leven toen ze naast Hare Majesteits *Iron Duke* zwom.

*NO NO NO.*

Vanaf de dekken van de oorlogsschepen keken de buitenlandse zeelieden door verrekijkers naar de massaslachting en maakten foto's. Marinekapellen speelden tot laat en fonografen werden op de schepen opgesteld en op de kade gericht. Caruso zong de hele nacht aria's uit *Pagliacci* en zijn stem schalde over de haven die vol lag met opgezwollen lijken. Een admiraal die wilde dineren op een ander schip kwam te laat omdat een vrouwenlichaam in zijn schroef beklemd raakte.

's Nachts kon de gloed van het vuur van vijfentwintig kilometer afstand worden waargenomen. Overdag vormde de rook een gigantische bergketen die van driehonderd kilometer afstand kon worden gezien.

Terwijl de half miljoen vluchtelingen op de kade en in het water bleven sterven, bleven Amerikaanse en Engelse vrachtschepen tabak uit Smyrna verschepen. Andere Amerikaanse schepen wachtten tot ze waren volgeladen met vijgen.

Een Japans vrachtschip dat volgeladen met vluchtelingen in Piraeus aankwam, had al zijn lading overboord gegooid om meer mensen mee te kunnen nemen. Een Amerikaans vrachtschip dat in Piraeus aankwam met enkele vluchtelingen aan boord werd verzocht terug te keren om nog een lading op te halen, maar de kapitein zei dat zijn vrachtje vijgen voor New York over tijd was.

En op het Griekse eiland Lesbos stond de merkwaardigste admiraal in de wereldgeschiedenis op het punt met zijn vloot zee te kiezen.

Hij was pas twee weken voordat de Turken Smyrna binnenmarcheerden in de stad aangekomen en was een methodistische dominee uit de staat New York die was gekomen om bij de Christelijke Jongeren Vereniging te gaan werken. Toen de massaslachting begon waren zijn beide superieuren op vakantie dus ging hij, uit naam van de Christelijke Jongeren Vereniging naar de Italiaanse consul en haalde hem over een Italiaans vrachtschip dat in de haven lag opdracht te geven vluchtelingen naar Lesbos te transporteren. Hij ging zelf met het vrachtschip mee, in de hoop er weer mee terug te varen en trof in Lesbos twintig lege transportschepen aan die waren gebruikt voor de evacuatie van het Griekse leger van het vasteland. Hij stuurde een telegram naar Athene dat de schepen onmiddellijk naar Smyrna moesten worden gestuurd om vluchtelingen te evacueren en ondertekende dat met ASA JENNINGS, AMERIKAANS STAATSBURGER.

De reactie kwam binnen enkele minuten.

WIE OF WAT IS ASA JENNINGS?

Hij antwoordde dat hij de voorzitter was van de Amerikaanse Hulporganisatie in Lesbos, maar vertelde er niet bij dat hij de enige Amerikaan op het eiland was en dat er helemaal geen hulporganisatie bestond.

De volgende reactie liet wat langer op zich wachten. Er werd in gevraagd of Amerikaanse oorlogsschepen de transporten bescherming zouden bieden voor het geval de Turken ze in beslag zouden proberen te nemen.

Het was nu 23 september, precies twee weken nadat het Turkse leger Smyrna was binnengedrongen. De Turken hadden gezegd dat alle vluchtelingen op 1 oktober Smyrna moesten hebben verlaten.

Jennings had zijn boodschap in code verzonden. Op die zaterdag telegrafeerde hij een ultimatum naar Athene. Hij zei dat de Amerikaanse marine bescherming had gegarandeerd, wat een leugen was. En hij zei dat de Turkse machthebbers hun toestemming hadden verleend, wat eveneens een leugen was. En ten slotte voegde hij eraan toe dat hij een ongecodeerd telegram zou sturen als de Griekse autoriteiten de schepen niet onmiddellijk lieten gaan, zodat Athene ervan zou worden beschuldigd te weigeren de Griekse en Armeens vluchtelingen die binnen een week een wisse dood wachtte, te hulp te komen.

Hij verzond het telegram om vier uur in de middag en eiste een antwoord binnen twee uur. Een paar minuten voor zessen kreeg hij het.

> ALLE SCHEPEN IN DE AEGEÏSCHE ZEE MET ONMIDDELLIJKE INGANG ONDER UW BEVEL GEPLAATST VOOR DEPORTATIE VAN VLUCHTELINGEN UIT SMYRNA

Een onbekende man die secretaris was van de jongerenorganisatie in Smyrna was benoemd tot opperbevelhebber van de volledige Griekse vloot.

Jennings voer tweemaal heen en weer en bracht achtenvijftigduizend vluchtelingen mee terug. De Engelse en de Amerikaanse vloten begonnen ook vluchtelingen te evacueren en op 1 oktober waren er tweehonderdduizend in veiligheid gebracht. Aan het einde van het jaar was bijna een miljoen vluchtelingen uit Turkije naar Griekenland gekomen en had epidemieën van tyfus en malaria, trachoom en pokken meegebracht.

Het geschatte aantal doden in Smyrna bedroeg honderdduizend.

Of zoals de Amerikaanse consul in Smyrna het formuleerde: *Het enige dat ik eraan heb overgehouden was een gevoel van uiterste schaamte deel uit te maken van het menselijk ras.*

Of zoals een Amerikaanse onderwijzer in Smyrna opmerkte: *Sommige mensen hier hebben zich bezondigd aan ongeoorloofde daden van medemenselijkheid.*

Of zoals Hitler zei, enkele dagen voordat zijn pantserdivisies Polen binnenwalsten om een nieuwe oorlog te ontketenen: *Wie heeft het trouwens tegenwoordig nog over de uitroeiing van de Armeniërs? De wereld gelooft louter in succes.*

Uiteindelijk vond Stern een uitweg. Ze kozen 's nachts zee in een kleine boot. Sivi en Theresa onrustig slapend in de kooien benedendeks en bij vlagen opgeschrikt door hun eigen gemompel, Stern en O'Sullivan Beare onderuit gezeten tegen de kajuit aan dek en Hadji Haroen op de boeg waar hij de kalme zee gestaag in de gaten kon houden.

De enkele golfjes kabbelden vredig en slechts een van de reizigers bleef die nacht wakker en was dat bij zonsopgang nog steeds, ongehinderd door de dromen die zijn metgezellen achtervolgden. Want in tegenstelling tot hen was hij op weg naar zijn thuis en zijn thuis veranderde nooit.

Er konden slachtingen worden aangericht in de straten, maar waar draaide het uiteindelijk op uit? Er was ook een tegenbeweging, het ontstaan van nieuw leven dat ook nooit ophield, en als ze de ene stad platbrandden dan werd er een andere op de puinhopen gebouwd. De berg werd alleen maar hoger en torende zelfs nog majestueuzer uit boven de vlakten en de woestenijen en de woestijnen.

Hadji Haroen keek naar zijn moedervlek. Ze was nu vervaagd en onduidelijk, opnieuw een donkere en vage schakering van licht en donker met veranderende patronen, een landkaart zonder grenzen. Hij keek naar de twee mannen die aan dek lagen te slapen. Hij luisterde naar de gekwelde geluiden uit het vooronder en schudde bedroefd zijn hoofd.

Waarom begrepen zij het niet?

Het was toch zo duidelijk als wat.

Waarom waren zij niet in staat het te zien?

In het vroege grijze licht richtte hij zijn gelaat oostwaarts, meer dan tevreden. Hij zette zijn helm recht en streek zorgvuldig zijn mantel glad. Zij kon nu elk moment opduiken en hij wilde er gereed voor zijn, die glorieuze aanblik waardig.

Eerbiedig wachtte hij. Trots tuurde hij de horizon af naar een glimp van zijn Heilige Stad, de oude solide muren en de massieve poorten, de koepels en de torens en de minaretten, zacht glinsterend en onverwoestbaar, als eeuwig goud in het eerste licht van de dag.

# 21 Caïro 1942

ألحج

*Een gebaar. Een foto.*
*De dood.*

Zo kwam Sterns reis eindelijk tot een einde in de woestijn niet ver van Caïro in het eerste licht van een zoveelste dageraad, toen hij daar zat met Maud nadat zij de hele nacht hadden gepraat.

Daarna gebeurden er nog een paar dingen, zei hij. Misschien wil je die ook horen.

Nee, dat wordt me te veel. Nu is het welletjes.

Maar ik moet het je nu vertellen en daarbij komt dat het goede dingen zijn. Nadat we elkaar voor het eerst in Turkije hadden ontmoet, heb ik Joe in Jeruzalem opgezocht. Ik heb hem de ware reden verteld waarom je hem in 1921 hebt verlaten, omdat je bang was hem kwijt te raken. Omdat je zoveel van hem hield en bang was die liefde te verliezen zoals je voordien steeds was overkomen.

Niet doen, Stern. Het is te lang geleden.

Nee, luister, hij begreep het. Hij zei dat hij niet terug kon komen maar hij begreep het. Toen hebben we het over de Sinaï-bijbel gehad. Hij had er de voorgaande twaalf jaar naar gezocht, tot aan 1933 had het zijn hele leven in beslag genomen. Natuurlijk wist ik dat al, ik had hem immers verteld waar hij moest zoeken. In het Armeense Kwartier.

Dus je hebt al die tijd geweten dat hij daar was?

Ja.

En toch heb je er zelf nooit naar gezocht.

Nee, dat kon ik niet. Ik heb altijd het gevoel gehad dat het niet aan mij was om hem te vinden. Maar goed, nadat ik met hem had gesproken, zei hij dat hij de speurtocht zou opgeven en Jeruzalem zou verlaten.

Waarom?

Dat moet zijn geweest om wat ik hem over jou heb verteld. Omdat de tijd ons kunstjes flikt en hij altijd, altijd van je was blijven houden, in weerwil van wat hij beweerde. Het was niet echt de Sinaï-bijbel waar hij zijn zinnen op had gezet, dat weet je. En al dat gepraat over geld en macht en woede jegens mij, zijn haat zelfs, vooral in Smyrna, dat was hij niet echt zelf. We hebben er ooit, lang geleden eens over gepraat, dat herinner ik me nog als de dag van gisteren. Het was op een kerstavond en we bevonden ons in een Arabisch koffiehuis in de Oude Stad. Het sneeuwde en de straten waren verlaten, het was vóór Smyrna, toen we nog vrienden waren en hij af en toe naar me toe kwam en me om raad vroeg. Hij bracht het ter sprake en ik sprak er met hem over en het was de allereerste keer dat hij kwaad op me werd. Uiteraard had ik toen geen flauw idee wie de vrouw was die hem had verlaten, maar ik wist wel dat hij zichzelf iets wijsmaakte en dat is de reden waarom hij daarna het contact met me verbrak, omdat hij wist dat ik het wist en hij zich ervoor schaamde. Zo groeide zijn wrok, juist omdat we voorheen zulke goede vrienden waren geweest. Toen durfde hij niemand meer te vertrouwen en vluchtte hij terug de bergen in. Afijn, nadat ik hem in 1933 had ontmoet, vergokte hij alles wat hij bezat. Hij wilde het verliezen. Wist je dat hij heel rijk was geworden?

Dat had ik gehoord.

Ja, al die ongelooflijke plannetjes van hem. Nou hij verloor tijdens een potje poker met twee onberekenbare types meer dan een miljoen pond, maar dat is een ander verhaal. Maar moet je horen. Hij is teruggegaan naar Ierland om zijn oude Amerikaanse musketon op te halen die hij voordat hij clarisse werd op het kerkhof had begraven. Hij nam het wapen mee naar de open plek in Cork waar hij in lompen had gezeten voordat hij voor de eerste maal vertrok. Hij koos daar opnieuw een tweede paasdag voor uit en heeft daar de hele middag zitten luisteren naar de zeemeeuwen en zitten kijken naar de drie torenspitsen van St. Finnbar's en aan het einde van de middag besloot hij opnieuw weg te gaan. Zoals hij in zijn brief schreef, hij had eindelijk vrede gesloten met de drie-eenheid. Dus ging hij scheep naar Amerika en je raadt nooit met welke eindbestemming.

Het zuidwesten?

Ja, jij kent hem echt goed, hij zocht de woestijn, hij dacht nog steeds terug aan de maand die jullie samen hebben doorgebracht in de Sinaï. Hij is naar New Mexico gegaan. En uiteindelijk in een Indianenreservaat terechtgekomen. Hij gaf zich uit voor een Pueblo en het duurde niet lang of hij was de hoofdmedicijnman van het reservaat.

Maud glimlachte.

Joe? Een medicijnman?

Ze staarde bedeesd naar het zand.

Ik geloof niet dat ik daar ooit eerder iets over heb gezegd, maar hij was altijd al geobsedeerd door de gedachte dat hij een Indiaanse grootmoeder had. Hij vroeg me voortdurend naar haar. Wat ze deed, hoe ze was, dat soort dingen. Ik weet niet wat hij zich daarbij voorstelde, maar bij die gelegenheden had hij het gezicht van een klein jongetje.

Plotseling wendde ze haar blik af. Ga door, zei ze.

Nou, dat is hij nu. Hij zit in een wigwam met een deken om zich heen, staart in het vuur en mompelt wat in het Gaelic, wat ze daar voor een taal der geesten houden. Hij heeft de oude musketon aan zijn voeten liggen en beweert dat het zijn vuurwapen was in zijn persoonlijke oorlog met de bleekgezichten. Hij interpreteert dromen en voorspelt de toekomst. De bewonderde en alom gerespecteerde sjamaan van de Pueblo's.

Maud lachte.

Lieve Joe. Ik was zo dwaas en hij was te jong om het te begrijpen. Zo lang geleden.

Wacht, dat is nog niet alles. Hij houdt een oud boek op zijn schoot en doet alsof hij dat raadpleegt wanneer de Indianen hem om raad vragen, maar hij kan er natuurlijk geen woord van lezen. Hij zuigt zijn verhalen ter plekke uit zijn duim en of het nu toekomstvoorspellingen of historische verhalen zijn kan niemand zeggen, want het boek is zo verschrikkelijk oud, drieduizend jaar om je de waarheid te zeggen. De verhalen van een blinde man opgetekend door een imbeciel.

Maud staarde hem aan en ditmaal glimlachte Stern ook.

Het is waar. Hij heeft het.

Maar wat krijgen we nu? Hoe kan dat?

Tja, het schijnt dat zijn Arabische vriend het een paar jaar nadat hij Jeruzalem had verlaten heeft gevonden en naar hem heeft opgestuurd. Hoe en waarom die Arabier het heeft gevonden, dat is weer een ander verhaal. Maar daar bevindt het zich nu. In 1933 kocht het Britse Museum Wallensteins vervalsing van de Sovjetregering voor honderdduizend pond, en in 1936 stuurde Hadji Haroen het origineel naar een wigwam in New Mexico, waar het rust in de schoot van de hoofdmedicijnman van de Pueblo's.

Maud zuchtte.

Eindelijk dan toch. Lieve Joe.

Ze staarde naar het zand en verzonk in de herinnering aan die maand aan de oevers van de Golf van Akaba. De mooiste momenten van haar leven die ze ooit had gekend en zo kort. Zo lang geleden.

Ze keek op. Het was daar geweest, juist aan de andere kant van de Sinaï, eigenlijk niet eens zo ver weg. En het sprankelende water en de uiteenspattende zonsondergangen, het hete zand onder hun lichamen op dagen waar geen einde aan kwam en de talloze sterren in nachten waar geen einde aan kwam, liefde en de alles genezende zee, liefde en de eenzaamheid van de woestijn waar zij beiden het vuur van het zand hadden gezocht; als ze haar ogen sloot kon ze de hitte nu nog voelen.

Maar nee, die kon ze niet voelen, het was te lang geleden. Het zand was nu koud onder haar vingers. Ze hoorde een rinkelend geluid, Sterns fles tegen de rand van zijn kroes. Ze nam hem van hem over en vulde die voor hem. Ze sloeg haar armen om hem heen.

Het is voorbij, zei hij eenvoudig. Afgelopen. Uit.

Zeg dat niet, Stern.

Nou ja, nog niet helemaal, daar heb je gelijk in. Er zijn nog een paar dingen die moeten gebeuren. Na de oorlog ga jij naar Amerika om bij Bernini te zijn en ooit zul je Joe terugzien, dat kan gewoon niet anders. Maar ik, ik zal deze heuvel in Jemen, waar ik ben geboren, nooit meer verlaten. Uiteindelijk heeft Ya'qub toch gelijk gehad. Ik zal hier nooit weggaan.

Ze boog haar hoofd. Er viel niets te zeggen. Stern forceerde een glimlach.

Een simpel einde eigenlijk, hè? Na al die worstelingen en die pogingen om te geloven, het verlangen om te geloven, is het in twee of drie dingen allemaal gezegd. Een gebaar. Een foto. De dood.

Stuntelig krabbelde hij overeind en wierp de lege fles in de richting van de aan de horizon opkomende zon; een gebaar dat Joe ooit eerder, lang geleden, tegen de duisternis had gemaakt aan de oevers van de Golf van Akaba, dat ditmaal tegen het licht gericht was. Toen pakte hij haar camera en maakte een foto van haar tussen de sfinx en de piramides, en liet de sluiter klikken over hun liefde; Maud robuust en glimlachend voor hem op hun laatste dag, hun tijd samen die eindigde in de verlokking van een Heilige Stad, de verlokking van de woestijn, nu een weefsel binnen het heldere sombere tapijt van onwankelbare dromen en tanende dagen die ze in de loop der jaren met anderen hadden gedeeld; een tapijt van levens dat had geraasd door gigantische geheime oorlogen en met stomheid was geslagen door al even uitgestrekte stiltes, met een stugge en zachte structuur in hun scala van kleuren, een mantel des levens.

Een gebaar toen, een foto nu, een van eeuw tot eeuw tot op de draad versleten en luisterrijke mantel. En de argeloze wevers van de mantel, verachte en zegevierende geesten, draden voor het tapijt en namen voor de woestijnen en de zeeën, zielen om te worden vergaard in de fluisteringen van de liefde die de chaos van gebeurtenissen tot een geheel en de decennia tot een tijdsgewricht hadden verweven.

Liefde teder en zacht en woest, rijk en smachtend en hallucinerend, vervloekt en verziekt en vroom. Liefde, de verbijsterende veelvormigheid van de liefde. Dat en alleen dat was in staat de levens op te roepen die in het spektakel verloren waren gegaan, de uren die in de droom waren vergeten.

Hoop en ontgoocheling ten prooi aan de tijd, demonen die in vergetelheid waren gedrongen, geesten die aan de herinnering waren prijsgegeven in het chaotische boek van het leven, een zich herhalende en tegensprekende bijbel die oneindigheid suggereerde, een veelkleurig Sinaï-tapijt.

En zo liep Stern die avond, met een greintje morfine om zijn bloedstroom te bestendigen door de smoezelige stegen van Caïro naar zijn laatste ontmoeting, betrad een kroeg, ging op een kruk zitten en begon te fluisteren tegen zijn contactpersoon die maar niet kon beslissen of hij een Arabier of een Jood was, en gaf hij instructies voor een geheime zending wapens die in naam van de vrede ergens heen moest.

Buiten klonk gepiep van autobanden en geschreeuw en gevloek en dronken gelach. De man naast hem keek nerveus naar het gordijn dat hen van de straat scheidde, maar Stern keek niet op of om en praatte gewoon door.

De jonge Australiërs hadden in de rampzalige Slag om Kreta gestreden en de val van het eiland overleefd en zich ondanks de honger en de koude de gehele winter in de bergen van Kreta weten te handhaven, terwijl ze plannen beraamden om in de lente naar Egypte te ontsnappen. Ze voegden de daad bij het woord door in een roeiboot de Libische Zee over te peddelen. En nu waren zij ontslagen uit het ziekenhuis met hun wonden genezen en kunstarmen en kunstbenen in plaats van de verloren ledematen en waren erop uit om te drinken en te knokken en uitbundig van het leven te genieten.

Geschreeuw. Geschuifel en gekrijs van mannen op straat. Gelach. *Klote bruinjoekels.* Het sjofele gordijn vloog open en er werd iets door de deuropening naar binnen geworpen, maar niemand in de kroeg verroerde een vin. Niemand wist wat het was, behalve Stern.

Stern gaf de man naast hem een klap en zag de onthutste uitdrukking op het gezicht van de man toen hij achteruit tegen de vlakte sloeg, weg van de handgranaat die langzaam door de lucht zweefde.

Maar voor Stern was het op dat ogenblik helemaal geen handgranaat, maar een niet langer verre wolk boven de Maantempel, een drijvende herinnering in de woestijn van vage zuilen en fonteinen en waterwegen, mysterieuze oorden waar mirre groeide, de puinhopen van zijn jeugd.

Verblindend licht toen in de spiegel achter de toog, plotselinge dood die opging in de sterren en windstormen van zijn leven met duisternis in de ontgoocheling van zijn speurtocht; eindelijk helder verblindend licht aan de nachtelijke hemel en Sterns ooit zo grootse visioen van een thuisland voor alle volkeren van zijn erfgoed was verdwenen alsof het nooit had geleefd, vermorzeld alsof hij nooit had geleden. Zo eindigde zijn futiele toewijding op een heldere avond in Caïro tijdens de onzekere veldtochten van 1942 toen hij zijn obligate vermomming droeg voor zijn laatste ontmoeting en zijn gezicht werd afgerukt en in het halfduister van een Arabische kroeg tegen een spiegel smakte waar het bleef plakken om voor eeuwig naar het nu bewegingloze landschap van zijn dood te staren.